BOŻENA i ROMAN RETMAN

*

# ROZMÓWKI ANGIELSKIE

BOŻENA I ROMAN RETMAN

# ROZMÓWKI ANGIELSKIE

WIEDZA POWSZECHNA
WARSZAWA
1961

Koncepcja ogólna, tematyka i układ
MIECZYSŁAW JAWOROWSKI

*

Okładka
J. CZ. BIENIEK

*

Rysunki
MIKOŁAJ PORTUS

*

Redaktor
WANDA LECIEJEWICZ

Redaktor techniczny: Stefan Idziakowski

Printed in Poland

PW „Wiedza Powszechna" — Warszawa 1961. Wydanie IV. Nakład 30.000 + 253 egz. Objętość 9 ark. wyd., 20 ark. druk. Papier druk. sat. kl. V, g 70 (86 × 122/64) z Fab. Pap. w Kluczach. Druk wykonano z matryc w październiku 1961 r.

Drukarnia im. Rewolucji Październikowej w Warszawie

Zam. 1315/61. S-73. Cena zł 15.—

## SPIS TREŚCI

## SKOROWIDZ RZECZOWY

*(liczby oznaczają stronę)*

## *WSTĘP*

*Rozmówki obcojęzyczne „Wiedzy Powszechnej" przeznaczone są dla osób wyjeżdżających za granicę, a nie znających języka danego kraju. Obejmują one zasób pytań, odpowiedzi, zwrotów i wyrażeń potocznych, które umożliwiają porozumienie się w elementarnym zakresie w różnych typowych sytuacjach związanych z wyjazdem i pobytem za granicą. Jest to więc pomoc o charakterze doraźnym, przeznaczona nie do systematycznej nauki języka, lecz do bezpośredniego wykorzystania w pewnych określonych sytuacjach. Przejrzysty układ tematyczny oraz alfabetyczny spis haseł ułatwiają natychmiastowe odnalezienie poszukiwanych zwrotów i wyrażeń, a zastosowana transkrypcja fonetyczna umożliwia poprawną wymowę.*

*Podany na końcu każdego rozdziału dodatkowy słowniczek umożliwia dowolne poszerzenie i różnicowanie rozmów, zależnie od potrzeby.*

*Obok zwrotów i wyrażeń najprostszych, „Rozmówki angielskie" obejmują również zwroty i wyrażenia, które z punktu widzenia czysto praktycznego nie są niezbędne, lecz które jako typowe mogą służyć za wzór do tworzenia innych zdań analogicznych. W takim poszerzonym ujęciu będą one cenną pomocą również dla osób, które wprawdzie znają trochę język, lecz nie mają dostatecznej praktyki w posługiwaniu się nim w mowie. Mamy nadzieję, że oddadzą one duże usługi szerokim rzeszom turystów, coraz liczniej wyjeżdżających za granicę, i że zachęcą do systematycznej nauki języków.*

## WSKAZÓWKI JAK NALEŻY POSŁUGIWAĆ SIĘ „ROZMÓWKAMI"

**1.** Ażeby zapewnić sobie całkowite wykorzystanie materiału językowego zawartego w *Rozmówkach*, przed wyjazdem za granicę należy odpowiednio się przygotować do posługiwania się nimi. Należy mianowicie:

a) dokładnie przestudiować wskazówki dotyczące wymowy, tak aby bez trudu móc czytać teksty w ich oryginalnej pisowni; wprawdzie wymowa wyrazów i zwrotów angielskich podana jest obok w transkrypcji polskiej, ale należy się liczyć z tym, że w czasie pobytu w Anglii umiejętność czytania w oryginalnej pisowni angielskiej potrzebna będzie do odczytywania różnych napisów ostrzegawczych, informacyjnych, wywieszek, szyldów itp.;

b) zaznajomić się z ogólnym układem i treścią *Rozmówek*, co ułatwi szukanie zwrotów i wyrażeń do poszczególnych rozmów;

c) w miarę możliwości dokładnie przestudiować rozdział pt. „Krótki zarys gramatyki" i przyswoić sobie pewien zasób najbardziej niezbędnych wyrazów; w ostateczności, gdyby brak czasu nie pozwalał na takie dokładne przygotowanie się wstępne, należy ograniczyć się do przyswojenia sobie zasad transkrypcji fonetycznej tekstów angielskich podanych w rozdziale następnym.

**2.** Przed każdą rozmową należy wyszukać i przyswoić sobie zwroty i wyrażenia, które będą potrzebne do jej przeprowadzenia.

**3.** Zwrotów i wyrażeń należy szukać za pomocą spisu treści, bądź też według haseł zamieszczonych w skorowidzu rzeczowym, gdyż często zwroty i wyrażenia związane z jakimś określonym tematem w *Rozmówkach* występują w dwóch różnych rozdziałach.

4. Na końcu każdego rozdziału bądź podrozdziału znajduje się słowniczek dodatkowy wyrazów wiążących się z danym tematem. Za pomocą tych słów, mając gotowe wzory odmiany różnych części mowy i budowy zdań podane w rozdziale poświęconym gramatyce oraz w tekście *Rozmówek*, można dowolnie tworzyć inne zdania, pytania i odpowiedzi na poszczególne tematy, zależnie od potrzeby zastępując jedne wyrazy drugimi i utrzymując ogólny układ zdania, tzn. że rzeczownik należy zastąpić rzeczownikiem, czasownik — czasownikiem itp., zachowując ten sam szyk wyrazów co w zdaniu wziętym na wzór.

NA PRZYKŁAD NA WZÓR ZDANIA:

| | |
|---|---|
| Czekam na list z Warszawy, | I'm waiting for a letter from Warsaw, [*ajm 'uejtyŋ fər ə 'letə frəm 'uo:so:*] |

MOŻEMY TWORZYĆ INNE:

| | |
|---|---|
| Pan(i) czeka na depeszę z Hull. | You're waiting for a cable from Hull. [*juə 'uejtyŋ fər ə 'kejbl frəm 'hal*] |
| Moja znajoma wysyła depeszę do Chicago. | My friend's sending a cable to Chicago. [*maj 'frendz 'sendyŋ ə 'kəjbl tə szy'ka:gou*] |
| Mój znajomy jedzie do Chicago. | My friend's going to Chicago. [*maj 'frendz 'gouyŋ tə szy'ka:gou*] |
| On nie chce jechać do Newcastle. | He does not want to go to Newcastle. [*hy daznt 'uont tə 'gou tə 'nju:kasl*] |

## WSKAZÓWKI DOTYCZĄCE WYMOWY I TRANSKRYPCJI FONETYCZNEJ

Do oznaczenia dźwięków angielskich na życzenie Wydawnictwa zastosowano w *Rozmówkach* uproszczony system znaków fonetycznych:

**samogłoski:**

[*i:*] [*y*] [*e*] [*æ*] [*a:*] [*o*] [*o:*] [*u*] [*u:*] [*a*] [*ə*] [*ə:*]

**dwugłoski:**

[*ej*] [*ou*] [*aj*] [*au*] [*oj*] [*iə*] [*eə*] [*uə*]

**spółgłoski dźwięczne:**

[*b*] [*d*] [*g*] [*j*] [*l*] [*m*] [*n*] [*r*] [*w*] [*z*] [*ð*] [*ŋ*] [*dż*] [*ż*] [*u*]

**spółgłoski bezdźwięczne:**

[*p*] [*t*] [*k*] [*f*] [*s*] [*h*] [*θ*] [*cz*] [*sz*]

Większość tych znaków oznacza dźwięki bardzo podobne do polskich; są to następujące głoski:

**samogłoski:**

[*a*] [*e*] [*o*] [*u*]

**dwugłoski:**

[*ej*] [*ou*] [*aj*] [*au*] [*oj*]

**spółgłoski dźwięczne:**

[*b*] [*d*] [*g*] [*j*] [*l*] [*m*] [*n*] [*r*] [*w*] [*z*] [*dż*] [*ż*] [*u*]

**spółgłoski bezdźwięczne:**

[*p*] [*t*] [*k*] [*f*] [*s*] [*h*] [*cz*] [*sz*]

Wymawiać je należy tak, jak wymawia się odpowiednie dźwięki w języku polskim, pamiętając jednak że:

1) [*a*] wymaga uniesienia języka wyżej i bardziej do przodu niż polskie **a**;

[*e*] jest o wiele bardziej zbliżone do polskiego **i** niż polskie **e**;

[*o*] wymaga opuszczenia języka niżej niż polskie **o**;

[*u*] nie wymaga uniesienia języka bardzo wysoko do tyłu jak polskie **u**;

2) dźwięczne spółgłoski na końcu wyrazów wymawiamy dźwięcznie, np. **peg** wymawiamy [*peg*], a nie [*pek*], **rob** wymawiamy [*rob*], a nie [*rop*] itd.

Pozostałe znaki wymawiać należy w sposób następujący:

[*y*] jako dźwięk pośredni między polskim **i** a polskim **y**, bardziej jednak zbliżony do polskiego **y**;

[*œ*] (w pisowni zawsze **a**) jako dźwięk podobny do polskiego **e**, ale niżej opuszczając szczękę; język jest swobodnie opuszczony na dno jamy ustnej i dotyka dolnych zębów; dla próby można naśladować beczenie owcy, które podobne jest do [*bœœ*], [*bœœœ*]...

[*ə:*] jako dźwięk pośredni między polskim **e** a polskim **u**, ale wznosząc środkową część języka nieco niżej niż przy polskim **y**, rozchylając wargi jak przy polskim **i**, rozwierając nieznacznie szczęki i dotykając czubkiem języka podstawy dolnych zębów (w pisowni [*ə:*] oznaczamy przez połączenie jednej lub więcej liter samogłoskowych z literą r, jednakże dźwięku [*r*] nie należy zaznaczać przy wymawianiu samogłoski [*ə:*]; dźwięk [*r*] występuje tylko przed samogłoskami);

[*ə*] jako dźwięk pośredni między polskim **y** a angielskim [*ə:*]; jako bardzo krótki wariant samogłoski [*ə:*]; jeśli wszystkie inne samogłoski angielskie mogą być akcentowane lub nie akcentowane, to samogłoska [*ə*] nigdy nie jest akcentowana;

[*i:*] [*a:*] [*o:*] [*u:*] jak polskie **i a o u**, ale znacznie dłużej (znak [:] oznacza samogłoski długie);

[*iə*] [*eə*] [*uə*] — jak jednosylabowe połączenia samogłosek [*y*] [*e*] [*u*] z samogłoską [*ə*];

[u] jak większość Polaków wymawia spółgłoskę **ł**, tzn. bez zbliżania języka do zębów;

[θ] kładąc czubek języka między zęby, przy czym powietrze uchodzi przez szczelinę między czubkiem języka a górnymi zębami; od [f] dźwięk ten różni się tym, że wymawiając [f] tworzymy szczelinę między górnymi zębami a dolną wargą; od [s] dźwięk ten różni się tym, że przy [s] tworzymy szczelinę między górnym dziąsłem a przodem języka; w pisowni spółgłoska [θ] oznaczana jest przez połączenie liter **th**;

[ð] jako dźwięczny odpowiednik spółgłoski [θ]; nie należy zamiast niej wymawiać [d], spółgłoski zwartej, ani [dz], spółgłoski zwartoszczelinowej, przy której czubek języka zwiera się z górnym szeregiem zębów; w pisowni spółgłoska [ð] oznaczana jest przez połączenie liter **th**.

Spółgłoska [ŋ] występuje w języku polskim, ale nigdy na końcu wyrazów czy przed samogłoską, jak w języku angielskim. Jest ona np. trzecim dźwiękiem w słowie **punkt** i **bank** i czwartym dźwiękiem w słowie **sfinks**.

Akcent w wielu wyrazach angielskich pada na pierwszą sylabę, w innych zaś na drugą, trzecią itd. Akcent w zdaniach angielskich kładzie się na ważniejsze wyrazy, a więc przeważnie akcentuje się rzeczowniki, czasowniki, przymiotniki i przysłówki. Do oznaczania akcentu użyto znaku [ˈ] stawianego przed sylabą akcentowaną.

Czytelnik z pewnością zauważy, że wymowa niektórych wyrazów często oznaczana jest różnie w różnych miejscach tekstu. Wynika to stąd, że kilkadziesiąt wyrazów angielskich (przeważnie czasowników posiłkowych, przyimków, spójników i zaimków) ma dwie lub więcej form, z których jedna, mocna, występuje w pozycjach akcentowanych lub nie akcentowanych, pozostałe natomiast, słabe, jedynie w nie akcentowanych. Formy słabe są cechą mowy szybkiej. Dla ułatwienia można każdą z nich zastąpić odpowiednią formą mocną.

Porównanie form mocnych i słabych

| forma mocna | | formy słabe | forma mocna | | formy słabe |
|---|---|---|---|---|---|
| are | [*a:*] | [*ə*] | has | [*hœz*] | [*həz*], [*z*], [*s*] |
| can | [*kœn*] | [*kən*] [*kn*] | have | [*hœv*] | [*həw*], [*w*] |
| do | [*du:*] | [*du*], [*d*] | her | [*hə:*] | [*hə*] |
| for | [*fo:*] | [*fə*] | is | [*yz*] | [*z*], [*s*] |
| from | [*from*] | [*frəm*] | must | [*mast*] | [*məst*], [*məs*] |
| had | [*hœd*] | [*həd*], [*d*] | not | [*not*] | [*nt*] |
| of | [*ow*] | [*əw*] | to | [*tu:*] | [*tu*], [*tə*] |
| shall | [*szœl*] | [*szəl*] | us | [*as*] | [*əs*], [*s*] |
| some | [*sam*] | [*səm*] | was | [*ᵘoz*] | [*ᵘəz*] |
| that | [*ðœt*] | [*ðət*] | were | [*ᵘeə*] | [*ᵘe*] |
| them | [*ðem*] | [*ðəm*] | will | [*ᵘyl*] | [*l*] |

Wskazówek niniejszych nie należy uważać za wprowadzenie do fonetyki języka angielskiego. Praktyczny bowiem cel *Rozmówek* wymagał zastosowania daleko idących uproszczeń i rezygnacji z naukowej ścisłości.

| **I. WARNINGS AND NOTICES** *['uo:nyŋz ənd 'noutysyz]* | **I. NAPISY OSTRZEGAWCZE I INFORMACYJNE** |
|---|---|
| ATTENTION! *[ə'tenszn]* | Uwaga! |
| BEWARE OF PICKPOCKETS! *[by'ueər əw 'pykpokyts]* | Strzeż się złodziei! |
| BEWARE OF THE DOG! *[by'ueər əw ðə'dog]* | Ostrożnie! Zły pies! |
| BOOKING-OFFICE *['bukyŋ ofys]* | Kasa |
| DO NOT TOUCH THE EXHIBITS *['du: 'not 'tacz ðy eg'zybyts]* | Nie dotykać eksponatów |
| ENTRANCE *['entrəns]* | Wejście |
| EXIT *['eksyt]* | Wyjście |
| FIRE ALARM *['fajər əla:m]* | Sygnał pożarowy |
| FOREIGNERS NOT WANTED *['forynəz not 'uontyd]* | Cudzoziemcy niepożądani |
| FOR HIRE *[fə 'hajə]* | Wolny (taksówka) |
| FULL UP *['ful 'ap]* | Miejsc nie ma |
| GENTLEMEN *['dżentlmən]* | Dla panów |

| | |
|---|---|
| GLASS! HANDLE WITH CARE!<br>[*gla:s 'hœndl ᵘyð 'keə*] | Ostrożnie! Szkło! |
| GO!<br>[*gou*] | Idź! |
| KEEP IN A COOL AND DRY PLACE<br>[*'ki:p yn ə 'ku:l ən 'draj 'plejs*] | Przechowywać w chłodnym i suchym miejscu |
| KEEP OFF THE GRASS<br>[*'ki:p 'of ðə 'gra:s*] | Nie deptać trawy |
| KEEP OUT<br>[*'ki:p 'aut*] | Nie wchodzić |
| LADIES<br>[*'lejdyz*] | Dla pań |
| LITTER<br>[*'lytə*] | Na śmieci |
| MIND THE STEP!<br>[*'majnd ðə 'step*] | Uważaj na stopień! |
| NO ADMITTANCE<br>[*'nou əd'mytəns*] | Wstęp wzbroniony |
| NO SMOKING<br>[*'nou 'smoukyŋ*] | Palenie wzbronione |
| NO THOROUGHFARE<br>[*'nou 'θarəfeə*] | Przejazd wzbroniony<br>Nie ma przejazdu |
| NOTICE<br>[*'noutys*] | Zawiadomienie<br>Ogłoszenie |
| ONE WAY TRAFFIC<br>[*'ᵘan ᵘej 'trœfyk*] | Jeden kierunek ruchu |
| OPEN<br>[*oupn*] | Otwarte(y) |
| PRIVATE<br>[*'prajwyt*] | Wstęp wzbroniony |

| | |
|---|---|
| PULL<br>*[pul]* | Ciągnąć |
| PUSH<br>*[pusz]* | Pchnąć |
| QUEUE UP HERE FOR BUS NO. 88<br>*['kju: 'ap 'hiə fə 'bas nambər 'ejty 'ejt]* | Proszę ustawiać się tutaj w kolejce do autobusu 88 |
| QUEUE UP THIS SIDE<br>*['kju: 'ap ðys 'sajd]* | Proszę ustawiać się w kolejce z tej strony |
| SHUT<br>*[szat]* | Zamknięte |
| SILENCE<br>*['sajləns]* | Cisza |
| STOP!<br>*[stop]* | Stój! |
| WAIT!<br>*[uejt]* | Czekaj! |
| WARNING<br>*['uo:nyŋ]* | Ostrzeżenie |
| WAY IN<br>*['uej 'yn]* | Wejście |
| WAY OUT<br>*['uej 'aut]* | Wyjście |
| THE PASSENGERS ARE NOT ALLOWED HERE<br>*[ðə 'pœsyndżəz a: 'not ə'laud hiə]* | Pasażerom wstęp wzbroniony |
| TOILET<br>*['tojlyt]* | Toaleta |
| WET PAINT!<br>*['uet 'pejnt]* | Świeżo malowane! |

| II. ZWROTY POTOCZNE | II. EVERYDAY PHRASES [*'evrydej 'frejzyz*] |
|---|---|
| **1. Pozdrowienia** | **1. Greetings** [*gri:tyŋz*] |
| **a. Powitanie** | **a. When meeting** [*ᵘen 'mi:tyŋ*] |
| Dzień dobry! | How do you do! [*'hau d ju 'du:*] |
| (bardziej poufale) | Hullo! [*ha'lou*] |
| (do południa) | Good morning! [*gud 'mo:nyŋ*] |
| (po południu) | Good afternoon! [*gud 'a:ftə'nu:n*] |
| Dobry wieczór! | Good evening! [*gud 'i:wnyŋ*] |
| Jak się masz? | How are you? [*hau 'a: ju*] |
| Dziękuję, dobrze. | Thank you, I'm well. [*'θœŋk ju, ajm 'ᵘel*] |
| **b. Pożegnanie** | **b. When parting** [*ᵘen 'pa:tyŋ*] |
| Do widzenia! | Good-bye! [*gud'baj*] |
| (do południa) | Good morning! [*gud 'mo:nyŋ*] |
| (po południu) | Good afternoon! [*gud 'a:ftə'nu:n*] |
| (wieczorem) | Good evening! [*gud 'i:wnyŋ*] |
| Dobranoc! | Good night! [*gud 'najt*] |
| Bądź zdrów! Bądźcie zdrowi! | Cheerio! [*'cziərjou*] |

| | |
|---|---|
| Pa! | Bye-bye!<br>*['baj'baj]* |
| Na razie! | So long!<br>*['sou 'loŋ]* |
| Do jutra! | See you tomorrow!<br>*['si: ju tə'morou]* |

| **c. Życzenia** | **c. Wishes**<br>*['uyszyz]* |
|---|---|
| Powodzenia! | Good luck!<br>*['gud 'lak]*<br>Best of luck!<br>*[best əw 'lak]*<br>Much success!<br>*['macz sə'kses]* |
| Zdrowia i pomyślności! | Good luck and good health!<br>*['gud 'lak ən 'gud 'helΘ]* |
| Szczęść Boże! | God bless you!<br>*[god 'bles ju]* |
| Niech żyje...! | Long live...!<br>*['loŋ 'lyw]* |
| Zdrowie pana (toast)! | Here's to you!<br>*['hiəz tə 'ju:]* |
| Wesołych Świąt i Szczęśliwego Nowego Roku! | A Merry Christmas and a Happy New Year!<br>*[ə 'mery 'krystməs ənd ə 'hæpy 'nju: 'jə:]* |
| Dalszych szczęśliwych lat życia (na urodziny)! | Many happy returns of the day!<br>*['meny 'hæpy ry'tə:nz əw ðə 'dej]* |
| Proszę pozdrowić panią Thompson. | Remember me to Mrs. Thompson.<br>*[ry'membə mi: tu 'mysyz 'tomsn]* |

| | |
|---|---|
| Pozdrowienia (ukłony) dla pana Gilbert. | Kind regards to Mr. Gilbert. *['kajnd ry'ga:dz tu 'mystə 'gylbət]* |
| Ucałowania dla dzieci. | Love to your children. *['law tə jo 'czyldrən]* |
| Życzę wam szybkiego powrotu do zdrowia. | I wish you a speedy recovery. *[aj 'uysz ju ə 'spi:dy ry'kavəry]* |
| Najlepsze życzenia dla żony. | All the best wishes to your wife. *[o:l ðə 'best 'uyszysz tə jo: 'uajf]* |

## 2. Rozmowa — 2. Conversation *[konwə'sejszn]*

### a. Tytułowanie — a. Addressing a person *[ə'dresyŋ ə 'pə:sn]*

| | |
|---|---|
| Proszę pana! * | Mr. Miller! *['mystə 'mylə]* |
| Proszę pani! * (do mężatki) | Mrs. Stirling! *['mysyz 'stə:lyŋ]* |
| Proszę pani! * (do panny) | Miss Harvey! *['myś 'ha:wy]* |
| Panie (pani) doktorze!* | Dr. Adams! *['doktə 'ædəmz]* |
| Panie (pani) profesorze!* | Prof. Scott! *[pro'fesə 'skot]* |
| Panie pułkowniku! * | Col. Nixon! *['kə:nl 'nyksn]* |
| Panie i panowie! | Ladies and gentelmen! *['lejdyz ən 'dżentlmən]* |
| Panowie! | Gentlemen! *['dżentlmən]* |

---

* Do wszystkich tych zwrotów dodajemy nazwisko osoby, do której się zwracamy.

| | |
|---|---|
| Przyjaciele! | Friends! ['frendz] |
| Towarzysze! | Comrades! ['komrydz] |
| Towarzysze związkowcy! | Brothers! ['braðəz] |
| Panie przewodniczący! | Mr. Chairman! ['mystə 'czeəmən] |
| Sposób zwracania się: | |
| do policjanta | Sergeant! ['sa:dżənt] |
| do konduktora w tramwaju i autobusie | Conductor! [kon'daktə] |
| do konduktora w pociągu | Guard! ['ga:d] |
| do kierowcy | Driver! ['drajwə] |
| do kelnera | Waiter! ['uejtə] |
| do numerowego | Porter! ['po:tə] |

**b. Nawiązanie rozmowy, zawarcie znajomości**

**b. Starting a conversation and an acquaintance** ['sta:tyŋ ə konwə'sejszn ənd ən ə'kuejntəns]

| | |
|---|---|
| Nie przeszkadzam panom? | Am I disturbing you? [əm aj dys'tə:byŋ ju] |
| Chciałbym ci powiedzieć... | I'd like to tell you... [ajd 'lajk tə 'tel ju] |
| Czy wiecie, że... | Do you know that... ['du: ju 'nou ðət] |
| Czy pan słyszał, że... | Have you heard that... [hœw ju 'hə:d ðət] |

| | |
|---|---|
| Proszę pana, chciałabym pomówić z panem (do p. Ford). | Mr. Ford, I should like to speak to you. *['mystə 'fo:d, aj szud 'lajk tə 'spi:k tə ju]* |
| Czy ma pani chwilę czasu? | Can you spare me a minute? *['kœn ju 'speə mi: ə 'mynyt]* |
| Czy pan jest bardzo zajęty? | Are you very busy? *[ə 'ju: 'wery 'byzy]* |
| Chciałem panie o coś zapytać. | There's something I want to ask you. *[ðeəz 'samθyŋ aj 'uont tu 'a:sk ju]* |
| Chciałem panią spytać, czy... (do p. Small)? | Miss Small, I want to ask you whether... *[mys 'smo:l, aj 'uont tu 'a:sk ju 'ueðə]* |
| Zdaje mi się, że panna Wilson. | Miss Wilson, I believe. *['mys 'uylsn, aj by'li:w]* |
| Nazywam się Knight. | My name's Knight. *[maj 'nejmz 'najt]* |

Pani pozwoli, że się przedstawię.
Excuse my introducing myself.
*[yks'kju:z maj yntro'dju:syŋ maj'self]*

| **c. Potwierdzenie, wyrażenie zgody** | **c. Agreement, expressing consent** [*ə'gri:mənt, yks'presyŋ kən'sent*] |
|---|---|
| Tak. | Yes. [*jes*] |
| Słusznie. | You're right. [*juə 'rajt*] |
| Chyba ma pan rację. | I think you're right. [*aj 'θyŋk juə 'rajt*] |
| Oczywiście. | Of course. [*əf 'ko:s*] |
| Tak, to prawda. | Quite true. [*'kuajt 'tru:*] |
| Właśnie. | Just so. [*'dżast 'sou*] |
| Z pewnością. | Certainly. [*'sə:tynly*] |
| Chyba tak. | I think so. [*aj 'θyŋk 'sou*]<br>I suppose so. [*aj 'spouz 'sou*] |
| Dobrze. | That's right. Good. [*ðæts 'rajt*] [*'gud*]<br>All right. O. K. [*'o:l 'rajt*] [*'ou 'kej*] |
| Bardzo dobrze. | Very well. [*'wery 'uel*]<br>Very good. [*wery 'gud*] |
| O to chodzi. | That's it. [*'ðæts 'yt*] |
| O to właśnie chodzi. | That's just the thing. [*'ðæts 'dżast ðə 'θyŋ*]<br>That's the point. [*'ðæts ðə 'pojnt*] |

| | |
|---|---|
| Zgadzam się. | I agree.<br>[*aj ə'gri:*] |
| Podzielam pańskie zdanie. | I'm quite of your opinion.<br>[*ajm 'kuajt əw jo:r o'pynjən*] |
| Ja też tak sądzę. | That's my opinion, too.<br>[*'ðæts 'maj o'pynjən, 'tu:*] |
| Nie ma co do tego wątpliwości. | There's no doubt about it.<br>[*ðeəz 'nou 'daut ə'baut yt*] |

| **d. Wyrażenie wątpliwości** | **d. Expressing doubt**<br>[*yks'presyŋ 'daut*] |
|---|---|
| Nie wiem. | I don't know.<br>[*aj 'dount 'nou*] |
| Nie wiem na pewno, czy... | I don't quite know if...<br>[*aj 'dount 'kuajt 'nou yf*] |
| Właściwie nie wiem. | I don't really know.<br>[*aj 'dount 'riəly 'nou*] |
| Nie mam pojęcia. | I've no idea.<br>[*ajw 'nou aj'diə*] |
| Nie mam najmniejszego pojęcia. | I haven't the slightest idea.<br>[*aj 'hæwnt ðə 'slajtyst aj'diə*] |
| Naprawdę trudno mi powiedzieć. | I can't really say.<br>[*aj 'ka:nt 'riəly 'sej*] |
| To trudno powiedzieć. | It's difficult to say.<br>[*yts 'dyfyklt tu 'sej*] |
| Niestety, nie mogę panu powiedzieć. | I'm afraid I can't tell you.<br>[*ajm ə'frejd aj 'ka:nt 'tel ju*] |
| Tego nie potrafię powiedzieć. | That's more than I can tell you.<br>[*ðæts 'mo: ðən aj kn 'tel ju*] |
| Nigdy nic nie wiadomo. | You never can tell.<br>[*ju: 'newə kən 'tel*] |
| Może tak. | Perhaps so.<br>[*pə'hæps 'sou*] |
| To zależy. | That depends.<br>[*'ðæt dy'pendz*] |

| | |
|---|---|
| Nie jestem tego całkiem pewien. | I'm not quite sure about it. [*ajm 'not 'kuajt 'szo:r ə'baut yt*] |
| Nie wiedziałem o tym. | I didn't know that. [*aj 'dydnt 'nou 'ðœt*] |
| Nie zdawałem sobie z tego sprawy | I wasn't aware of it. [*aj 'uoznt ə'ueər əw yt*] |
| Czy pani rzeczywiście tak sądzi? | Do you really think so? [*d ju 'riəly 'θyŋk 'sou*] |

| | |
|---|---|
| **e. Zaprzeczenie, odmowa, sprzeciw** | **e. Denial, refusal, protest** [*dy'najəl, ry'fju:zl, 'proutest*] |
| Nie. | No. [*'nou*] |
| Wcale nie. | Not at all. [*not ət 'o:l*] |
| Na pewno nie. | Certainly not. [*'sə:tnly 'not*] |
| W żadnym wypadku. | By no means. [*baj 'nou 'mi:nz*] |
| Mylisz się. | You're wrong. [*juə 'roŋ*] |
| Niestety, myli się pan. | I'm afraid you're mistaken. [*ajm ə'frejd juə mys'tejkn*] |
| To nieprawda. | This is not true. [*ðys yz not 'tru:*] |
| To nie jest ściłe. | It's not exact. [*yts not yg'zekt*] |
| To niezupełnie tak. | Not quite so. [*not 'kuajt sou*] |
| To nie to. | It's not this. [*yts 'not 'ðys*] |
| Tak nie jest. | It's not so. [*yts 'not 'sou*] |
| To nie tutaj. | It's not here. [*yts 'not 'hiə*] |

| | |
|---|---|
| To nie to samo. | It's not the same thing.<br>*[yts 'not ðə 'sejm 'θyŋ]* |
| Zupełnie co innego. | Something quite different.<br>*['samθyŋ 'kuajt 'dyfrənt]* |
| Nie sądzę. | I don't think so.<br>*[aj 'dount 'θyŋk 'sou]* |
| Wprost przeciwnie. | On the contrary.<br>*[on ðə 'kontrəry]* |
| Nie, nie to mam na myśli. | No, I don't mean that.<br>*['nou, aj 'dount 'mi:n 'ðœt]* |
| Tego nie powiedziałam. | I didn't say that.<br>*[aj 'dydnt 'sej 'ðœt]* |
| Nic podobnego nie powiedziałem. | I didn't say anything of the sort.<br>*[aj 'dydnt 'sej 'enyθyŋ ow ðe 'so:t]* |
| To niemożliwe. | This is impossible.<br>*['ðys yz ym'posəbl]* |
| Niemożliwe. | Impossible.<br>*[ym'posəbl]* |
| Nie ma mowy. | Out of the question.<br>*['aut əw ðə 'kueszczn]* |
| Nie zgadzam się. | I can't agree.<br>*[aj 'ka:nt ə'gr:i]* |
| Zupełnie się z nim nie zgadzam. | I don't agree with him at all.<br>*[aj 'dount ə'gri: uyð hym ət 'o:l]* |
| Niestety, nie mogę tego zrobić. | I cannot do it, I'm afraid.<br>*[aj 'kœnot 'du: yt, ajm ə'frejd]* |
| Nie mogę, niestety. | I'm sorry I can't.<br>*[ajm 'sory aj 'ka:nt]* |
| Nie mam zamiaru tego robić. | I'm not going to do it.<br>*[ajm 'not 'goyŋ tə 'du: yt]* |
| Nie mogę spełnić pańskiej prośby. | I can't grant your request.<br>*[aj 'ka:nt 'gra:nt jo: ry'kuest]* |
| Nie ma na to rady. | It cannot be helped.<br>*[yt 'kœnot bi: 'helpt]* |

| | |
|---|---|
| To nie moja sprawa. | It's no business of mine. *[yts 'nou 'byznys əw 'majn]* |
| Tak też nie będzie dobrze. | That won't be any good either. *['ðœt 'uount bi: 'eny 'gud 'ajðə]* |
| Protestuję. | I protest. *[aj pro'test]* |
| Muszę zaprotestować. | I must protest. *[aj 'mast pro'test]* |
| To byłoby niesprawiedliwie. | That would be unfair. *[ðœt uud bi: an'feə]* |
| O, przecież ja... | Oh, but I... *['ou, bət 'aj...]* |
| Przepraszam, ale... | Pardon me, but... *['pa:dn mi:, bat...]*<br>I beg your pardon, but... *[aj 'beg jo: 'pa:dn, bat...]* |
| Tak, ale posłuchaj... | Yes, but look here... *['jes, bat 'luk 'hiə...]* |
| Wybaczy pani, że pani przerywam, ale... | Excuse me if I interrupt you, but... *[yks'kju:z mi: yf aj yntə'rapt ju, bat...]* |

| **f. Pytanie, informowanie się** | **f. Asking, getting information** *['a:skyŋ, 'getyŋ ynfə'mejszn]* |
|---|---|
| Co to jest? | What is it? *['uot yz yt]* |
| Kto to jest? | Who is it? *['hu: yz yt]* |
| Gdzie to jest? | Where is it? *['ueər yz yt]* |
| Kiedy to będzie? | When will it be? *['uen uyl yt 'bi:]* |
| Czyj, czyja, czyje, czyi? | Whose? *[hu:z]* |

| | |
|---|---|
| Komu? Komu mam to dać? | Who to? Who am I to give this to?<br>[*hu: 'tu: 'hu: œm aj tə 'gyw ðys 'tu:*] |
| Kogo? Kogo można zapytać? | Whom? Who can I ask?<br>[*hu:m 'hu: kən aj 'a:sk*] |
| Do kogo? Do kogo pan przyszedł? | Who to? Who have you come to?<br>[*hu: 'tu: 'hu: hœw ju 'kam 'tu:*] |
| Od kogo? Od kogo pan przyszedł? | Who from? Who have you come from?<br>[*hu: 'from 'hu: hœw ju 'kam 'from*] |
| Dlaczego? | Why?<br>[*ᵘaj*] |
| Po co? Po co pani to bierze? | What for? What are you taking this for?<br>[*ᵘot 'fo: 'ᵘot ə ju 'tejkyŋ ðys 'fo:*] |
| Skąd? Skąd to przynosisz? | Where from? Where are you bringing it from?<br>[*ᵘeə 'from 'ᵘeər ə ju 'bryŋyŋ yt 'from*] |
| Dokąd? Dokąd to zanosisz? | Where to? Where are you taking it to?<br>[*ᵘeə 'tu: 'ᵘeər ə ju 'tejkyŋ yt 'tu:*] |
| Możesz mi powiedzieć, co to jest? | Can you tell me what it is?<br>[*'kœn ju: 'tel my 'ᵘot yt yz*] |
| Może mi pan powiedzieć, kiedy to będzie? | Can you tell me when it is?<br>[*'kœn ju 'tel my 'ᵘen yt yz*] |
| Czy bylibyście łaskawi powiedzieć mi, co to jest? | Would you mind telling me what it is?<br>[*'ᵘud ju 'majnd 'telyŋ mi: 'ᵘot yt yz*] |
| Czy można zapytać, kto to jest? | May I ask who it is?<br>[*'mej aj 'a:sk 'hu: yt yz*] |

| | |
|---|---|
| Co pan ma na myśli? | What do you mean? *['uot du ju 'mi:n]* |
| Czy pani jest tego pewna? | Are you sure of it? *[ə ju: 'szo:r əw yt]* |
| Czyż nie tak? | Don't you think so? *['dount ju 'θyŋk 'sou]* |
| Kto ci to powiedział? | Who told you that? *['hu: 'tould ju 'ðœt]* |
| No, to co z tego? | Then, what of it? *['ðen, 'uot əw yt]* |
| Ile czasu zajmie to panu? | How long will that take you? *[hau 'loŋ uyl 'ðœt 'tejk ju]* |
| Kiedy państwo wracają? | When will you be back? *['uen uyl ju bi: 'bœk]* |
| Kiedy on przyjeżdża? | When is he coming? *['uen yz hi: 'kamyŋ]* |
| Dokąd idziesz? | Where are you going? *['ueər ə ju 'goyŋ]* |
| Na co pani czeka? | What are you waiting for? *['uot ə ju 'uejtyŋ 'fo:]* |
| Z czego to jest zrobione? | What is that made of? *['uot yz 'ðœt 'mejd 'ow]* |

**g. Prośba, życzenie, zamiar** — **g. Request and wish, intention** *[ry'kuest ən 'uysz, yn'tenszn]*

**Uwaga.** Polskie **proszę** tłumaczy się następująco:

| | |
|---|---|
| w odpowiedzi na prośbę lub propozycję: | Certainly. *['sə:tnly]* |
| w odpowiedzi na pukanie do drzwi: | Come in. *['kam 'yn]* |
| w znaczeniu „Słucham": | I beg your pardon? *[aj 'beg jo: 'pa:dn]* |
| podając lub pokazując co komu: | Here it is. *['hiər yt 'yz]* |

| | |
|---|---|
| w wyrażeniu zawierającym tryb rozkazujący, choćby tylko domyślny, lub jego namiastkę: | Please.<br>[*'pli:z*] |
| Czy mogę prosić o sól? | Pass the salt, please.<br>[*'pa:s ðə 'so:lt, 'pli:z*] |
| Proszę mi to dać. | Give it to me, please.<br>[*gyw yt tə mi:, 'pli:z*] |
| Czy można cię prosić, żebyś to zrobił? | May I ask you to do it?<br>[*'mej aj 'a:sk ju tə 'du: yt*] |
| Proszę, odpowiedz. | Please, answer.<br>[*'pli:z, 'a:nsə*] |
| Proszę tu nie wchodzić. | Don't come here, please.<br>[*'dount 'kam hiə, 'pli:z*] |
| Za bilety proszę. | Fares, please.<br>[*'feəz, 'pli:z*] |
| Czy zechce mi pan powiedzieć...? | Will you please tell me...<br>[*ᵘyl ju 'pli:z 'tel mi:*] |

Czy mogę prosić o ogień?

Can you give me a light?
[*kœn ju 'gyw mi: ə 'lajt*]

| | |
|---|---|
| Czy mogę prosić o...? | May I ask for...?<br>[*'mej aj 'a:sk fə*] |
| Czy mogę to wziąć? | May I take this?<br>[*'mej aj 'tejk ðys*] |
| Chciałbym... | I would like to...<br>[*aj ᵘud 'lajk tə*] |

| | |
|---|---|
| Mam zamiar iść. | I intend to go.<br>[*aj yn'tend tə 'gou*]<br>I'm intending to go.<br>[*ajm yn'tendyŋ tə 'gou*]<br>I mean to go.<br>[*aj 'mi:n tə 'gou*] |
| Mam szczery zamiar czytać. | I have a good mind to read.<br>[*'aj hœw ə 'gud 'majnd tə 'ri:d*] |
| Chciałbym zapalić. | I'd like to have a smoke.<br>[*ajd 'lajk tu 'hœw ə 'smouk*]<br>I feel like having a smoke.<br>[*aj 'fi:l lajk 'hœwyŋ ə 'smouk*] |
| Kiedy zamierzacie skończyć? | When do you intend to finish?<br>[*'uen du ju yn'tend tə 'fynysz*]<br>When do you mean to finish?<br>[*'uen du ju mi:n tə 'fynysz*] |
| Chciałbym, żeby pani to zrobiła? | I'd like you to do it.<br>[*ajd 'lajk ju tə 'du: yt*] |
| Chce (on), żebyście to zrobili. | He wants you to do it.<br>[*hi 'uonts ju tə 'du: yt*] |
| Czy pan chce, żebym pisał? | Do you want me to write?<br>[*du ju 'uont mi: tə 'rajt*] |
| Nie mam zamiaru jej prosić. | I have no intention of asking her.<br>[*aj hœw 'nou yn'tenszn əw 'a:skyŋ hə*]<br>I don't intend to ask her.<br>[*aj 'dount yn'tend tu 'a:sk hə*] |
| Nie chcę (wezmę) tego. | I won't have it.<br>[*aj 'uont 'hœw yt*] |

| **h. Rada, ostrzeżenie** | **h. Advice and warning**<br>[*əd'wajs ən 'uo:nyŋ*] |
|---|---|
| Lepiej się pospieszmy. | We'd better hurry up.<br>[*uyd 'betə 'hary 'ap*] |
| Niech pan posłucha mojej rady i niech pan nie zostaje. | Take my advice and don't stay.<br>[*'tejk maj əd'wajs ən 'dount 'stej*] |

| | |
|---|---|
| Jeśli pan posłucha mojej rady, to pan tam pójdzie sam. | If you take my advice you'll go there yourself.<br>*[yf ju 'tejk maj əd'wajs jul 'gou ðeə jo:'self]* |
| Proszę mi poradzić. | Please give me some advice.<br>*['pli:z 'gyw mi: sam əd'wajs]*<br>Please advise me.<br>*['pli:z əd'wajz mi:]* |
| Ja radzę, żeby... | I suggest that...<br>*[aj sə'dżest ðət...]*<br>My suggestion is that...<br>*[maj sə'dżeszczn yz ðət]* |
| Tego bym nie zrobił. | I wouldn't do that.<br>*[aj 'uudnt du: 'ðæt]* |
| Nie warto czekać tak długo. | No good waiting so long.<br>*['nou 'gud 'uejtyŋ sou 'loŋ]*<br>No use waiting so long.<br>*['nou 'ju:s 'uejtyŋ sou 'loŋ]* |
| Jeśli wolno mi zaproponować, to... | If I may make a suggestion...<br>*[yf 'aj mej 'mejk ə sə'dżeszczn]* |
| Chciałbym pani przypomnieć, że... | May I remind you that...<br>*['mej aj ry'majnd ju ðət]* |
| Muszę cię ostrzec, że... | I must warn you that...<br>*[aj 'mast 'uo:n ju ðət]* |
| Chciałbym was ostrzec przed... | I'd like to warn you against...<br>*[ajd 'lajk tə 'uo:n ju ə'gejnst]* |
| Niech pan nie mówi, że pana nie ostrzegałem. | Don't say I didn't warn you.<br>*['dount 'sej aj 'dydnt 'uo:n ju]* |

## i. Wyrazy uznania, radości, zdumienia — i. Expressing recognition, joy, amazement

*[yks'presyŋ rekə'gnyszn, 'dżoj, ə'mejzmənt]*

| | |
|---|---|
| Dziękuję. | Thank you.<br>*['θæŋk ju]*<br>Oh, thank you.<br>*['ou, 'θæŋk ju]* |

| | |
|---|---|
| Dziękuję bardzo. | Thanks.<br>*['θœŋks]*<br>Many thanks.<br>*['meny 'θœŋks]*<br>Thank you very much.<br>*['θœŋk ju 'wery 'macz]*<br>Thank you so much.<br>*['θœŋk ju 'sou 'macz]*<br>Thanks very much.<br>*['θœŋks 'wery 'macz]*<br>Thanks so much.<br>*['θœŋks 'sou 'macz]*<br>Thank you very much indeed.<br>*['θœŋk ju 'wery 'macz yn'di:d]* |
| Dziękuję za zaproszenie. | Thank you for the invitation.<br>*['θœŋk ju fə ðy ynwy'tejszn]* |
| To uprzejmie z pana (pani) strony. | It's kind of you.<br>*[yts 'kajnd əw ju]*<br>It's good of you.<br>*[yts 'gud əw ju]* |
| To bardzo ładnie z waszej strony. | It's very kind of you.<br>*[yts 'wery 'kajnd əw ju]* |
| To naprawdę było bardzo ładnie z jego strony. | It was really awfully kind of him.<br>*[yt ᵘəz 'riəly 'o:fly 'kajnd əw hym]* |
| Jestem naprawdę bardzo panu wdzięczna. | I'm really very grateful to you.<br>*[ajm 'riəly 'wery 'grejtfl tu ju]* |
| Jesteśmy panu bardzo zobowiązani. | We're very much obliged to you.<br>*[ᵘiə 'wery 'macz ob'lajdżd tu ju]* |
| Nie wiem, jak mam wam podziękować. | I don't know how I can thank you enough.<br>*[aj 'dount 'nou 'hau aj kn 'θœŋk ju y'naf]* |

| | |
|---|---|
| Nie wiem, co bym zrobił bez pańskiej pomocy. | I don't know what I should have done without your help.<br>*[aj 'dount 'nou 'uot aj szud həw 'dan uyð'aut jo: 'help]* |
| Jestem zadowolony. | I'm glad.<br>*[ajm 'glæd]* |
| Jestem bardzo zadowolony. | I'm very glad.<br>*[ajm 'wery 'glæd]*<br>I'm so pleased.<br>*[ajm 'sou 'pli:zd]*<br>I'm happy.<br>*[ajm 'hæpy]* |
| Cieszę się z tego. | I'm glad of it.<br>*[ajm 'glæd əw yt]* |
| Przyjemnie mi, że... | I'm pleased to...<br>*[ajm 'pli:zd tə]* |
| Bardzo dobrze. | Very good.<br>*['wery 'gud]*<br>Very well.<br>*['wery 'uel]* |
| Świetnie! Doskonale! Wspaniale! | Splendid! Fine! Excellent!<br>*['splendyd fajn 'eksələnt]* |
| Z przyjemnością. | With pleasure.<br>*[uyð 'pleżə]* |
| Będzie mi bardzo miło. | I'll be very pleased indeed.<br>*[ajl bi: wery pli:zd yndi:d]* |
| Będzie nam bardzo miło. | We shall be delighted.<br>*[uy szəl bi: dy'lajtyd]* |
| Jestem zdziwiony. | I'm surprised.<br>*[ajm sə'prajzd]* |
| Jestem zdumiony. | I'm amazed.<br>*[ajm ə'mejzd]* |
| Zdumiewające! | Amazing!<br>*[ə'mejzyŋ]* |
| Co za niespodzianka! | What a surprise!<br>*['uot ə sə'prajz]* |

| j. Wyrazy ubolewania, niezadowolenia, gniewu | j. Expressing regret, dissatisfaction. anger [*yks'presyŋ ry'gret, dysœtys'fœkszn, 'œŋgə*] |
|---|---|
| Przepraszam (za wyrządzoną przykrość). | Sorry. I'm sorry. ['*sory*] [*ajm 'sory*] |
| Bardzo przepraszam (za wyrządzoną przykrość). | I'm very sorry. [*ajm 'wery 'sory*] I'm so sorry. [*ajm 'sou 'sory*] |
| Przepraszam, że się spóźniłam. | I'm sorry I'm late. [*ajm 'sory ajm 'lejt*] |
| Przepraszam (proszę mi zrobić miejsce). | Excuse me. [*yks'kju:z mi:*] |
| Przepraszam (proszę mi dać przejść). | Excuse me. [*yks'kju:z mi:*] |
| Przepraszam, ale muszę już iść. | Excuse me, I must be going. [*yks'kju:z mi:, aj 'mast bi: 'goyŋ*] |
| Przepraszam pana, która godzina? | Excuse me, what's the time? [*yks'ju:z my 'uots ðə 'tajm*] |
| Przeprcszam, że pani przerwę... | Excuse my interrupting you. [*yks'kju:z maj yntə'raptyŋ ju*] |
| Bardzo pana przepraszam. | I beg your pardon. [*aj 'beg jo: 'pa:dn*] |
| Muszę was przeprosić. | I must apologize. [*aj 'mast ə'polədżajz*] |
| Mam nadzieję, że mi państwo wybaczą. | I hope you'll excuse me. [*aj 'houp ju:l yks'kju:z mi:*] I hope you'll forgive me. [*aj 'houp ju:l fə'gyw mi:*] |
| Przepraszam na chwilę. | Please excuse me for a moment. ['*pli:z yks'kju:z mi: for ə 'moument*] |
| Naprawdę nie chciałem. | I really didn't mean that. [*aj 'riəly 'dydnt 'mi:n 'ðœt*] |

|  |  |
|---|---|
| To nie była moja wina. | It wasn't my fault.<br>*[yt 'uoznt maj 'fo:lt]* |
| To było naprawdę całkiem niechcący. | It was really quite unintentional.<br>*[yt uəz 'riəly 'kuajt anyn'tensznl]* |
| Nic nie szkodzi. | Never mind.<br>*['newə 'majnd]*<br>It's all right.<br>*[yts 'o:l 'rajt]*<br>Oh, that's all right.<br>*['ou, 'ðæts o:l 'rajt]*<br>It's quite all right.<br>*[yts 'kuajt o:l 'rajt]* |
| Drobnostka. | Don't mention it.<br>*['dount 'menszn yt]* |
| Nie przejmuj się tym. | Don't worry about that.<br>*['dount 'uary ə'baut 'ðæt]*<br>Don't let that disturb you.<br>*['dount let 'ðæt dys'tə:b ju]* |
| To niedobrze. | It's no good.<br>*[yts 'nou 'gud]* |
| To straszne. | Horrible. Terrible. Shocking.<br>*['horybl 'terybl 'szokyŋ]* |
| Jestem zmartwiony. | I'm unhappy.<br>*[ajm an'hæpy]*<br>I'm upset.<br>*[ajm ap'set]* |
| Jestem niezadowolony z tego. | I am dissatisfied with this.<br>*[aj æm 'dys'sætysfajd uyð'ðys]* |
| Tak się nie robi. | It isn't done.<br>*[yt 'yznt 'dan]* |
| To mi nie wystarczy. | That won't do for me.<br>*[ðæt 'uont 'du: fə mi:]* |
| Jestem zły na niego. | I'm angry with him.<br>*[ajm 'æŋgry uyð hym]* |
| Jestem zła na to. | I'm angry at it.<br>*[ajm 'æŋgry ət yt]* |

## III. ROZMOWY NA TEMATY OSOBISTE

## III. TALKING ABOUT PERSONAL AFFAIRS
*['to:kyŋ ə'baut 'pə:snl ə'feəz]*

### 1. Ankieta personalna

### 1. Personal inquiry
*['pə:snl yn'kᵘajəry]*

| | |
|---|---|
| Imię i nazwisko | Name and surname *['nejm ənd 'sə:nejm]* |
| Nazwisko panieńskie | Née *[nej]* |
| Data urodzenia | Date of birth *['dejt əw 'bə:θ]* |
| Miejsce urodzenia | Place of birth *['plejs əw 'bə:θ]* |
| Wiek | Age *[ejdż]* |
| Wyznanie | Religion *[ry'lydżn]* |
| Płeć | Sex *[seks]* |
| Stan cywilny | Marital status *['mœrytl 'stejtəs]* |
| Przynależność państwowa | Nationality *[nœsz'nœlyty]* |
| Zawód | Profession *[prə'feszn]* |
| Najbliższy krewny | Next of kin *['nekst əw 'kyn]* |
| Miejsce zamieszkania | Residence *['rezydəns]* |
| Adres stały | Permanent address *['pə:mənənt ə'dres]* |
| Adres czasowy | Temporary address *['temprəry ə'dres]* |

| | |
|---|---|
| Jak się pan nazywa? | What's your name?<br>*['$^{u}$ots jo: 'nejm]* |
| Nazywam się Elliott. | My name's Elliott.<br>*[maj 'nejmz 'eliət]* |
| Jak panu na imię? | What's your first name?<br>*['$^{u}$ots jo: 'fə:st 'nejm]* |
| Może mi pan mówić: Bill. | You can call me Bill.<br>*[ju kən 'ko:l mi: 'byl]* |
| Kiedy się pan urodził? | When were you born?<br>*['$^{u}$en $^{u}$eə ju 'bo:n]* |
| Ile masz lat? | How old are you?<br>*['hau 'ould a: ju:]* |
| Mam czterdzieści pięć lat. | I'm forty-five.<br>*[ajm 'fo:ty 'fajw]* |
| Pani nie wygląda na tyle. | You don't look it.<br>*[ju 'dount 'luk yt]* |
| Urodziłam się 23. V. 1929 roku. | I was born on May 23rd 1929.<br>*[aj $^{u}$əz 'bo:n on 'mej ðə 't$^{u}$enty 'θə:d 'najti:n 't$^{u}$enty 'najn]* |
| Skończę sześćdziesiąt lat za dwa miesiące. | I'll be sixty in two months.<br>*[ajl bi: 'syksty yn 'tu: 'manθs]* |
| Miałam dwadzieścia lat, gdy wyszłam za mąż. | I was twenty when I married.<br>*[aj $^{u}$əz 't$^{u}$enty $^{u}$en aj 'mœryd]* |
| To jest jego trzydziesta trzecia rocznica urodzin. | It's his thirty-third birth-day.<br>*[yts hyz 'θə:ty 'θə:d 'bə:θdej]* |
| Kiedy są pańskie urodziny? | When is your birth-day?<br>*['$^{u}$en yz jo: 'bə:θdej]* |
| Pan jest dużo młodszy ode mnie. | You are much younger than I am.<br>*[ju a: 'macz 'jaŋgə ðən 'aj œm]* |
| Pani nie jest chyba starsza ode mnie. | You're not older than I am, I think.<br>*[juə 'not 'ouldə ðən 'aj œm aj 'θyŋk]* |

| SŁÓWKA | WORDS | [ᵘə:dz] |
|---|---|---|
| **Wyznanie** | **Confession** | [*kən'feszn*] |
| **bezwyznaniowiec** | non-believer | [*non by'li:wə*] |
| **buddysta** | Buddhist | [*'budyst*] |
| **chrześcijanin** | Christian | [*'krystjən*] |
| **ewangelik** | evangelic | [*ewœn'dżelyk*] |
| **katolik** | Catholic | [*'kœθəlyk*] |
| **kościół anglikański** | Church of England | [*'czə:cz əw 'yŋglənd*] |
| **mahometanin** | Mohammedan | [*mo'hœmydn*] |
| **mojżeszowy** | Mosaic | [*mə'zejyk*] |
| **protestant** | Protestant | [*'protystənt*] |

## 2. Zawód, wykształcenie, zamiłowanie — 2. Profession, education, interests
[*prə'feszn, edju'kejszn, 'yntrysts*]

| | |
|---|---|
| Jaki jest pana zawód? | What's your profession? [*'ᵘots jo: pro'feszn*] |
| Czym pani jest z zawodu? | What are you by profession? [*'ᵘot ə ju baj pro'feszn*] |
| Z czego się pan utrzymuje? | What do you do for a living? [*'ᵘot d ju 'du: fər ə 'lywyŋ*] |
| Jestem z zawodu kreślarzem. | I'm a draftsman by profession. [*ajm ə 'dra:ftsmən baj pro'feszn*] |
| Jestem nauczycielką w żeńskiej szkole. | I'm a teacher at a school for girls. [*ajm ə 'ti:czər ət ə 'sku:l fə 'gə:lz*] |
| Pracuję w naszym ministerstwie spraw zagranicznych. | I work in my Ministry of Foreign Affairs. [*aj 'ᵘə:k yn maj 'mynystry əw 'foryn ə'feəz*] |
| Jestem maszynistą. | I'm an engine-driver. [*ajm ən 'endżyn drajwə*] |

|  |  |
| --- | --- |
| Pracuję w swoim zawodzie od dziesięciu lat. | I've been in my profession for ten years.<br>[*ajw 'byn yn maj pro'feszn fə 'ten 'jə:z*] |
| Czy jest pan zatrudniony w prywatnym przedsiębiorstwie? | Are you employed in a private company?<br>[*ə ju ym'plojd yn ə 'prajwyt 'kampny*] |
| Czy jest pani urzędniczką państwową? | Are you a government official?<br>[*ə ju ə 'gawənmənt o'fyszl*] |
| Zaproponowano mu dobrą posadę. | He was offered a good post.<br>[*hi ᵘəz 'ofəd ə 'gud 'poust*] |
| Mianowano mnie kierownikiem naszego wydziału. | I've been appointed head of my department.<br>[*ajw byn ə'pojntyd 'hed əw maj dy'pa:tmənt*] |
| Nauczycielstwo to szlachetny zawód. | Teaching is a noble profession.<br>[*ti:czyŋ yz ə 'noubl pro'feszn*] |
| Jest za stary, aby znaleźć dobrą pracę. | He's too old to find a good job.<br>[*hi:z 'tu: 'ould tə 'fajnd ə 'gud 'dżob*] |
| Od dziewięciu miesięcy jest bez pracy. | He's been out of a job for nine months.<br>[*hi:z byn 'aut əw ə 'dżob fə 'najn 'manθs*] |
| Moja pensja nie jest za duża. | My salary isn't too high.<br>[*maj 'sæləry 'yznt 'tu: 'haj*] |
| Zarabiam czternaście funtów tygodniowo. | I earn fourteen pounds a week.<br>[*aj 'ə:n 'fo:ti:n 'paundz ə 'ᵘi:k*] |
| Jakie jest twoje zasadnicze wynagrodzenie? | What are your basic wages?<br>[*ᵘot ə jo: 'bejsyk 'ᵘejdżyz*] |
| Czy chodzisz do szkoły? | Do you go to school?<br>[*d ju 'gou tə 'sku:l*] |
| Chodzę do szkoły średniej. | I go to a secondary school.<br>[*aj 'gou tu ə 'sekəndry 'sku:l*] |

| | |
|---|---|
| Skończyłem szkołę techniczną. | I finished at a technical school.<br>*[aj 'fynyszt ət ə 'teknykl 'sku:l]* |
| Chodzę do technikum drukarskiego. | I attend a printing school.<br>*[aj ə'tend ə 'pryntyŋ 'sku:l]* |
| Nie chodziłem do szkoły wieczorowej. | I didn't go to an evening-school.<br>*[aj 'dydnt 'gou tu ən 'i:wnyŋ sku:l]* |
| Skończyłem także kurs stenografii. | I also completed a shorthand course.<br>*[aj 'o:lsou kə'mpli:tyd ə 'szo:thœnd ko:s]* |
| Czy pan odbył termin w fabryce? | Did you serve your apprenticeship in a factory?<br>*[dyd ju 'sə:w jo:r ə'prentyszyp yn ə 'fœktry]* |
| Kiedy skończysz szkołę? | When will you finish school?<br>*['uen uyl ju 'fynysz 'sku:l]* |
| Czy zdaliście już końcowe egzaminy? | Have you already taken your final examinations?<br>*[həw ju o:l'redy 'tejkn jo: 'fajnl ygzœmy'nejsznz]* |
| Czy pan jest studentem? | Are you a student?<br>*[ə ju ə 'stju:dnt]* |
| Co pan studiuje? | What's your subject?<br>*['uots jo: 'sabdżykt]* |
| Ja studiuję filologię francuską. | I study French philology.<br>*[aj 'stady 'frencz fy'lolədży]* |
| Ja też studiowałem trochę psychologię. | I did a little psychology as well.<br>*[aj 'dyd ə 'lytl saj'kolədży əz 'uel]* |
| Uzyskałem stopień naukowy na uniwersytecie w Leeds. | I took my degree at Leeds University.<br>*[aj 'tuk maj dy'gri: ət 'li:dz ju:ny'wə:syty]*<br>I graduated from Leeds University.<br>*[aj 'grœdjuejtyd frəm 'li:dz ju:ny'wə:syty]* |

| | |
|---|---|
| Czym się interesujecie? | What are you interested in? *['uot ə ju 'yntrystyd 'yn]* |
| Czy interesuje się pan muzyką? | Are you interested in music? *[ə ju 'yntrystyd yn 'mju:zyk]* |
| Czy interesuje się pani chemią? | Have you any interest in chemistry? *[hœw ju 'eny 'yntryst yn 'kemystry]* |
| Czy zajmuje się pan filatelistyką? | Do you go in for stamp-collecting? *[d ju 'gou 'yn fə 'stœmp ko'lektyŋ]* |
| Szybownictwo to jego konik. | Gliding is his hobby. *['glajdyŋ yz hyz 'hoby]* |
| On bardzo lubi hodować róże. | He's very fond of growing roses. *[hyz 'wery 'fond əw 'grouyŋ 'rouzyz]* |
| On jest kibicem piłkarskim. | He's a football fan. *[hi:z ə 'futbo:l 'fœn]* |
| Ona szaleje za jazzem. | She's crazy about jazz. *[szi:z 'krejzy əbaut 'dżœz]* |
| Nie mam dużo czasu na sport. | I haven't much time for sport. *[aj 'hœwnt 'macz 'tajm fə 'spo:t]* |
| On ma zdolności do języków. | He's good at languages. *[hi:z 'gud ət 'lœŋguydżyz]* |
| Jestem wielkim amatorem wędkarstwa. | I'm a great man for angling. *[ajm ə 'grejt 'mœn fər 'œŋglyŋ]* |
| Ulubioną jego rozrywką jest polowanie. | Hunting is his favourite pastime. *['hantyŋ yz hyz 'fejweryt pa:stajm]* |
| To mól książkowy. | She's a book-worm. *[szyz ə 'bukuə:m]* |
| Czy pan woli teatr niż film? | Do you prefer theatre to film? *[d ju pry'fə: 'θiətə tu 'fylm]* |
| Czy lubi pani dalekie spacery? | Do you like long walks? *[d ju 'lajk 'loŋ 'uo:ks]* |

| SŁÓWKA | WORDS | [ᵘə:dz] |
|---|---|---|
| amator | amateur | ['æmətə:] |
| laik | layman | ['lejmən] |
| popularny | popular | ['popjulə] |
| przyjemność | pleasure | ['pleżə] |
| przyjemny | pleasant | [pleznt] |
| skłonność | inclination | [ynkly'nejszn] |
| smak | taste | [tejst] |
| uprawiać | cultivate | ['kaltywejt] |
| wolne chwile | leisure | ['leżə] |
| zainteresowanie | interest | ['yntryst] |
| zamiłowanie | liking | ['lajkyŋ] |
| zwolennik | follower | ['folouə] |

| Przedmiot studiów | Subjects | ['sabdżykts] |
|---|---|---|
| agronomia | agriculture | ['ægrykalczə] |
| akademia | academy | [ə'kædəmy] |
| chemia | chemistry | ['kemystry] |
| dziennikarstwo | journalism | ['dżə:nəlyzm] |
| ekonomia | economics | [yko'nomyks] |
| filozofia | philosophy | [fy'losəfy] |
| fizyka | physics | ['fyzyks] |
| geodezja | geodesy | [dży'odysy] |
| geologia | geology | [dży'olədży] |
| językoznawstwo | linguistics | [lyŋ'gᵘystyks] |
| leśnictwo | forestry | ['forystry] |
| matematyka | mathematics | [mæθy'mætyks] |
| medycyna | medicine | ['medysyn] |
| muzykologia | musicology | [mju:zy'kolədży] |
| nauki społeczne | social sciences | ['souszl 'sajənsyz] |
| politechnika | college of science and technology | ['kolydż əw 'sajəns ən tek'nolədży] |
| prawo | law | [lo:] |
| stomatologia | stomatology | [stomə'tolədży] |
| szkoła filmowa | film school | ['fylm sku:l] |
| szkoła teatralna | theatrical school | ['θyætrykl sku:l] |
| sztuki piękne | fine arts | ['fajn 'a:ts] |

| Zawody | Professions | [prə'feszn z] |
|---|---|---|
| **adwokat** | advocate | ['ædwokejt] |
| **agronom** | agronomist | [ə'gronomyst] |
| **aktor** | actor | ['æktə] |
| **bibliotekarz** | librarian | [laj'brærian] |
| **dentysta** | dentist | [dentyst] |
| **duchowny** | clergyman | ['klə:dżymən] |
| **dziennikarz** | journalist | ['dżə:nəlyst] |
| **emeryt** | pensioner | [pensznə] |
| **inspektor** | inspector | [yn'spektə] |
| **kolejarz** | railwayman | ['rejluejmən] |
| **komiwojażer** | commercial traveller | [kə'mə:szl 'træwlə] |
| **kupiec** | merchant | ['mə:czənt] |
| **lekarz** | physician | [fy'zyszn] |
| **majster** | foreman | [fo:mən] |
| **malarz** | painter | ['pejntə] |
| **maszynistka** | typist | ['tajpyst] |
| **nauczyciel** | teacher | ['ti:czə] |
| **pisarz** | writer | ['rajtə] |
| **prawnik** | lawyer | ['lo:jə] |
| **robotnik** | worker | ['uə:kə] |
| **rzemieślnik** | craftsman | ['kra:ftsmən] |
| **rzeźbiarz** | sculptor | ['skalptə] |
| **urzędnik** | clerk | [kla:k] |

## 3. Stan cywilny, rodzina

## 3. Civil condition, family
*['sywyl kən'dyszn, 'fæmyly]*

Czy pan jest żonaty? Czy pani jest zamężna? — Are you married? *[ə ju 'mæryd]*

Jestem kawalerem (panną). — I'm single. *[ajm 'syŋgl]*

Wychodzę za mąż (żenię się) w przyszłym roku. — I'm going to marry next year. *[ajm 'goyŋ tə 'mæry 'nekst 'jə:]*

| | |
|---|---|
| Ona się rozwiodła w zeszłym roku. | She divorced her husband last year. [*szy dy'wo:st hə 'hazbənd 'la:st 'jə:*] |
| Mąż mój nie żyje od dziesięciu lat. | My husband has been dead for ten years. [*maj 'hazbənd həz byn 'ded fə 'ten 'jəz*] |
| Mam dwoje dzieci: chłopca i dziewczynkę. | I've two children, a boy and a girl. [*ajw 'tu: 'czyldrən, ə 'boj ənd ə 'gə:l*] |
| Mam starszą siostrę i starszego brata. | I've got an elder sister and a younger brother. [*ajw 'got ən 'eldə 'systər ənd ə 'jaŋgə 'braðə*] |
| Podróżuję z żoną i szwagierką. | I'm travelling with my wife and my sister-in-law. [*ajm 'trœwlyŋ ᵘyð maj 'ᵘajf ənd maj 'systərynlo:*] |
| Czy to pańska krewna? | Is she your relation? [*yz 'szi: jo: ry'lejszn*] |

**SŁÓWKA** **WORDS** [*ᵘə:dz*]

**Stan cywilny** **Civil condition** [*'sywyl kən'dyszn*]

| | | |
|---|---|---|
| **kawaler** | single | [*syŋgl*] |
| **mężatka** | married | [*'mœryd*] |
| **narzeczona** | fiancée | [*fy'a:nsej*] |
| **narzeczony** | fiancé | [*fy'a:nsej*] |
| **ożenić się** | marry | [*'mœry*] |
| **rozwiedziony, -a** | divorcee | [*dywo:'si:*] |
| **wdowa** | widow | [*'ᵘydou*] |
| **wdowiec** | widower | [*'ᵘydouə*] |
| **wyjść za mąż** | marry | [*'mœry*] |
| **zaręczyć się** | get engaged | [*get yn'gejdżd*] |
| **żonaty** | married | [*'mœryd*] |

| Rodzina | Family | ['fæmyly] |
|---|---|---|
| babka | grandmother | ['grænmaðə] |
| ciotka | aunt | [a:nt] |
| córka | daughter | ['do:tə] |
| dziadek | grandfather | ['grænfa:ðə] |
| kuzyn, -ka | cousin | [kazn] |
| matka | mother | ['maðə] |
| mąż | husband | ['hazbənd] |
| ojciec | father | ['fa:ðə] |
| syn | son | [san] |
| szwagier | brother-in-law | ['braðərynlo:] |
| teść | father-in-law | ['fa:ðərynlo:] |
| teściowa | mother-in-law | ['maðərynlo:] |
| wnuczka | granddaughter | ['grændo:tə] |
| wnuk | grandson | ['grænsan] |
| wuj, stryj | uncle | [aŋkl] |
| żona | wife | [ᵘajf] |

## 4. Język, narodowość, kraj, miejsce zamieszkania — 4. Language, nationality, country, residence *['læŋgᵘydż, næsz'nælyty, 'kantry, 'rezydns]*

| | |
|---|---|
| Czy mówisz po angielsku? | Do you speak English? *[d ju 'spi:k 'yŋglysz]* |
| Znam trochę angielski. | I know a little English. *[aj 'nou ə 'lytl 'yŋglysz]* |
| Znam tylko parę słówek. | I know only a few words. *[aj 'nou 'ounly ə 'fju: 'ᵘə:dz]* |
| Dużo angielskiego nie znam. | I don't know very much English. *[aj 'dount 'nou 'wery 'macz 'yŋglysz]* |
| Nie rozumiem pana. | I don't understand you. *[aj 'dount andə'stænd ju]* |

Rozumiem pana, jeśli pan mówi powoli.

I can understand you if you speak slowly.
[*aj kn andə'stænd ju yf ju 'spi:k 'slouly*]

Proszę to powtórzyć.

Say it again, please.
[*'sej yt ə'gejn, 'pli:z*]

Nie mogę uchwycić wymowy.

I can't catch the pronunciation.
[*aj 'ka:nt 'kæcz ðə pronansy'ejszn*]

Nie rozumiem, co pan mówi.

I cannot catch what you say.
[*aj 'kænot 'kæcz uot ju 'sej*]

Jak to jest po angielsku?

What is that in English?
[*'uot yz 'ðæt yn 'yŋglysz*]

What is the English for that?
[*'uot yz ðy 'yŋglysz fə 'ðæt*]

Co znaczy „citizen" po angielsku?

What does "citizen" mean in English?
[*'uot daz 'sytyzn 'mi:n yn 'yŋglysz*]

Co to słowo znaczy?

What does this word mean?
[*'uot daz 'ðys 'uə:d 'mi:n*]

Jakie jest znaczenie tego słowa?

What's the meaning of that word?
[*'uots ðə 'mi:nyŋ əw 'ðæt 'uə:d*]

Gdzie jest akcent?

Where's the stress?
[*'ueəz ðə 'stres*]

Tego nie można przetłumaczyć.

That can't be translated.
[*'ðæt 'ka:nt bi: tra:ns'lejtyd*]

| | |
|---|---|
| Jak się to pisze? | How do you spell it? ['hau d ju 'spel yt] |
| Jak się to wymawia? | How do you pronounce it? ['hau d ju pro'nauns yt] |
| Czy tego słowa często się używa? | Is this word commonly used? [yz ðys 'ᵘə:d 'komənly 'ju:zd] |
| Nie znam odpowiedniego słowa. | I don't know the right word. [aj 'dount 'nou ðə 'rajt 'ᵘə:d] |
| Czy pan jest Anglikiem? | Are you English? [ə ju 'yŋglysz] |
| Czy pani jest Australijką? | Are you Australian? [ə ju o:s'trejljən] |
| Jestem obywatelem amerykańskim. | I'm an American citizen. [ajm ən ə'merykn 'sytyzn] |
| Czy pani jest obywatelką (poddaną) brytyjską? | Are you a British subject? [ə ju ə 'brytysz 'sabdżykt] |
| Ja jestem z Polski. | I come from Poland. [aj 'kam frəm 'poulənd] |
| Skąd jesteś? | What part do you come from? ['ᵘot 'pa:t d ju 'kam 'from] |
| Czy pani jest z Wielkiej Brytanii? | Do you come from Great Britain? [d ju 'kam frəm 'grejt 'brytn] |
| Z jakiej okolicy Kanady pochodzi pani? | What part of Canada do you come from? ['ᵘot 'pa:t əw 'kœnədə d ju 'kam 'from] |
| Mój dziadek był Polakiem. | My grandfather was a Pole. [maj 'grœnfa:ðə ᵘez ə 'poul] |
| Czy pani mieszka w mieście, czy na wsi? | Do you live in a town or in the country? [d ju 'lyw yn ə 'taun or yn ðə 'kantry] |

| SŁÓWKA | WORDS | [$^u$ə:dz] |
|---|---|---|
| azyl | asylum | [ə'sajləm] |
| cudzoziemiec | foreigner | ['forynə] |
| emigracja | emigration | [emy'grejszn] |
| emigrant | emigrant | ['emygrənt] |
| emigrować | emigrate | ['emygrejt] |
| kolonia | colony | ['koləny] |
| mieszkać | live | [lyw] |
| mieszkaniec | inhabitant | [yn'hæbytənt] |
| na wygnaniu | in exile | [yn 'eksajl] |
| poddany | subject | ['sabdżykt] |
| repatriacja | repatriation | [ri:pæ'tryejszn] |
| uzyskać obywatelstwo | naturalize | ['næczrəlajz] |

| Kraje, narodowości | Countries, nationalities | ['kantryz, næsz'nælytyz] |
|---|---|---|
| Albania | Albania | [æl'bejniə] |
| albański<br>Albańczyk<br>Albanka | Albanian | [æl'bejniən] |
| Anglia | England | ['yŋglənd] |
| angielski | English | ['yŋglysz] |
| Anglik | Englishman | ['yŋglyszmən] |
| Angielka | Englishwoman | ['nŋglysz,$^u$umən] |
| Argentyna | Argentina | [a:dżn'ti:nə] |
| argentyński<br>Argentyńczyk<br>Argentynka | Argentine | ['a:dżntajn] |
| Austria | Austria | ['o:striə] |
| austriacki<br>Austriak<br>Austriaczka | Austrian | ['o:striən] |
| Belgia | Belgium | [beldżm] |
| belgijski<br>Belg<br>Belgijka | Belgian | [beldżn] |

| SŁÓWKA | WORDS | [uə:dz] |
| --- | --- | --- |
| **Brazylia** | Brazil | *[brə'zyl]* |
| **brazylijski**<br>**Brazylijczyk**<br>**Brazylijka** | Brazilian | *[brə'zyliən]* |
| **Bułgaria** | Bulgaria | *[bal'geəriə]* |
| **bułgarski**<br>**Bułgar**<br>**Bułgarka** | Bulgarian | *[bal'geəriən]* |
| **Burma** | Burma | *['bə:mə]* |
| **burmański**<br>**Burmańczyk**<br>**Burmanka** | Burmese | *[bə:'mi:z]* |
| **Cejlon** | Ceylon | *[sy'lon]* |
| **cejloński**<br>**Cejlończyk**<br>**Cejlonka** | Ceylonese | *[sylo'ni:z]* |
| **Chile** | Chile | *['czyly]* |
| **chilijski**<br>**Chilijczyk**<br>**Chilijka** | Chilean | *['czyliən]* |
| **Chiny** | China | *['czajnə]* |
| **chiński**<br>**Chińczyk**<br>**Chinka** | Chinese | *[czaj'ni:z]* |
| **Czechosłowacja** | Czecho-Slovakia | *['czekoslo'wa:kiə]* |
| **czechosłowacki** | Czecho-Slovak | *['czeko'slouwək]* |
| **czeski**<br>**Czech**<br>**Czeszka** | Czech | *[czek]* |
| **słowacki**<br>**Słowak**<br>**Słowaczka** | Slovak | *['slouwək]* |
| **Dania** | Denmark | *['denma:k]* |
| **duński** | Danish | *['dejnysz]* |
| **Duńczyk**<br>**Dunka** | Dane | *[dejn]* |

| | | |
|---|---|---|
| **Egipt** | Egypt | [*'i:dżypt*] |
| **egipski** | | |
| **Egipcjanin** | Egyptian | [*i:'dżypszn*] |
| **Egipcjanka** | | |
| **Finlandia** | Finland | [*'fynlənd*] |
| **fiński** | Finnish | [*'fynysz*] |
| **Fin** | Finn | [*fyn*] |
| **Finka** | | |
| **Francja** | France | [*fra:ns*] |
| **francuski** | French | [*frencz*] |
| **Francuz** | Frenchman | [*'frenczmən*] |
| **Francuzka** | Frenchwoman | [*'frencz*$^{u}$*umən*] |
| **Grecja** | Greece | [*gri:s*] |
| **grecki** | | |
| **Grek** | Greek | [*gri:k*] |
| **Greczynka** | | |
| **Hiszpania** | Spain | [*spejn*] |
| **hiszpański** | Spanish | [*'spœnysz*] |
| **Hiszpan** | Spaniard | [*'spœnjə:d*] |
| **Hiszpanka** | | |
| **Holandia** | Holland | [*'holend*] **lub** |
| | the Netherlands | [*ðə 'neðələndz*] |
| **holenderski** | Dutch | [*dacz*] |
| **Holender** | Dutchman | [*'daczmən*] |
| **Holenderka** | Dutchwoman | [*'dacz*$^{u}$*umən*] |
| **Indie** | India | [*'yndiə*] |
| **hinduski** | Hindu, Indian | [ *hyn'du:*], [*yndiən*] |
| **Hindus** | Indian | [*'yndiən*] |
| **Hinduska** | | |
| **Irlandia** | Ireland | [*'ajələnd*] |
| **irlandzki** | Irish | [*'ajərysz*] |
| **Irlandczyk** | Irishman | [*'ajəryszmən*] |
| **Irlandka** | Irishwoman | [*'ajərysz*$^{u}$*umən*] |
| **Japonia** | Japan | [*dżə'pœn*] |
| **japoński** | | |
| **Japończyk** | Japanese | [*dżœpə'ni:z*] |
| **Japonka** | | |
| **Jugosławia** | Jugoslavia | [*'ju:gou'sla:wiə*] |

|  |  |  |
|---|---|---|
| **jugosłowiański**<br>**Jugosłowianin**<br>**Jugosłowianka** | Jugoslav | [*ju:gou'sla:w*] |
| **Kanada** | Canada | [*'kœnədə*] |
| **kanadyjski**<br>**Kanadyjczyk**<br>**Kanadyjka** | Canadian | [*kə'nejdiən*] |
| **Meksyk** | Mexico | [*'meksykou*] |
| **meksykański**<br>**Meksykanin**<br>**Meksykanka** | Mexican | [*'meksykən*] |
| **Niemcy** | Germany | [*'dżə:məny*] |
| **niemiecki**<br>**Niemiec**<br>**Niemka** | German | [*'dżə:mən*] |
| **Norwegia** | Norway | [*'no:ᵘej*] |
| **norweski**<br>**Norweg**<br>**Norweżka** | Norwegian | [*no:'ᵘi:dżn*] |
| **Nowa Zelandia** | New Zealand | [*nju: 'zi:lənd*] |
| **nowozelandzki**<br>**Nowozelandczyk**<br>**Nowozelandka** | New Zealander | [*nju: 'zi:ləndə*] |
| **Polska** | Poland | [*'poulənd*] |
| **polski** | Polish | [*'poulysz*] |
| **Polak**<br>**Polka** | Pole | [*poul*] |
| **Portugalia** | Portugal | [*'po:tjugl*] |
| **portugalski**<br>**Portugalczyk**<br>**Portugalka** | Portuguese | [*po:tju'gi:z*] |
| **Rumunia** | Rumania | [*ru'mejniə*] |
| **rumuński**<br>**Rumun**<br>**Rumunka** | Rumanian | [*ru'mejniən*] |
| **Stany Zjednoczone** | the United States | [*ðə ju:'najtyd 'stejts*] |
| **Szkocja** | Scotland | [*'skotlənd*] |
| **szkocki** | Scottish | [*'skotysz*] |

| | | |
|---|---|---|
| **Szkot** | Scotsman | ['skotsmən] |
| **Szkotka** | Scotswoman | ['skotsᵘumən] |
| **Szwajcaria** | Switzerland | ['sᵘytslənd] |
| **szwajcarski** } **Szwajcar** **Szwajcarka** | Swiss | [sᵘys] |
| **Szwecja** | Sweden | [sᵘi:dn] |
| **szwedzki** | Swedish | ['sᵘi:dysz] |
| **Szwed** } **Szwedka** | Swede | [sᵘi:d] |
| **Turcja** | Turkey | ['tə:ky] |
| **turecki** | Turkish | ['tə:kysz] |
| **Turek** } **Turczynka** | Turk | [tə:k] |
| **Unia Połudn. Afrykańska** | the Union of South Africa | [ðə 'ju:niən əw 'sauθ 'æfrykə] |
| **płd.-afrykański** | South African | ['sauθ 'æfrykən] |
| **Walia** | Wales | [ᵘejlz] |
| **walijski** | Welsh | [ᵘelsz] |
| **Walijczyk** | Welshman | ['ᵘelszmən] |
| **Walijka** | Welshwoman | ['ᵘelszᵘumən] |
| **Węgry** | Hungary | ['haŋgəry] |
| **węgierski** } **Węgier** **Węgierka** | Hungarian | [haŋ'geəriən] |
| **Wielka Brytania** | Great Britain | ['grejt 'brytn] |
| **brytyjski** | British | ['brytysz] |
| **Brytyjczyk** } **Brytyjka** | Briton | [brytn] |
| **Włochy** | Italy | ['ytly] |
| **włoski** } **Włoch** **Włoszka** | Italian | [y'tæliən] |
| **Zw. Radziecki** | the Soviet Union | [ðə 'souwjet 'ju:niən] |
| **radziecki** | Soviet | ['souwjet] |
| **rosyjski** } **Rosjanin** **Rosjanka** | Russian | [raszn] |

| SŁÓWKA | WORDS | ["ə:dz] |
|---|---|---|
| **Części świata** | **Continents** | *['kontynənts]* |
| **Afryka** | Africa | *['æfrykə]* |
| **afrykański**<br>**Afrykanin**<br>**Afrykanka** | African | *['æfrykən]* |
| **Ameryka Południowa** | South America | *['sauθ ə'merykə]* |
| **płd.-amerykański** | South American | *['sauθ ə'merykən]* |
| **Ameryka Północna** | North America | *['no:θ əmerykə]* |
| **płn.-amerykański** | North American | *['no:θ ə'merykən]* |
| **amerykański**<br>**Amerykanin**<br>**Amerykanka** | American | *[ə'merykən]* |
| **Australia** | Australia | *[o:s'trejljə]* |
| **australijski**<br>**Australijczyk**<br>**Australijka** | Australian | *[o:s'trejljən]* |
| **Azja** | Asia | *['ejszə]* |
| **azjatycki**<br>**Azjata**<br>**Azjatka** | Asian | *['ejszn]* |
| **Europa** | Europe | *['juərəp]* |
| **europejski**<br>**Europejczyk**<br>**Europejka** | European | *[juərə'piən]* |

## IV. CZAS

## IV. TIME
*[tajm]*

### 1. Zegar

### 1. The time
*[ðə tajm]*

| | |
|---|---|
| Która godzina? | What's the time? *['uots ðə 'tajm]* What time is it? *['uot 'tajm yz yt]* |

| | |
|---|---|
| Która godzina u pana? | What time is it by your watch? *['uot 'tajm yz yt baj jo: 'uocz]* What time do you make it? *['uot 'tajm d ju 'mejk yt]* |
| Czy może mi pan powiedzieć dokładnie, która godzina? | Can you tell me the exact time, sir? *['kœn ju 'tel my ðy yg'zœkt 'tajm, sə:]* |

| | |
|---|---|
| Jest piąta. | It's five o'clock.<br>*[yts 'fajw ə'klok]*<br>It's five.<br>*[yts 'fajw]* |
| Jest w pół do siódmej. | It's half past six.<br>*[yts 'ha:f pa:st 'syks]* |
| Kwadrans po czwartej. | It's a quarter past four.<br>*[yts ə 'kuo:tə pa:st 'fo:]* |
| Za kwadrans dwunasta. | It's a quarter to twelve.<br>*[yts ə 'kuo:tə tu 'tuelw]* |
| Za dziesięć ósma. | Ten to eight.<br>*['ten tu 'ejt]* |
| Dwadzieścia po szóstej. | Twenty past six.<br>*['tuenty pa:st 'syks]* |
| Punktualnie o jedenastej. | At eleven sharp.<br>*[ət y'lewn 'sza:p]* |
| Około drugiej. | About two.<br>*[ə'baut 'tu:]* |
| Akurat pierwsza. | It's just one.<br>*[yts 'dżast uan]* |
| Jest prawie dziesiąta. | It's nearly ten.<br>*[yts 'niəly 'ten]* |
| O dziewiątej rano czy wieczorem? | At nine a. m. or p. m.?<br>*[ət 'najn 'ej 'em o: 'pi: 'em]* |
| Jest jeszcze bardzo wcześnie. | It's still very early.<br>*[yts 'styl 'wery 'ə:ly]* |
| Jest już bardzo późno. | It's already very late.<br>*[yts o:l'redy 'wery 'lejt]* |
| Robi się późno. | It's getting late.<br>*[yts getyŋ 'lejt]* |
| Kiedy się znowu spotkamy? | When shall we meet again?<br>*['uen szəl uy 'mi:t ə'gejn]* |
| Czy jest pani wolna jutro rano? | Are you free tomorrow morning?<br>*[ə ju 'fri: tə'morou 'mo:nyŋ]* |

| | |
|---|---|
| W poniedziałek jestem za bardzo zajęty, ale wtorek może być. | I'm too busy on Monday, but Tuesday will be O. K.<br>[*ajm 'tu: 'byzy on 'mandy, bat 'tju:zdy* ᵘ*yl bi: 'ou 'kej*] |
| Może w niedzielę rano? | Shall we make it Sunday morning?<br>[*szəl* ᵘ*y 'mejk yt 'sandy 'mo:nyŋ*] |
| Czy siódma wieczór panu odpowiada? | Will 7 P. M. suit you?<br>[ᵘ*yl 'sevn 'pi: 'em 'sju:t ju*] |
| Czy ma pan chwilę czasu dziś po południu? | Can you spare me a few minutes this afternoon?<br>[*'kœn ju 'speə mi: ə 'fju: 'mynyts ðys 'a:ftə'nu:n*] |
| Do zobaczenia w jadalni o szóstej. | See you in the dining-room at six o'clock.<br>[*'si: ju yn ðə 'dajnyŋ rum ət syks ə'klok*] |
| Zadzwoń kiedy do mnie do domu po ósmej wieczorem. | Ring me up at home one evening after eight.<br>[*'ryn mi: ap ət 'houm* '*ᵘan 'i:vnyŋ a:ftər 'ejt*] |

Mogę poczekać parę minut

I don't mind waiting a couple of minutes

[*aj 'dount 'majnd* '*ᵘejtyŋ ə 'kapl əw 'mynyts*]

| SŁÓWKA | WORDS [$^{u}$ə:dz] | |
|---|---|---|
| godzina | hour | [auə] |
| minuta | minute | ['mynyt] |
| nocą | at night | [ət 'najt] |
| po południu | in the afternoon | [yn ðy 'a:ftə'nu:n] |
| rano | in the morning | [yn ðə 'mo:nyŋ] |
| sekunda | second | ['sekənd] |
| w dzień | in the daytime | [yn ðə 'dejtajm] |
| wieczorem | in the evening | [yn ðy 'i:wnyŋ] |
| w południe | at noon | [ət 'nu:n] |
| zegar | clock | [klok] |

## 2. Kalendarz

## 2. Calendar
*['kœlyndə]*

Dzisiaj jestem bardzo zajęty.

Today I'm very busy.
*[tə'dej ajm wery 'byzy]*

Jutro idziemy do teatru.

We're going to the theatre tomorrow.
*[$^{u}$iə 'goyŋ tə ðə 'θiətə tə'morou]*

To stało się wczoraj.

That happened yesterday.
*[ðœt 'hœpnd 'jestədej]*

Pojutrze wyjeżdżamy.

We're leaving the day after tomorrow.
*[$^{u}$iə 'li:wyŋ ðə 'dej a:ftə tə'morou]*

Dostałem list od niego przedwczoraj.

I got a letter from him the day before yesterday.
*[aj got ə 'letə frəm hym ðə 'dej byfo: 'jestədej]*

Od dziś za tydzień zaczyna się wiosna.

Today week spring begins.
*[tə'dej '$^{u}$i:k 'spryŋ by'gynz]*

Od jutra za tydzień opuszczę Warszawę.

Tomorrow week I'll leave Warsaw.
*[tə'morou '$^{u}$i:k ajl 'li:w '$^{u}$o:so:]*

| | |
|---|---|
| Za dwa tygodnie spotkamy się znowu. | In a fortnight we shall meet again. [yn ə 'fo:tnajt ui: szəl 'mi:t əgejn] |
| Dam panu znać mniej więcej za tydzień. | I'll let you know in a week's time. [ajl 'let ju 'nou yn ə 'ui:ks 'tajm] |
| Przeczytamy o tym w jutrzejszych gazetach. | We'll read about it in tomorrow's papers. [ui:l 'ri:d əbaut yt yn tə'morouz 'pejpəz] |
| Widzimy się co dwa lub trzy dni. | I see them every two or three days. [aj 'si: ðəm 'ewry 'tu: o: 'θri: 'dejz] |
| Czy pan chodzi do miasta co drugi dzień? | Do you go to town every other day? [d ju 'gou tə 'taun 'ewry 'aðə 'dej] |
| Ona przyjeżdża do nas dwa razy na tydzień. | She comes to us twice a week. [szi: 'kamz tu as 'tuajs ə 'ui:k] |
| Wyjechał na week-end. | He's gone away for the week-end. [hi:z 'gon euej fə ðə 'ui:k end] |
| Mówiłem z nią kilka dni temu. | I talked to her the other day. [aj 'to:kt tə hə ðy aðə 'dej] |
| Który dzień tygodnia dzisiaj? | What day of the week is it? [uot 'dej əw ðə 'ui:k yz yt] |
| Jestem w tym kraju od trzech miesięcy. | I've been in this country for three months. [ajw byn yn ðys 'kantry fə 'θri: 'manθs] |
| Rok temu jeszcze studiowałem. | A year ago I was still studying. [ə jə:r ə'gou aj uəz 'styl 'stadyyŋ] |

| | |
|---|---|
| Na przyszły rok zacznę pracować. | Next year I'll start working. [*'nekst jə: ajl 'sta:t 'ᵘə:kyŋ*] |
| Odwiedziłem Anglię w roku 1938. | I visited England in 1938. [*aj 'wyżytyd 'yŋglənd yn 'najnti:n 'θə:ty 'ejt*] |
| Nie widziałem się z nim od lat. | I haven't seen him for years. [*aj 'hœwnt 'si:n hym fə 'jə:z*] |
| On ciężko pracuje przez cały rok. | He's working hard all the year round. [*hyz 'ᵘə:kyŋ 'ha:d 'o:l ðə 'jə: 'raund*] |

| SŁÓWKA | WORDS | [*ᵘə:dz*] |
|---|---|---|
| **a. Dni tygodnia** | **a. Days of the week** | [*'dejz əw ðə 'ᵘi:k*] |
| **poniedziałek** | Monday | [*'mandy*] |
| **wtorek** | Tuesday | [*'tju:zdy*] |
| **środa** | Wednesday | [*'ᵘenzdy*] |
| **czwartek** | Thursday | [*'θə:zdy*] |
| **piątek** | Friday | [*'frajdy*] |
| **sobota** | Saturday | [*'sœtədy*] |
| **niedziela** | Sunday | [*'sandy*] |
| **b. Miesiące** | **b. Months** | [*manθs*] |
| **styczeń** | January | [*'dżœnjuəry*] |
| **luty** | February | [*'februəry*] |
| **marzec** | March | [*ma:cz*] |
| **kwiecień** | April | [*'ejpryl*] |
| **maj** | May | [*mej*] |
| **czerwiec** | June | [*dżu:n*] |
| **lipiec** | July | [*dżu'laj*] |
| **sierpień** | August | [*'o:gəst*] |
| **wrzesień** | September | [*sep'tembə*] |
| **październik** | October | [*ok'toubə*] |
| **listopad** | November | [*no'wembə*] |
| **grudzień** | December | [*dy'sembə*] |

**c. Pory roku** **c. Seasons** [*'si:znz*]

| wiosna | lato | jesień | zima |
|---|---|---|---|
| spring | summer | autumn | winter |
| [*spryŋ*] | [*'samə*] | [*'o:təm*] | [*'ᵘyntəl* |

| | | |
|---|---|---|
| **kwartał** | quarter | [*'kᵘo:tə*] |
| **sezon** | season | [*si:zn*] |

## d. Daty / d. Dates

| | |
|---|---|
| 14. V. 1943. | May 14th 1943.<br>[*'mej ðə 'fo:'ti:nθ 'najnti:n 'fo:ty 'θri:*] |
| 28. X. 1905. | 28th October 1905.<br>[*ðə 'tᵘenty 'ejtθ əw ok'toubə 'najnti:n 'handryd ənd 'fajw*] |
| Arystoteles żył w IV w. przed n. e. | Aristotle lived in the 4th century B. C.<br>[*'ærystotl 'lywd yn ðə 'fo:θ 'senczəry 'bi: 'si:*] |
| Kolumb odkrył Amerykę w 1492. | Columbus discovered America in 1492.<br>[*kə'lambəs dys'kawəd ə'merykə yn 'fo:ti:n 'najnty 'tu:*] |

Bernard Shaw urodził się w drugiej połowie XIX w.

Bernard Shaw was born in the latter half of the nineteenth century.
['bə:nəd 'szo: ᵘəz 'bo:n yn ðə 'lœtə 'ha:f əw ðə 'najnti:nθ 'senczəry]

Żyjemy w dwudziestym wieku, wieku radia i bomby atomowej.

We're living in the 20th century, the century of radio and the atom bomb.
[ᵘiə 'lywyŋ yn ðə 'tᵘentyyθ 'senczəry, ðə 'senczəry əw 'rejdyou ənd ðy 'œtəm bom]

## e. Święta państwowe i kościelne

## e. Public and Church Holidays
['pablyk ən 'czə:cz 'holydejz]

| SŁÓWKA | WORDS | [ᵘə:dz] |
|---|---|---|
| **Dożynki** | Harvest Festival | ['ha:wyst festywl] |
| **Dzień Kobiet** | Women's Day | ['ᵘymynz dej] |
| **Dzień Matki** | Mother's Day | ['maðəz dej] |
| **Nowy Rok** | New Year's Day | ['nju: jə:z 'dej] |
| **Pierwszy Maja** | May Day | ['mej dej] |
| **Rocznica Bitwy o Wielką Brytanię** | Battle of Britain Day | ['bœtl əw 'brytn dej] |
| **Święto Lotnictwa** | Air Force Day | ['eə fo:s dej] |
| **Święto Morza** | Navy Day | ['nejwy dej] |
| **Święto Narodowe** | National Holiday | ['nœsznl 'holydej] |
| **Święto Poległych** | Remembrance Day | [ry'membrəns dej] |
| **Święto Wyzwolenia** | Liberation Day | [lybə'rejszn dej] |
| **Boże Ciało** | Corpus Christi | ['ko:pəs 'krysty] |
| **Boże Narodzenie** | Christmas | ['krysməs] |
| **Trzech Króli** | Epiphany | [y'pyfəny] |
| **Wielkanoc** | Easter | ['i:stə] |
| **Wielki Piątek** | Good Friday | ['gud 'frajdy] |
| **Wniebowstąpienie** | Ascension-day | [ə'senszndej] |
| **Wniebowzięcie** | Assumption | [ə'samszn] |
| **Wszystkich Świętych** | All Saints' Day | ['o:l 'sejnts dej] |
| **Zielone Świątki** | Whitsunday | ['ᵘytsn'dej] |

## V. OKREŚLENIA ILOŚCIOWE — QUANTITATIVE DENOTATIONS
['k^u^ontytejtyw di:no^u^'tejsznz]

**(pieniądze, miary, wagi)** — **(money, measures, weights)**
[many, 'meżəz, ^u^ejts]

### 1. Liczenie, działania arytmetyczne — 1. Counting, operations
['kauntyŋ, opə'rejsznz]

**Numerals** ['njumərəlz] — **Liczebniki**

**a. Cardinals** ['ka:dynlz] — **a. Główne**

| | | | |
|---|---|---|---|
| 1 | one | [^u^an] | jeden |
| 2 | two | [tu:] | dwa |
| 3 | three | [θri:] | trzy |
| 4 | four | [fo:] | cztery |
| 5 | five | [fajw] | pięć |
| 6 | six | [syks] | sześć |
| 7 | seven | [sewn] | siedem |
| 8 | eight | [ejt] | osiem |
| 9 | nine | [najn] | dziewięć |
| 10 | ten | [ten] | dziesięć |
| 11 | eleven | [y'lewn] | jedenaście |
| 12 | twelve | [t^u^elw] | dwanaście |
| 13 | thirteen | ['θə:'ti:n] | trzynaście |
| 14 | fourteen | ['fo:'ti:n] | czternaście |
| 15 | fifteen | ['fyf'ti:n] | piętnaście |
| 16 | sixteen | ['syks'ti:n] | szesnaście |
| 17 | seventeen | ['sewn'ti:n] | siedemnaście |
| 18 | eighteen | ['ej'ti:n] | osiemnaście |
| 19 | nineteen | ['najn'ti:n] | dziewiętnaście |
| 20 | twenty | ['t^u^enty] | dwadzieścia |
| 21 | twenty-one | ['t^u^enty'^u^an] | dwadzieścia jeden |
| 22 | twenty-two | ['t^u^enty'tu:] | dwadzieścia dwa |
| 23 | twenty-three | ['t^u^enty'θri:] | dwadzieścia trzy |
| 30 | thirty | ['θə:ty] | trzydzieści |
| 40 | forty | ['fo:ty] | czterdzieści |

| | | |
|---|---|---|
| 50 fifty | [*'fyfty*] | pięćdziesiąt |
| 60 sixty | [*'syksty*] | sześćdziesiąt |
| 70 seventy | [*'sewnty*] | siedemdziesiąt |
| 80 eighty | [*'ejty*] | osiemdziesiąt |
| 90 ninety | [*'najnty*] | dziewięćdziesiąt |
| 100 one hundred | [*'uan 'handrəd*] | sto |
| **lub** a hundred | [*ə 'handrəd*] | |
| 200 two hundred | [*'tu: 'handrəd*] | dwieście |
| 352 three hundred and fifty-two | [*'θri: 'handrəd ən 'fyfty'tu:*] | trzysta pięćdziesiąt dwa |
| 800 eight hundred | [*'ejt 'handrəd*] | osiemset |
| 1,000 one thousand | [*'uan 'θauzənd*] | tysiąc |
| **lub** a thousand | [*ə 'θauzənd*] | |
| 5,679 five thousand six hundred and seventy-nine | [*'fajw 'θauzənd 'syks 'handrəd ən 'sewnty 'najn*] | pięć tysięcy sześćset siedemdziesiąt dziewięć |
| 1,000,000 one million | [*'uan 'myljən*] | milion |
| **lub** a million | [*ə 'myljən*] | |
| 1/2 a half **albo** one half | [*ə 'ha:f*] [*'una 'ha:f*] | połowa **albo** jedna druga |
| 1/3 a third **albo** one third | [*ə 'θə:d*] [*'uan 'θə:d*] | trzecia część **albo** jedna trzecia |
| 1/4 a fourth **albo** one fourth **albo** a quarter | [*ə 'fo:θ*] [*'uan 'fo:θ*] [*ə 'kuo:tə*] | ćwierć **albo** jedna czwarta |
| 2/5 two fifths | [*'tu: 'fyfθs*] | dwie piąte |
| 0.149 czyta się: o point one four nine | [*'ou 'point 'uan 'fo: 'najn*] | |

| **b. Ordinals** | [*'o:dynlz*] | **b. Porządkowe** |
|---|---|---|
| first | [*fə:st*] | pierwszy |
| second | [*seknd*] | drugi |
| third | [*θə:d*] | trzeci |
| fourth | [*fo:θ*] | czwarty |
| fifth | [*fyfθ*] | piąty |

| | | |
|---|---|---|
| sixth | [*syksΘ*] | szósty |
| seventh | [*sewnΘ*] | siódmy |
| eighth | [*ejtΘ*] | ósmy |
| ninth | [*najnΘ*] | dziewiąty |
| tenth | [*tenΘ*] | dziesiąty |
| eleventh | [*y'lewnΘ*] | jedenasty |
| twelfth | [*tᵘelfΘ*] | dwunasty |
| thirteenth | [*'Θə:'ti:nΘ*] | trzynasty |
| fourteenth | [*'fo:'ti:nΘ*] | czternasty |
| fifteenth | [*'fyf'ti:nΘ*] | piętnasty |
| sixteenth | [*'syks'ti:nΘ*] | szesnasty |
| seventeenth | [*'sewn'ti:nΘ*] | siedemnasty |
| eighteenth | [*'ej'ti:nΘ*] | osiemnasty |
| nineteenth | [*'najn'ti:nΘ*] | dziewiętnasty |
| twentieth | [*'tᵘentyyΘ*] | dwudziesty |
| twenty-first | [*'tᵘenty'fə:st*] | dwudziesty pierwszy |
| twenty-second | [*'tᵘenty'seknd*] | dwudziesty drugi |
| twenty-third | [*'tᵘenty'Θə:d*] | dwudziesty trzeci |
| thirtieth | [*'Θə:tyyΘ*] | trzydziesty |
| fortieth | [*'fo:tyyΘ*] | czterdziesty |
| fiftieth | [*'fyftyyΘ*] | pięćdziesiąty |
| sixtieth | [*'sykstyyΘ*] | sześćdziesiąty |
| seventieth | [*'sewntyyΘ*] | siedemdziesiąty |
| eightieth | [*'ejtyyΘ*] | osiemdziesiąty |
| ninetieth | [*'najntyyΘ*] | dziewięćdziesiąty |
| hundredth | [*'handrədΘ*] | setny |
| two hundredth | [*'tu: 'handrədΘ*] | dwusetny |
| three hundred and fifty-second | [*'Θri: 'handrəd ən 'fyfty'seknd*] | trzysta pięćdziesiąty drugi |
| eight hundredth | [*'ejt 'handrədΘ*] | osiemsetny |
| thousandth | [*'ΘauzənΘ*] | tysięczny |
| five thousand six hundred and seventy-ninth | [*'fajw 'Θauzənd 'syks 'handrəd ən 'sewnty-'najnΘ*] | pięć tysięcy sześćset siedemdziesiąty dziewiąty |
| millionth | [*'myljənΘ*] | milionowy |

| | |
|---|---|
| Dodawanie | Addition |
| | [ə'dyszn] |
| 10 + 5 = 15 | Ten and five is fifteen. |
| | ['ten ən 'fajw yz 'fyf'ti:n] |
| | Ten plus five is fifteen. |
| | ['ten plas 'fajw yz 'fyf'ti:n] |
| Odejmowanie | Subtraction |
| | [səb'trœkszn] |
| 12 — 7 = 5 | Twelve less seven is five. |
| | ['tuelw les 'sewn yz 'fajw] |
| | Twelwe minus seven is five. |
| | ['tuelw majnəs 'sewn yz 'fajw] |
| Mnożenie | Multiplication |
| | [maltyply'kejszn] |
| 8 × 4 = 32 | Eight times four is thirty-two. |
| | ['ejt tajmz 'fo: yz 'θə:ty 'tu:] |
| Dzielenie | Division |
| | [dy'wyżn] |
| 30 : 3 = 10 | Thirty divided by three is ten. |
| | ['θə:ty dy'wajdyd baj 'θri yz ten] |

### 2. Pieniądze, wymiana — 2. Money, exchange ['many, yks'czejndż]

| | |
|---|---|
| Kosztowało mnie to dziesięć funtów. | This cost me ten pounds. ['ðys 'kost my 'ten 'paundz] |
| Zapłaciłem mu pięć funtów dziesięć szylingów. | I paid him five pound ten. [aj 'pejd hym 'fajw 'paund 'ten] |
| Wydaję ostatnio trzy funty dziennie. | I've been spending £ 3 a day recently. [ajw byn 'spendyŋ 'ðri: 'paundz ə dej 'ri:sntly] |
| Brak mi gotówki. | I'm short of cash. [ajm 'szo:t əw 'kœsz] |
| Czy trzeba płacić gotówką? | Must I pay cash? ['mast aj 'pej 'kœsz] |

| | |
|---|---|
| Musimy im zwrócić pieniądze. | We must pay their money back. [*ui: məst 'pej ðeə 'many 'bœk*] |
| Muszę zapłacić dług. | I ought to pay my debt. [*aj 'o:t tə 'pej maj 'det*] |
| Mam trochę drobnych (w srebrze). | I have some small silver. [*aj hœw sam 'smo:l 'sylwə*] |
| Mam pieniądze akurat. | I have the right change. [*aj hœw ðə 'rajt 'czejndż*] |

Nie sądzę, żebym miał drobne...

I don't think I have any change.
[*aj 'dount 'θynk aj hœw eny 'czejndż*]

| | |
|---|---|
| Niestety, nie mam przy sobie drobnych. | I'm afraid I've no small change with me. [*ajm ə'frejd ajw 'nou 'smo:l 'czejndż uyð 'mi:*] |
| Otrzymuje pan dziewięć szylingów reszty. | You get ninepence change. [*ju get 'najnpəns 'czejndż*] |
| Należy się pani dziesięć szylingów i sześć pensów reszty. | Your change is ten and six. [*jo: 'czejndż yz 'ten ən 'syks*] |
| Taksówkarz będzie miał wydać. | The taxi-driver will have change. [*ðə 'tœksydrajwə uyl hœw 'czejndż*] |

| | |
|---|---|
| Mam pieniądze. | I've got some money.<br>[*ajw 'got səm 'many*] |
| Mam dość pieniędzy. | I've got enough money.<br>[*ajw 'got y'naf 'many*] |
| Nie mam pieniędzy. | I haven't got any money.<br>[*aj 'hœwnt got eny 'many*] |
| Nie starczy mi pieniędzy. | I haven't got enough money.<br>[*aj 'hœwnt got y'naf 'many*] |
| To bardzo dużo pieniędzy. | That's a lot of money.<br>[*ðœts ə 'lot əw 'many*] |
| Nie rozporządzam taką dużą kwotą. | I haven't got such a large amount of money at my disposal.<br>[*aj 'hœwnt got sacz ə 'la:dż ə'maunt əw 'many ət maj dys'pouzl*] |
| Nie mam przy sobie pieniędzy. | I haven't got the money with me.<br>[*aj 'hœwnt got ðə 'many uyð mi:*] |
| Czy może mi pan(i) pożyczyć...? | Can you lend me ...?<br>[*'kœn ju 'lend mi:*] |
| Chcę zrealizować ten czek. | I want to cash this cheque, please.<br>[*aj 'uont tə 'kœsz ðys 'czek, pli:z*] |
| Czy pan chce grubszy, czy drobniejszy bilon (srebrny)? | Will you have large or small silver?<br>[*uyl ju hœw 'la:dż o: 'smo:l 'sylwə*] |
| Chciałbym też trochę miedziaków. | I'd like to have some coppers, too.<br>[*ajd lajk tə 'hœw sam 'kopəz 'tu:*] |
| Poproszę pięćdziesiąt funtów banknotami pięciofuntowymi, a resztę funtowymi i dziesięcioszylingowymi. | Fifty pounds in five-pound notes and the rest in pound and ten-shilling notes, please.<br>[*'fyfty 'paundz yn 'fajw paund 'nouts ən ðə 'rest yn 'paund ən 'ten 'szylyŋ 'nouts, 'pli:z*] |

| | |
|---|---|
| Czy nie potrzebuje pan srebrnego bilonu? | Don't you need any silver? [*'dount ju 'ni:d eny 'sylwə*] |
| Może ja przeliczę banknoty, a pan będzie liczył bilon (srebrny). | Let me count the notes while you do the silver. [*let mi: 'kaunt ðə 'nouts uajl 'ju: du: ðə 'sylwə*] |
| Czy może mi pani zmienić banknot jednofuntowy? | Can you change me a £ 1 note? [*kœn ju 'czejndż mi: ə uan paund 'nout?*] |
| Czy mógłbym otworzyć prywatny rachunek? | Could I open a private account? [*kud aj 'oupn ə 'prajwyt ə'kaunt*] |
| Oto pańska książeczka czekowa. | Here is your cheque-book. [*hiər yz jo: 'czekbuk*] |
| Poproszę pana o podpis w ten sposób, jak pan ma zamiar podpisywać czeki. | Your signature, please, the way you intend to sign your cheques. [*jo: 'sygnyczə, 'pli:z, ðə uej ju yn'tend tə 'sajn jo:'czeks*] |
| Podpis jest dobry, ale czek jest przedawniony. | The signature is all right but the cheque is stale. [*ðə 'sygnyczər yz 'o:l 'rajt bat ðə 'czek yz 'stejl*] |
| Czy podpisał go pan na odwrocie? | Have you endorsed it? [*hœw ju yn'do:st yt*] |
| Jak pan to zgubi, to nie będą panu mogli wypłacić pieniędzy. | If you lose this, your money can't be refunded. [*yf ju 'lu:z čys, jo: 'many 'ka:nt by ri:'fandyd*] |
| Taką dużą sumę można podjąć z kilkudniowym wymówieniem. | Such a large sum may be drawn at a few days' notice. [*sacz ə 'la:dż 'sam mej bi: dro:n ət ə 'fju: 'dejz 'noutys*] |

| SŁÓWKA | WORDS | [ᵘə:dz] |
|---|---|---|
| **depozyt** | deposit | [dy'pozyt] |
| **dewizy** | currency | ['karənsy] |
| **dług** | debt | [det] |
| **dłużnik** | debtor | ['detə] |
| **filia** | branch | [bra.ncz] |
| **kasjer** | cashier, teller | [kœ'sziə, 'telə] |
| **oszczędzać** | save | [sejw] |
| **podrabiać** | forge | [fo:dż] |
| **podrobiony** | forged | [fo:dżd] |
| **pożyczyć od** | borrow | ['borou] |
| **pożyczyć (komu)** | lend | [lend] |
| **procent** | interest | ['yntryst] |
| **rata** | instalment | [yn'sto:lmənt] |
| **waluta** | currency | ['karənsy] |
| **wierzyciel** | creditor | ['kredytə] |
| **wierzytelność** | claim | [klejm] |
| **wystawić czek** | make out a cheque | ['mejk 'aut ə 'czek] |

## Pieniądze

W Wielkiej Brytanii są w obiegu następujące monety:

| | | | |
|---|---|---|---|
| z brązu: | farthing | [*'fa:ðyŋ*] | ¼ d. |
| | halfpenny | [*'hejpny*] | ½ d. |
| | penny | [*'peny*] | 1d. |
| niklowo--mosiężna: | threepence | [*θrepns*] | 3d. |
| srebrne: | threepence | [*θrepns*] | 3d. |
| | sixpence | [*'sykspəns*] | 6d. |
| | shilling | [*'szylyŋ*] | 1/- **lub** 1s. |
| | florin | [*'floryn*] | 2/- **lub** 2s. |
| | half-crown | [*'ha:fə'kraun*] | 2/6 **lub** 2s. 6d. |

Zamiast **sixpence** mówi się potocznie **tanner** [*'tœnə*], zamiast **shilling** mówi się **bob** [*bob*], a zamiast **florin** mówi się **two shilling piece** [*'tu: 'szylyŋ 'pi:s*] **albo two bob** [*'tu: 'bob*].

W obiegu są również następujące banknoty:

| | | |
|---|---|---|
| dziesięcioszylingowy: (półfuntowy) | Ten shillings, [*'ten 'szylyŋz*] | 10/- lub 10 s. |
| jednofuntowy | One pound, [*'uan 'paund*] | £ 1 |
| pięciofuntowy | Five pounds, [*'fajw 'paundz*] | £ 5 |

| | | |
|---|---|---|
| 4 farthings | [*'fo: 'fa:ðyŋz*] | = 1 penny [*'uan 'peny*] |
| 12 pennies | [*'tuelw 'penyz*] | = 1 shilling [*'uan 'szylyŋ*] |
| 20 shillings | [*'tuenty 'szylyŋz*] | = 1 pound [*'uan 'paund*] |
| 21 shillings | [*'tuenty 'uan szylyŋz*] | = 1 guinea [*'uan 'gyny*] |

**Potoczne oznaczanie różnych sum pieniężnych**

| | |
|---|---|
| ½ d. | a ha'penny [*ə 'hejpny*] |
| 1d. | a penny [*ə 'peny*] |
| 1 ½ d. | a penny ha'penny [*ə 'peny 'hejpny*] **albo:** three ha'pennies [*θ'ri: 'hejpnyz*] **albo:** three ha'pence [*'θri: 'hejpns*] |
| 2d. | twopence [*tapns*] **albo:** tuppence [*tapns*] |
| 2½ d. | twopence ha'penny [*'tapns 'hejpny*] |
| 3d. | threepence [*θrepns*] **itd. aż do** |
| 11½ d. | elevenpence ha'penny [*y'lewnpəns 'hejpny*] |
| 1/- = 1s. | one shilling [*'uan 'szylyŋ*] |
| 1/1 = 1s. 1d. | one and a penny [*'uan ənd ə 'peny*] |
| 1/1½ = 1s. 1½ | one and a penny ha'penny [*'uan ənd ə 'peny 'hejpny*] **lub:** one and three ha'pence [*'uan ən 'θri: 'hejpns*] |
| 1/6 = 1s. 6d. | one and six [*'uan ən 'syks*] **lub:** eighteenpence [*'ejti:npəns*] |
| 2/3 = 2s. 3d. | two and three [*'tu: ən 'θri:*] |

| | |
|---|---|
| 2/6 = 2s. 6d. | two and six [*tu: ən 'syks*] **lub:** half a crown [*'ha:f ə 'kraun*] |
| 4/5 = 4s. 5d. | four and five [*'fo:r ən 'fajw*] |
| 6/7 = 6s. 7d. | six and seven [*'syks ən 'sewn*] |
| 10/6 = 10s. 6d. | ten and six [*'ten ən 'syks*] **lub:** half a guinea [*'ha:f ə 'gyny*] |
| 10/11 = 10s. 11d. | ten and eleven [*'ten ənd y'lewn*] |
| 12/1 = 12s. 1d. | twelve and a penny [*'tᵘelw ənd ə 'peny*] |
| 16/5 = 16s. 5d. | sixteen and five [*'syksti:n ən 'fajw*] |
| £ 1 3s. 6d. | one pound three and six [*'ᵘan 'paund 'θri: ən 'syks*] |
| £ 10 2s. 5d. | ten pounds two and fivepence [*'ten 'paundz 'tu: ən 'fajwpəns*] |

## 3. Miary i wagi 3. Measures and weights [*'meżəz ənd 'ᵘejts*]

### Miary długości — Long measure [*'loŋ 'meżə*]

| | | |
|---|---|---|
| 1 inch | [*yncz*] | = 25.4 mm |
| 1 foot | [*fut*] | = 0.3048 m |
| 1 yard | [*ja:d*] | = 0.914 m |
| 1 fathom | [*'fœðəm*] | = 1.829 m |
| 1 mile | [*majl*] | = 1.6093 km |

12 inches [*ins*] = 1 foot [*ft.*], 3 feet [*ft.*] = 1 yard [*yd.*], 6 feet = 1 fathom [*fm.*].

### Miary powierzchni — Square measure [*'skᵘeə 'meżə*]

| | | |
|---|---|---|
| 1 sq. inch | [*'skᵘeər 'yncz*] | = 6.45 cm kw. |
| 1 sq. foot | [*'skᵘeə 'fut*] | = 9.29 dcm kw. |
| 1 sq. yard | [*'skᵘɛə 'ja:d*] | = 0.84 m kw. |
| 1 acre | [*'ejkə*] | = 0.4 ha |
| 1 sq. mile | [*'skᵘeə 'majl*] | = 2.59 km kw. |

| Miary objętości | | Cubic measure [kju:byk 'meżə] |
|---|---|---|
| 1 cubic inch | ['kju:byk 'yncz] | = 16.39 cm sześc. |
| 1 cubic foot | ['kju:byk 'fut] | = 0.0283 m sześc. |
| 1 cubic yard | ['kju:byk 'ja:d] | = 0.7646 m sześc. |

| Wagi | | Weights ['uejts] |
|---|---|---|
| 1 ounce | [auns] | = 28.349 g |
| 1 pound | [paund] | = 454.304 g |
| 1 stone | [stoun] | = 6.36 kg |
| 1 hundredweight | ['handrəd'uejt] | = 50.882 kg |
| 1 ton | [tan] | = 1018 kg |

16 ounces [*ozs.*] = 1 pound [*lb.*], 14 pounds [*lbs.*] = 1 stone [*st.*], 112 pounds [*lbs.*] = 1 hundredweight [*cwt.*], 20 cwt. = 1 ton [*t.*].

| Miary pojemności | | Measures of capacity ['meżəz əw kə'pœsyty] |
|---|---|---|
| 1 gill | [dżyl] | = 0.142 l |
| 1 pint | [pajnt] | = 0.568 l |
| 1 quart | [kuo:t] | = 1.136 l |
| 1 gallon | ['gœlən] | = 4.546 l |
| 1 bushel | [buszl] | = 36.37 l |
| 1 quarter | ['kuo:tə] | = 290.9 l |

4 gills = 1 pint [*pt.*], 2 pints [*pts.*] = 1 quart [*qt.*], 4 quarts [*qts.*] = 1 gallon [*gal.*], 8 gallons [*gal.*] = 1 bushel [*bu.*], 8 bushels = 1 quarter.

## 4. Wymiary / 4. Dimensions [*dy'mensznz*]

|  |  |
|---|---|
| Jaką to ma wielkość? | What is the size of it? ['*uot yz ðə 'sajz əw yt*] |
| Ulica ma dwie mile długości. | The street is two miles long. [*ðə 'stri:t yz 'tu: 'majlz 'loŋ*] |
| Rzeka ma 0,5 mili szerokości. | The river is half a mile in width. [*ðə 'rywər yz 'ha:f ə 'majl yn 'uydθ*] |
| Wysokość wieży wynosi 100 jardów. | The height of the tower is a hundred yards. [*ðə 'hajt əw ðə 'tauər yz ə 'handryd 'ja:dz*] |
| Jezioro jest trzydzieści stóp głębokie. | The lake is thirty feet deep. [*ðə 'lejk yz 'θə:ty 'fi:t 'di:p*] |
| Pokój ma wymiary dziesięć stóp na dwadzieścia stóp. | The room is ten by twenty feet. [*ðə 'ru:m yz 'ten baj 'tuenty 'fi:t*] |

| | | | | | |
|---|---|---|---|---|---|
| długi | — long | [*loŋ*] | długość | — length | [*leŋθ*] |
| szeroki | — wide | [*uajd*] | szerokość | — width | [*uydθ*] |
| wysoki | — high | [*haj*] | wysokość | — height | [*hajt*] |
| głęboki | — deep | [*di:p*] | głębokość | — depth | [*depθ*] |

## 5. Temperatura / 5. Temperature ['*tempryczə*]

Temperatura mierzona jest w Wielkiej Brytanii i Stanach Zjednoczonych A. P. według skali Fahrenheita. °**F**. czyta się: *dy'gri:z 'fa:rənhajt,* °**C**. czyta się: *dy'gri:z 'sentygrejd*

0° C. = 32° F. 37° C. = 98,6° F.

20° C. = 68° F. 100° C. = 212° F

Wzór na przeliczanie stopni Celsjusza na stopnie Fahrenheita: $x = 1{,}8\ x + 32$

Wzór na przeliczanie stopni Fahrenheita na stopnie Celsjusza: $x = (x\text{-}32) \cdot \frac{5}{9}$

# VI. PODRÓŻOWANIE / VI. TRAVELLING

## 1. Podróżowanie, środki komunikacji (ogólnie) / 1. Travelling, means of communication (general)

['trœwlyŋ, 'mi:nz əw kəmju:ny 'kejszn ('dżenrəl)]

| | |
|---|---|
| Czy pan lubi podróżować? | Do you like to travel? [d ju 'lajk tə 'trœwl] |
| Bardzo lubię podróżować. | I'm very fond of travelling. [ajm 'wery 'fond əw 'trœwlyŋ] |
| Nie lubię podróżować z dużym bagażem. | I hate travelling with much luggage. [aj 'hejt 'trœwlyŋ uyð macz 'lagydż] |
| Często pani podróżuje? | Do you often travel? [d ju 'o:fn 'trœwl] |
| Jestem stale w podróży. | I'm travelling all the time. [ajm 'trœwlyŋ o:l ðə 'tajm] |
| Woli pan podróżować okrętem czy samolotem? | Do you prefer to travel by boat or by plane? [d ju pry'fə: tə 'trœwl baj 'bout o: baj 'plejn] |

Czy pan miał przyjemną podróż?

Have you had a pleasant journey?
[hœw ju hœd ə 'pleznt 'dże:ny]

| | |
|---|---|
| Podróż samochodem jest tańsza niż samolotem. | Going by car is cheaper than by plane. [*'gouyŋ baj 'ka:r yz 'czi:pə ðən baj 'plejn*] |
| Więcej ludzi podróżuje pociągiem niż samolotem. | More people travel by train than by plane. [*'mo: 'pi:pl 'trœwl baj 'trejn ðən baj 'plejn*] |
| Czy pani pojedzie autobusem, czy pociągiem? | Will you go by coach or by train? [*uyl jə 'gou baj 'koucz o: baj 'trejn*] |
| Przyjechałem do Polski drogą powietrzną. | I came to Poland by air. [*aj 'kejm te 'pouland baj 'eə*] |
| Można dostać się tam tylko pieszo. | You may get there on foot only. [*ju mej 'get ðeər on 'fut 'ounly*] |
| U nas ja zawsze prowadzę samochód. | At home I always drive my car. [*ət 'houm aj 'o:luyz 'drajw maj 'ka:*] |

| SŁÓWKA | WORDS | [*uə:dz*] |
|---|---|---|
| **iść pieszo** | go on foot | [*'gou on 'fut*] |
| | walk | [*uo:k*] |
| **jechać** | go | [*gou*] |
| **autobusem** | by bus | [*baj 'bas*] |
| | by coach | [*baj 'koucz*] |
| **autokarem** | by coach | [*baj 'koucz*] |
| **pociągiem** | by train | [*baj 'trejn*] |
| | by railway | [*baj 'rejluej*] |
| **samochodem** | by car | [*baj 'ka:*] |
| **statkiem** | by ship | [*baj 'szyp*] |
| | by boat | [*baj 'bout*] |
| **lecieć** | fly | [*flaj*] |
| **samolotem** | by plane | [*baj 'plejn*] |
| | by air | [*baj 'eə*] |

## 2. Kolej | 2. Railway ['rejl^uej]

### a. Rozkład jazdy, biuro podróży, informacja | a. Time-table, travel agency, inquiries ['tajmtejbl, 'trœwl ejdżənsy, yn'k^uajəryz]

| | |
|---|---|
| Oto jest rozkład jazdy. | Here's the time-table. [hiəryz ðə 'tajm tejbl] |
| Niech pani lepiej zajrzy do rozkładu jazdy. | You'd better look up the time-table. [jud betə 'luk 'ap ðə 'tajm tejbl] |
| Ten pociąg odjeżdża o 10.30. | This train leaves at 10.30 AM. [ðys 'trejn 'li:wz ət 'ten 'θə:ty 'ej 'em] |
| Do Oksfordu przyjeżdża o 23.25. | It arrives at Oxford at 11.25 PM. [yt ə'rajwz ət 'oksfəd ət y'lewn 't^uenty 'fajw 'pi: 'em] |
| O której godzinie odjeżdża pociąg? | What time does the train leave? ['^uot tajm daz ðə 'trejn 'li:w] |
| Czy to pociąg bezpośredni? | Is it a through train? [yz yt ə 'θru: 'trejn] |
| Czy to pociąg pospieszny? | Is it a fast train? [yz yt ə 'fa:st 'trejn] |
| Jest pociąg osobowy o 8.16. | There's a slow train at 8.16. [ðeəz ə 'slou trejn ət 'ejt syks'ti:n] |
| Nie. To pociąg miejscowy. | No. It's a local train. [nou. yts ə 'loukl 'trejn] |
| Jak długo pociąg jedzie z... do... ? | How long does the train take from... to...? ['hau loŋ daz ðə 'trejn 'tejk frəm... tə...] |

| | |
|---|---|
| Którym pociągiem wieczornym mam jechać do Brighton? | Which evening train shall I take for Brighton? [*'uycz 'i:wnyŋ trejn szœl aj 'tejk fə 'brajtn*] |
| W jaki sposób najszybciej dostać się do Bristol? | What is the quickest way of getting to Bristol? [*'uot yz ðə 'kuykyst 'uej əw 'getyŋ tə 'brystl*] |
| Musi się pan przesiąść w Watford Junction. | You must change at Watford Junction. [*ju məst 'czejndż ət 'uotfəd 'dżaŋkszn*] |
| Jak długo muszę czekać w Liverpoolu? | How long do I have to wait at Liverpool? [*'hau loŋ du: aj hœw tə 'uejt ət 'lywəpu:l*] |
| Przyjadą państwo o pół do drugiej. | You'll arrive at half-past-one. [*jul ə'rajw ət 'ha:f pa:st 'uan*] |
| Czy można zarezerwować miejsce? | Can I have my seat reserved? [*kœn aj hœw maj 'si:t ry'zə:wd*] |

| | |
|---|---|
| **b. Dworzec, kasa biletowa, bagaż, przechowalnia bagażu, na peronie, odjazd** | **b. Station, booking-office, luggage, luggage cloak-room, on the platform, departure** [*stejszn, 'bukyŋ ofys, 'lagydż, 'lagydż klouk rum, on ðə 'plœtfo:m, dy'pa:czə*] |
| Czy mam was odprowadzić na stację? | Shall I see you off to the station? [*szœl aj 'si: ju 'of tə ðə 'stejszn*] |
| Chciałbym wyjść po nią na stację. | I'd like to meet her at the station. [*ajd lajk tə 'mi:t hər ət ðə 'stejszn*] |

Spotkajmy się na stacji za piętnaście trzecia. — Let's meet at the station at a quarter to three.
[*lets 'mi:t ət ðə 'stejszn ət ə 'k^u^o:tə tə 'θri:*]

Znajdzie mnie pan w poczekalni. — You'll find me in the waiting-room.
[*jul 'fajnd mi: yn ðə '^u^ejtyŋ rum*]

Czy zdążę na ten pociąg wieczorny?
Will I catch this evening train?
[*^u^yl aj 'kœcz ðys 'iwnyŋ trejn*]

Ten autobus nie dochodzi do dworca. — This bus does not pass the station.
[*ðys 'bas daz not 'pa:s ðə 'stejszn*]

Gdzie jest kasa biletowa? — Where is the booking-office?
[*'^u^eər yz ðə 'bukyŋ ofys*]

Gdzie jest poczekalnia? — Where is the waiting-room?
[*'^u^eər yz ðə '^u^ejtyŋ rum*]

Chciałbym coś zjeść przed wyjazdem. — I'd like to eat something before we leave.
[*ajd 'lajk tu 'i:t 'samθyŋ byfo: ^u^y 'li:w*]

Czy zdążę się jeszcze ogolić? — Is there still time for me to shave?
[*yz ðeə styl 'tajm fə my tə 'szejw*]

| | |
|---|---|
| Gdzie jest wyjście na perony? | Which way to the platform, please? *['uycz uej tə ðə 'plætfo:m, 'pliz]* |
| Załatwiłeś z biletami? | Have you seen about the tickets? *[hœw ju 'si:n əbaut ðə 'tykyts]* |
| Proszę dwa bilety jednorazowe pierwszej klasy do Glasgow. | Two singles to Glasgow, first class, please. *[tu: syŋglz tə 'gla:sgou, fə:st 'kla:s, 'pli:z]* |
| Proszę powrotny miesięczny do Swansea. | Monthly return ticket to Swansea, please. *['manθly ry'tə:n 'tykyt tə 'suonzy, 'pli:z]* |
| Półtora do Blackpool. | One whole and one half to Blackpool, please. *['uan 'houl ən 'uan 'ha:f tə 'blækpu:l, 'pli:z]* |
| Numerowy! To mój bagaż. | Porter! This is my luggage. *['po:tə. ðys yz maj 'lagydż]* |
| Proszę zabrać mój bagaż na dworzec (na peron). | Take my luggage to the station (to the platform). *['tejk maj 'lagydż tə ðə 'stejszn (tə ðə 'plætfo:m)]* |
| Proszę mi przynieść bagaż z ekspedycji. | Fetch my luggage from the luggage office. *['fecz maj 'lagydż frəm ðə 'lagydż ofys]* |
| Proszę zanieść te walizy do wagonu sypialnego (do taksówki). | Take these suit-cases to the sleeping-car (to the taxi). *['tejk ði:z 'sju:tkejsyz tə ðə 'sli:pyŋ ka: (tə ðə 'tæksy)]* |
| Numerowy! Proszę położyć moją walizkę na półce. | Porter! Put my suit-case on the rack, please. *['po:tə! 'put maj 'sju:tkejs on ðə 'ræk, 'pli:z]* |

| | |
|---|---|
| Ta duża waliza jest już w wagonie bagażowym. | The big suit-case is already in the van.<br>*[ðə 'byg 'sju:tkejs yz o:l'redy yn ðə 'wœn]* |
| Czy mam je panu zanieść do pociągu? | Shall I take them to the train for you, sir?<br>*[szœl aj 'tejk ðəm tə də 'trejn fə 'ju: 'sə:]* |
| Chciałem nadać tę walizę na bagaż. | I'd like to register this suit-case.<br>*[ajd lajk tə 'redżystə ðys 'sju:tkejs]* |
| Czy pojedzie tym samym pociągiem? | Will it go by the same train?<br>*[ᵘyl yt 'gou baj ðə 'sejm 'trejn]* |
| Chciałem odebrać mój bagaż. Oto mój kwit. | I'd like to collect my luggage. Here's my registration slip.<br>*[ajd lajk tə kə'lekt maj 'lagydż. hiəz my redży'strejszn slyp]* |
| Czy doręczą mi bagaż do domu? | Will the luggage be delivered to my house?<br>*[ᵘyl ðə 'lagydż by dy'lywə:d tə maj 'haus]* |
| Brakuje jednej walizki. | One suit-case is missing.<br>*['ᵘan 'sju:tkejs yz 'mysyŋ]* |
| Proszę nie zapomnieć walizy. | Don't forget the suit-case.<br>*['dount fə'get ðə 'sju:tkejs]* |
| Moje kufry są już w drodze do Dover. | My trunks are already on the way to Dover.<br>*[maj 'traŋks ər o:l'redy on ðə 'ᵘej tə 'douwə]* |
| Pojadę i przywiozę bagaż ze stacji. | I'll go and fetch my luggage from the station.<br>*[ajl 'gou ən 'fecz maj 'lagydż frəm ðə 'stejszn]* |
| Do przechowalni bagażu to tędy. | This way for the left luggage cloak-room.<br>*['ðys ᵘej fə ðə 'left 'lagydż 'kloukrum]* |

| | |
|---|---|
| Chcę zostawić te dwie sztuki. | I want to leave these two pieces. *[aj 'uont tə 'li:w ði:z 'tu: 'pi:syz]* |
| Czy mogę zostawić płaszcz? | Can I leave my overcoat? *[kœn aj 'li:w maj 'ouwə:kout]* |
| Ile płaci się za jeden kufer? | What is the charge for a trunk? *['uot yz ðə 'cza:dż fər ə traŋk]* |
| Niech pan lepiej zamknie tę walizkę na klucz. | You'd better lock this suitcase. *[jud betə 'lok ðys 'sju:tkejs]* |
| Proszę nie zgubić kwitu na bagaż. | Don't lose the receipt for your luggage. *['dount 'lu:z ðə ry'si:t fə jo: 'lagydż]* |
| Czy przechowalnia czynna jest przez cały czas? | Are you open all the time? *[a: ju 'oupn 'o:l ðə 'tajm]* |
| Z którego peronu odjeżdża ten pociąg? | Which platform does the train leave from? *[uycz 'plœtfo:m daz ðə 'trejn 'li:w 'from]* |
| Czy cały pociąg idzie do Brockenhurst, czy tylko te wagony na przedzie? | Does the whole train go to Brockenhurst or only the coaches at the front? *[daz ðə 'houl 'trejn 'gou tə 'broknhə:st or 'ounly ðə 'kouczyz ət ðə 'frant]* |
| Spróbuj zdobyć dwa miejsca w rogu. | Try and get two corner seats. *[traj ən get 'tu: 'ko:nə si:ts]* |
| Numerowy znajdzie ci dobre miejsce. | The porter will find you a good seat. *[ðə 'po:tə uyl 'fajnd ju ə 'gud 'si:t]* |
| Wiesz, kiedy odjeżdżamy? | Do you know when we start? *[d ju nou uen uy 'sta:t]* |
| Lada moment odjeżdżamy. | We're leaving any moment. *[uiə 'li:wyŋ 'eny 'moumənt]* |

| SŁÓWKA | WORDS | [ᵘədz] |
| --- | --- | --- |
| **bileter** | ticket-collector | [*'tykyt kəlektə*] |
| **bufet** | refreshment-room | [*ry'freszmənt rum*] |
| **kiosk gazetowy** | news-stand | [*'nju:s stænd*] |
| **kontroler** | inspector | [*yn'spektə*] |
| **peronówka** | platform ticket | [*'plætfo:m tykyt*] |

**c. Podróż, rozmowy w pociągu, postoje, kontrola biletów, wagon restauracyjny, wagon sypialny**

**c. Journey, conversation on the train, stops, checking tickets, restaurant car, sleeping car** [*'dżə:ny, konwə'sejszn on θə 'trejn, stops, 'czekyŋ 'tykyts, 'restəra:ŋ ka:, 'sli:pyŋ ka:*]

Pociąg jest przepełniony.

The train is overcrowded. [*ðə 'trejn yz ouwə'kraudyd*]

Czy znajdzie się jeszcze miejsce w tym przedziale?
Any more free seats in this compartment?
[*'eny 'mo: 'fri: 'si:ts yn ðys kəm'pa:tmənt*]

Jest dużo miejsca na przedzie.

There's plenty of room in front. [*ðeəz 'plenty əw 'rum yn 'frant*]

Mamy pusty przedział.

We've got an empty compartment. [*ᵘyw got ən 'empty kəm'pa:tmənt*]

| | |
|---|---|
| Gdzie jest konduktor? | Where's the guard? *['ueəz ðə 'ga:d]* |
| Czy to jest wagon bezpośredni? | Is this a through carriage? *[yz ðys ə 'θru: 'kœrydż]* |
| Czy nie byłby pan łaskaw zamienić się ze mną na miejsca? | Would you mind changing seats with me? *[uud ju majnd 'czejndżyŋ 'si:ts uyð mi:]* |
| Wolałabym siedzieć twarzą w kierunku jazdy. | I'd rather sit facing the engine. *[ajd 'ra:ðə 'syt 'fejsyŋ ðy 'endżyn]* |
| Czy można tu palić? | Can one smoke in here? *[kœn uan 'smouk 'yn hi:ə]* |
| Nie znoszę jazdy w przedziale dla palących. | I hate travelling in a smoker. *[aj 'hejt 'trœwlyŋ yn ə 'smoukə]* |
| Powietrze jest dość ciężkie w tym przedziale. | The air is rather bad in this compartment. *[ðy eər yz ra:ðə 'bœd yn ðys kəm'pa:tmənt]* |
| Czy mogę otworzyć okno? | May I open the window? *[mej aj 'oupn ðə 'uyndou]* |
| Nie zrobi mi to różnicy, jeśli się otworzy okno. | I don't mind if the window is open. *[aj 'dount 'majnd yf ðə 'uyndou yz 'oupn]* |
| Proszę zamknąć drzwi. | Shut the door, please. *['szat ðə 'do:, 'pli:z]* |
| Nie ma obawy o przeciąg. | No danger of draught. *['nou 'dejndżər əw 'dra:ft]* |
| Czy ten wagon jest ogrzewany? | Is the carriage heated? *[yz ðə 'kœrydż 'hi:tyd]* |
| Proszę o bilety. | Tickets, please. *[tykyts, 'pli:z]* |
| Poproszę panią o bilet. | May I see your ticket? *[mej aj 'si: jo: 'tykyt]* |

| | |
|---|---|
| Czy wsiadłem do innego pociągu? | Have I got into the wrong train? [*hœw aj 'got intə ðə 'roŋ 'trejn*] |
| Proszę wysiąść, gdy tylko pociąg się zatrzyma. | Get off as soon as the train stops. [*'get 'of əz su:n əz ðə 'trejn 'stops*] |
| Następna stacja jest za jakieś cztery minuty. | The next station is in about four minutes. [*ðə 'neks 'stejszn yz yn əbaut 'fo: mynyts*] |
| Jak długo się tu zatrzymujemy? | How long do we stop here for? [*hau loŋ du ᵘi: 'stop hiə 'fo:*] |
| Zatrzymuje się tylko na dwie minuty. | It stops for two minutes only. [*yt 'stops fə 'tu: 'mynyts 'ounly*] |
| Czy w tym pociągu jest wagon restauracyjny? | Is there a restaurant car on this train? [*yz ðeər ə 'restəra:ŋ ka: on ðys 'trejn*] |
| O której jest (podawane) śniadanie w wagonie restauracyjnym? | What time is breakfast served in the dining car? [*'ᵘot tajm yz 'brekfəst 'səwd yn ðə 'dajnyŋ ka:*] |
| Czy musimy otrzymać bilety na obiad? | Must we get tickets for dinner? [*mast ᵘy 'get 'tykyts fə 'dynə*] |
| Mogę dostać miejsca na pierwszą zmianę (pierwszy obiad)? | Can I have seats for the first dinner? [*kœn aj 'hœw 'si:ts fə ðə 'fə:st 'dynə*] |
| Który numer mojego miejsca (sypialnego)? | What's the number of my berth? [*'ᵘots ðə 'nambər əw maj 'bə:θ*] |
| Które pani woli miejsce, górne czy dolne? | Which berth do you prefer, upper or lower? [*'ᵘycz 'bə:θ du ju pry'fə:, 'apə o: 'louə*] |

| | |
|---|---|
| Ile miejsc (sypialnych) jest w moim przedziale? | How many berths are there in my compartment? ['hau məny 'bə:θs a: ðeər yn maj kəm'pa:tmənt] |
| Panie konduktorze, o której nas pan obudzi? | Guard, what time will you wake us up? ['ga:d, 'uot 'tajm uyl ju 'uejk as 'ap] |

| SŁÓWKA | WORDS | ['ə:dz] |
|---|---|---|
| **bilet sypialny** | sleeper | ['sli:pə] |
| **ceny biletów** | fares | [feəz] |
| **dni robocze** | week-days | ['i:k dejz] |
| **hamulec bezpieczeństwa** | emergency brake | [y'mə:dżynsy brejk] |
| **korytarz** | corridor | ['korydo:] |
| **nastawić na ciepło** | turn on the heating | ['tə:n 'on ðə 'hi:tyŋ] |
| **nastawić na zimno** | turn off the heating | ['tə:n 'of ðə 'hi:tyŋ] |
| **ogrzewanie** | heating | ['hi:tyŋ] |

## d. Na granicy, kontrola paszportów, odprawa celna

## d. On the frontier, the examination of passports, getting through the customs

*[on ðə 'frantiə, ðy ygzəmy'nejszn əw 'pa:spo:ts, 'getyŋ θru: ðə 'kastəmz]*

| | |
|---|---|
| Zbliżamy się do granicy. | We're approaching the frontier. [uiər ə'prouczyŋ ðə 'frantiə] |
| To jest straż graniczna. | These are frontier guards. [ði:z ə 'frantiə ga:dz] |
| Proszę przygotować paszporty. | Get your passports ready, please. ['get jo: 'pa:spo:ts 'redy, pli:z] |
| Proszę o pański paszport. | Your passport, please. [jo: 'pa:spo:t, 'pli:z] |
| Paszport pani jest w porządku. | Your passport is in order. [jo: 'pa:spo:t yz yn 'o:də] |

Dokumenty pańskie nie są całkiem w porządku.

Your documents are not quite in order.
[*jo: 'dokjumənts ə 'not 'kuajt yn 'o:də*]

Paszport pański traci ważność w przyszłym miesiącu.

Your passport expires next month.
[*jo: 'pa:spo:t yks'pajəz 'nekst 'manθ*]

Oto pański paszport.

Here's your passport.
[*hiəz jo: 'pa:spo:t*]

Urzędnicy celni wsiądą do pociągu.

The custom-house officers will get on the train.
[*ðə 'kastəm haus 'ofysəz uyl 'get on ðə 'trejn*]

Czy ma pani coś do oclenia?

Have you anything to declare, madam?
[*hæw ju 'enyθyŋ tə dy'kleə, məm*]

Ma pan do oclenia jakieś perfumy, aparaty fotograficzne, tytoń, papierosy czy instrumenty optyczne?

Any perfume, cameras, tobacco, cigarettes or optical instruments to declare?
[*eny 'pə:fju:m, 'kæmərəz, tə'bækou, syga'rets, o:r 'optykl 'instrumənts tə dy'kleə*]

Czy mam zapłacić jakieś cło za to?

Ought I to pay any duty on this?
[*'o:t aj tə 'pej eny 'dju:ty on ðys*]

Będą panie musiały zapłacić cło za to.
You'll have to pay duty on it.
*[jul hœw tə 'pej 'dju:ty on yt]*

Co pan tu ma pod spodem?
What have you under here?
*[$^{u}$ot hœw ju 'andə 'hiə]*

Te wszystkie formalności celne są nieznośne.
All these customs formalities are a nuisance.
*['o:l ði:z 'kastəmz fo:'mœlytyz ər ə 'nju:sns]*

Takie są przepisy.
Such are the regulations.
*['sacz a: ðə regju'lejsznz]*

## e. Przyjazd, taksówka

## e. Arrival, taxi
*[ə'rajwl, 'tœksy]*

Kiedy przyjeżdżamy do Ipswich?
When do we arrive at Ipswich?
*['$^{u}$en du $^{u}$i: ə'rajw ət 'yps$^{u}$ycz]*

O której ten pociąg ma być w Winchester?
What time is the train due at Winchester?
*['$^{u}$ot tajm yz ðə 'trejn 'dju: ət '$^{u}$ynczystə]*

Przyjeżdżamy bardzo późno w nocy.
We arrive very late at night.
*[$^{u}$i: ə'rajw 'wery 'lejt ət 'najt]*

Czy przyjeżdżamy na dworzec Euston?
Do we arrive at Euston?
*[du $^{u}$i: ə'rajw ət 'ju:stn]*

Przewodnik będzie na mnie czekał.
The guide will await me.
*[ðə 'gajd $^{u}$yl ə'$^{u}$ejt mi:]*

Czy ktoś wyjdzie po panią na stację?
Is anybody coming to meet you at the station?
*[yz 'enybədy 'kamyŋ tə 'mi:t ju: et ðə 'stejszn]*

Czeka na nas samochód.
A car's waiting for us.
*[ə 'ka:z '$^{u}$ejtyŋ fər as]*

Czy o tej porze będą taksówki przed dworcem?
Will there be taxis before the station at this time of the day?
*[$^{u}$yl ðeə bi: 'tœksyz byfo: ðə 'stejszn ət ðys 'tajm əw ðə 'dej]*

| | |
|---|---|
| Chciałabym dostać się od razu do hotelu Royal. | I'd like to get to the Royal Hotel at once. [*ajd lajk tə 'get təð 'rojl hou-'tel ət 'uans*] |
| Proszę mi przyprowadzić taksówkę. | Go and fetch me a taxi, please. [*'gou ən 'fecz mi: ə 'tæksy, 'pli:z*] |
| Bagaż zostawię na dworcu. | I'll leave my luggage at the station. [*ajl 'li:w maj 'lagydż ət ðə 'stejszn*] |

## 3. Samolot — 3. Plane [*plejn*]

| | |
|---|---|
| O której odjeżdża samolot do ...? | What time does the plane leave for...? [*'uot tajm daz ðə 'plejn 'li:w fə...*] |
| Chcę polecieć do ... w przyszłym tygodniu. | I want to fly to ... next week. [*aj 'uont tə 'flaj tu ... 'nekst 'ui:k*] |

| | |
|---|---|
| Kiedy ląduje samolot w Paryżu? | When does the plane land in Paris?<br>*[ˈuen daz ðə ˈplejn ˈlœnd yn ˈpœrys]* |
| W Berlinie wylądujesz o szóstej. | You land at Berlin at six o'clock.<br>*[ju ˈlœnd ət ˈbə:ˈlyn ət ˈsyks əˈklok]* |
| Z Hagi odlatuje o pół do dziewiątej. | It starts from the Hague at half-past-eight.<br>*[yt ˈsta:ts frəm ðə ˈhejg ət ˈha:ft pa:st ˈejt]* |
| Jak długo się leci? | What is the flying-time?<br>*[ˈuot yz ðə ˈflajyŋ tajm]* |
| Jest tylko jeden krótki postój w Belfaście. | There's only one short call at Belfast.<br>*[ðeəz ounly ˈuan ˈszo:t ˈko:l ət belˈfa:st]* |
| Najszybciej można dostać się do Manchesteru drogą powietrzną. | The quickest way of getting to Manchester is by air.<br>*[ðə ˈkuykyst uej əw ˈgetyŋ tə ˈmœnczystə yz baj ˈeə]* |
| Czy jest bezpośrednie połączenie z Aberdeen? | Any direct service to Aberdeen?<br>*[eny dyˈrekt ˈsə:wys tu œbəˈdi:n]* |
| W Brukseli będzie na panią czekać samolot. | There'll be a connection waiting at Brussels.<br>*[ðeəl bi: ə kəˈnekszn ˈuejtyŋ ət ˈbraslz]* |
| Najlepszy jest ten samolot nocny. | The best is the night plane.<br>*[ðə ˈbest yz ðə ˈnajt plejn]* |
| Ten samolot jest dla mnie bardzo dogodny. | I find this service very convenient.<br>*[aj ˈfajnd ðys ˈsə:wys ˈwery kənˈwi:niənt]* |

| | |
|---|---|
| Radzę pani jechać tym samolotem. | I advise you to take this plane. *[aj əd'wajz ju tə 'tejk ðys 'plejn]* |
| Autobus odjeżdża na lotnisko o ósmej rano. | The coach leaves for the air-port at eight A. M. *[ðə 'koucz 'li:wz fə ðy 'eə po:t ət 'ejt 'ej 'em]* |
| Jeżeli pani spóźni się na samolot, to traci pani pieniądze. | If you miss your plane, you lose your money. *[yf ju 'mys jo: 'plejn, ju 'lu:z jo: 'many]* |
| Nie można dostać biletu na lotnisku. | You can't get a ticket at the air-port. *[ju 'ka:nt 'get ə 'tykyt ət ðy 'eə po:t]* |
| Jedyny samolot odlatuje w poniedziałek. | The only plane flies on Monday. *[ðy 'ounly 'plejn 'flajz on 'mandy]* |
| Poinformujmy się w biurze sprzedaży biletów. | Let's inquire at the air-ticket centre. *[lets yn'kuajər ət ðy 'eə tykyt 'sentə]* |
| Bilety lotnicze trzeba wykupić na dwa tygodnie naprzód. | Air-tickets must be booked a fortnight in advance. *['eə tykyts mast bi: 'bukt ə 'fo:tnajt yn əd'wa:ns]* |
| Czy można zarezerwować bilet? | Can I reserve a ticket? *[kæn aj ry'zə:w ə 'tykyt]* |
| Czy są jakieś wolne miejsca? | Are there any vacancies? *[a: ðeər eny 'wejknsyz]* |
| Już nie ma biletów na jutro. | No more tickets left for to-morrow. *['nou 'mo: 'tykyts 'left fə tə-'morou]* |
| Ile kosztuje bilet na samolot do Dublina? | What does an air ticket to Dublin cost? *['uot daz ən 'eə tykyt tə 'dablyn 'kost]* |

| | |
|---|---|
| A ile kosztuje bilet powrotny? | And how much is a return ticket? [*ənd 'hau macz yz ə ry'tə:n tykyt*] |
| Kosztuje mniej więcej tyle, ile przejazd koleją pierwszą klasą. | It costs about the same as the first-class railway fare. [*yt 'kosts əbaut ðə 'sejm əz ðə 'fə:st kla:s 'rejl^uej 'feə*] |
| Jak długo ważny jest bilet powrotny? | How long is a return valid for? [*'hau loŋ yz ə ry'tə:n 'wœlyd 'fo:*] |
| Bilet powrotny jest ważny przez trzy miesiące. | A return is valid for three months. [*ə ry'tə:n yz 'wœlyd fə 'θri: manθs*] |
| Czy nie ma tańszej trasy? | Isn't there a cheaper route? [*'yznt ðeər ə 'czi:pə 'ru:t*] |
| Czy są jakieś bilety wycieczkowe na samolot? | Are there any air excursion tickets? [*a: ðeər eny 'eər yks'kə:szn 'tykyts*] |
| Nie ma już miejsc w samolocie. | No more vacancies on the plane. [*'nou 'mo: 'wejknsyz on ðə plejn*] |
| Czy mógłbym zapłacić za bilet lotniczy teraz? | Could I pay for my air-ticket now? [*kud aj 'pej fə maj 'eə tykyt 'nau*] |
| Czy za bagaż płacę osobno? | Do I pay for my luggage separately? [*du: aj 'pej fə maj 'lagydż 'seprytly*] |
| Pasażerowie udający się do ... proszeni są do samolotu. | Passangers to ... are requested to walk to the plane. [*pœsyndżəz tə ... ə ry'k^uestyd tə '^uo:k tə ðə 'plejn*] |

| | |
|---|---|
| Wkrótce odjeżdżamy. | We shall be starting soon. [$^{u}$*y szəl bi: 'sta:tyŋ 'su:n*] |
| Pilot puścił już maszyny w ruch. | The pilot has set the engines in motion. [*ðə 'pajlət həz 'set ðy 'endżynz yn 'mouszn*] |
| Proszę zająć miejsca. | Take your seats, please. [*'tejk jo: 'si:ts, 'pli:z*] |
| Ruszyliśmy. | We're off. [$^{u}$*iər 'of*] |
| Mamy dobre miejsca z tyłu kabiny. | We've got good places at the back of the cabin. [$^{u}$*yw got 'gud 'plejsyz ət ðə 'bæk əw ðə 'kæbyn*] |
| Skrzydła zasłaniają nam widok. | Our view is spoiled by the wings. [*auə 'wju: yz 'spojld baj ðə '*$^{u}$*yŋz*] |
| Czy będą jakieś posiłki w samolocie? | Will any meals be served on the plane? [$^{u}$*yl eny 'mi:lz bi: 'sə:wd on ðə 'plejn*] |
| Obiad będzie za pięć minut. | Dinner will be served in five minutes. [*'dynə* $^{u}$*yl bi: 'sə:wd yn 'fajw 'mynyts*] |
| Proszę pani (do stewardesy), proszę mi dać szklankę wody. | Stewardess, give me a glass of water. [*'stju:ədys, 'gyw mi: ə 'gla:s əw '*$^{u}$*o:tə*] |
| O, jak kołysze. | Oh, how it bumps. [*ou, 'hau yt 'bamps*] |
| Nie czuję wcale mdłości. | I'm not feeling at all sick. [*ajm not 'fi:lyŋ ə't o:l 'syk*] |
| Ludzie na dole wyglądają bardzo mali. | People down below look very small. [*pi:pl daun by'lou 'luk 'wery 'smo:l*] |

| | |
|---|---|
| Teraz przelatujemy nad białymi chmurami. | Now we're flying over white clouds.<br>*['nau $^{u}$iə 'flajyŋ ouwə '$^{u}$ajt 'klaudz]* |
| Teraz już chyba zbliżamy się do Bombaju. | We must be nearing Bombay now.<br>*[$^{u}$i: məst bi: 'niəryŋ bom'bej 'nau]* |
| Jesteśmy mniej więcej milę nad ziemią. | We are about a mile above the ground.<br>*[$^{u}$i: ər əbaut ə 'majl əbaw ðə 'graund]* |
| Państwo muszą nałożyć pasy. | You're to put on your belts.<br>*[juə tə 'put 'on jo: 'belts]* |
| Cieszę się, że wybraliśmy tę trasę. | I'm glad we have chosen this route.<br>*[ajm 'glœd $^{u}$i: həw 'czouzn ðys 'ru:t]* |
| Musi pan przedstawić paszport po wylądowaniu. | You must produce a passport on landing.<br>*[ju məst prə'dju:s ə 'pa:spo:t on 'lœndyŋ]* |
| Czy to tu kontrolują paszporty? | Is this where passports are examined?<br>*[yz 'ðys $^{u}$eə 'pa:spo:ts ər yg'zœmynd]* |
| Bagażowy weźmie to na wózek. | The porter will take this on the trolley.<br>*[ðə 'po:tə $^{u}$yl 'tejk ðys on ðə tro:ly]* |
| Jesteśmy w urzędzie celnym. | We are at the customs.<br>*[$^{u}$i: ər ət ðə 'kastəmz]* |
| Wszelki bagaż ręczny przegląda się tutaj, proszę pana. | All hand luggage examined here, sir.<br>*['o:l 'hœnd lagydż yg'zœmynd 'hiə, sə]* |
| Coś do oclenia? | Anything to declare?<br>*['enyθyŋ tə dy'kleə]* |

| | |
|---|---|
| Nie mam niczego podlegającego opłacie celnej. | I have nothing dutiable. [*aj hœw 'naθyŋ 'dju:tjəbl*] |
| Proszę otworzyć ten kufer. | Open that trunk, please. [*oupn ðœt 'traŋk, 'pli:z*] |
| Czy muszę otworzyć swoją torebkę? | Must I open my bag? [*mast aj 'oupn maj 'bœg*] |
| Nie mam nic w tym pudle oprócz przedmiotów osobistego użytku. | I've nothing in that box but personal effects. [*ajw 'naθyŋ yn ðœt 'boks bat 'pə:snl y'fekts*] |
| Musi pani zapłacić dziesięć funtów cła. | You must pay £ 10 duty. [*ju mast 'pej 'ten 'paundz 'dju:ty*] |
| Byłem przekonany, że nie potrzebuję płacić cła za to. | I was convinced that I should not have to pay duty on it. [*aj uoz kən'wynst ðə aj szud 'not hœw tə 'pej 'dju:ty on yt*] |
| Jak daleko z lotniska do miasta? | How far is it from the air-port to the town? [*'hau 'fa: yz yt frəm ðy 'eə po:t tə ðə 'taun*] |
| Autokar odjeżdża z lotniska co pięć minut. | There is a coach going from the air-port every five minutes. [*ðeər yz ə 'koucz 'gouyŋ frəm ðy 'eə po:t 'ewry 'fajw 'mynyts*] |
| Bagaż oczywiście odbierze pani w mieście. | You will collect your luggage in the town, of course. [*ju uyl kə'lekt jo: 'lagydż yn ðə 'taun əw 'ko:s*] |
| Moi znajomi wyjechali po mnie na lotnisko. | My friends have come to meet me at the air-port. [*maj 'frendz həw 'kam tə 'mi:t mi: ət ðə 'eə po:t*] |

| 4. **Statek** | 4. **Boat** |
| --- | --- |
| | [*bout*] |
| Jaka jest najkrótsza trasa do ...? | Which is the shortest route to...? ['*uycz yz ðə 'szo:tyst 'ru:t tə*] |
| Ile dni trwa podróż? | How many days does the voyage take? ['*hau məny 'dejz daz ðə 'wojydż 'tejk*] |
| Czy są jakieś zniżki dla turystów? | Are there any reductions for tourists? [*a: ðeər eny ry'dakszn fə'tuərysts*] |
| Jest tańsza trasa przez Calais, ale o trzy godziny dłuższa. | There is a cheaper route by Calais, but it takes three hours longer. [*ðeər yz ə 'czi:pə 'ru:t baj 'kœlej, bat yt 'tejks 'θri: 'auəz 'loŋgə*] |
| Chciałbym kupić bilet okrętowy do Irlandii. | I'd like to book my passage to Ireland. [*ajd lajk tə 'buk maj 'pœsydż tu 'ajələnd*] |
| Proszę o dwa bilety klasy turystycznej. | Two tourist class tickets, please. ['*tu: 'tuəryst kla:s 'tykyts, 'pli:z*] |
| Niech pan lepiej teraz wykupi bilet (okrętowy). | You'd better book your passage now. [*jud betə 'buk jə'pœsydż'nau*] |
| Nie ma już miejsca na tym statku. | There's no space left on this vessel. [*ðeəz 'nou 'spejs 'left on ðys 'wesl*] |
| Mogę panu dać znać, gdy będą wolne miejsca. | I can let you know if there are vacancies. [*aj kən 'let ju 'nou yf ðeər ə 'wejknsyz*] |

| | |
|---|---|
| Odjazd statku jest wyznaczony na piątek. | The departure of your boat is scheduled for Friday. [ðə dy'pa:czər əw jo: 'bout yz 'szedju:ld fə 'frajdy] |
| Kiedy „Batory" zawija do Tilbury? | When does the "Batory" arrive at Tilbury? ['uen dəz ðə "Batory" ə'rajw ət 'tylbry] |
| „Queen Mary" przebywa ocean w ciągu pięciu dni. | The "Queen Mary" takes five days to cross the ocean. [ðə 'kui:n 'meəry 'tejks 'fajw 'dejz tə 'kros ðy 'ouszn] |
| Bagaż pani zostanie przewieziony tym samym statkiem. | Your baggage will be shipped on the same vessel. [jo: 'bœgydż uyl bi: 'szypt on ðə 'sejm 'wesl] |
| Nie ma dodatkowej opłaty za bagaż. | There's no extra charge for baggage. [ðeəz 'nou 'ekstra cza:dż fə 'bœgydż] |
| Tę stawkę stosuje się zazwyczaj do nadwyżki bagażu. | This rate is normally applied to excess luggage. [ðys 'rejt yz 'no:mly 'əplajd tu yk'ses 'lagydż] |
| Czy steward przyniósł nasze walizki? | Has the steward brought along our suit-cases? [hœz ðə 'stjuəd 'bro:t ə'loŋ auə 'sju:tkejsyz] |
| Zejdę chyba na dół do kabiny i położę się. | I think I'll go down to the cabin and lie down. [aj 'θyŋk ajl 'gou 'daun tə θə 'kœbyn ən 'laj 'daun] |
| Ja wolę zostać na pokładzie na świeżym powietrzu. | I prefer to stay on deck in the fresh air. [aj pry'fə: tə 'stej on 'dek yn ðə 'fresz 'eə] |
| Czy można dostać fotel na pokładzie? | Can I get a deck-chair? [kœn aj 'get ə 'dekczeə] |

Muszą się panowie zwrócić do swojego stewarda.

You must apply to your cabin steward.

*[ju məst ə'plaj tə jo: 'kœbyn 'stjuəd]*

One jadą tym samym statkiem.

They are going over on the same boat.

*[ðej ə 'gouyŋ 'ouwər on ðə 'sejm 'bout]*

Ależ ten statek kołysze!

This boat is tossing!

*[ðys 'bout 'yz 'tosyŋ]*

Choroba morska jest bardzo nieprzyjemna.

Sea-sickness is very disagreeable.

*['si:-syknys yz 'wery dysə'griəbl]*

Pani kabina sąsiaduje z moją.

Your cabin adjoins mine.

*[jo: 'kœbyn ə'dżojnz 'majn]*

Ostatnim razem jechało mi się bardzo źle.

Last time I had a very bad crossing.

*['la:st 'tajm aj hœd ə 'wery 'bœd 'krosyŋ]*

Burze w tej okolicy są zawsze nieprzyjemne.

Gales are always nasty in this part of the sea.

*['gejlz ər 'o:l*$^{u}$*yz 'na:sty yn ðys 'pa:t əw ðə 'si:]*

Statek wchodzi do portu.

The boat's entering the harbour.

*[ðə 'bouts 'entryŋ ðə 'ha:bə]*

Opuszczają właśnie pomost.

The gangway's being lowered.

*[ðə 'gœŋ*$^{u}$*ejz bi:yŋ 'louəd]*

Numerowy wejdzie na pokład statku i zbierze bagaż ręczny.

The porter will come aboard the boat and collect the hand luggage.

*[ðə 'po:tə *$^{u}$*yl 'kam əbo:d ðə 'bout ən 'kəlekt ðə 'hœnd 'lagydż]*

Proszę trzymać bilety w pogotowiu.

All landing tickets ready, please.

*['o:l 'lœndyŋ tykyts 'redy, 'pli:z]*

| | |
|---|---|
| Paszporty będą sprawdzać na statku. | Passports will be examined on board the ship. [*'pa:spo:ts uyl bi: yg'zœmynd on 'bo:d ðə 'szyp*] |
| Tędy do komory celnej. | This way to the customs house. [*ðys uej tə ðə 'kastəmz haus*] |
| To chyba podlega ocleniu. | That will be liable to duty. [*ðœt uyl bi: 'lajəbl tu 'dju:ty*] |
| Niestety, nie mogę przepuścić bez cła nowego aparatu fotograficznego. | I cannot let a new camera through, I'm afraid. [*aj 'kœnot 'let ə 'nju: 'kœmərə 'θru:, ajm ə'frejd*] |
| Wystawię panu pokwitowanie za aparat fotograficzny, skoro pan teraz nie może uiścić cła. | I'll give you a receipt for the camera if you can't pay the duty now. [*ajl 'gyw ju: ə ry'si:t fə ðə 'kœmərə yf ju 'ka:nt 'pej ðə 'dju:ty 'nau*] |

| SŁÓWKA | WORDS | [*uə:dz*] |
|---|---|---|
| **kabina dwuosobowa** | cabin for two | [*'kœbyn fə 'tu:*] |
| **kabina pojedyncza** | single cabin | [*'syŋgl 'kœbyn*] |
| **kapitan** | captain | [*'kœptyn*] |
| **latarnia morska** | light-house | [*'lajthaus*] |
| **łódź ratunkowa** | life-boat | [*lajfbout*] |
| **okręt pasażerski** | passenger liner | [*'pœsyndżə lajnə*] |
| **pas ratunkowy** | life-belt | [*'laifbelt*] |
| **pierwszy oficer** | first officer | [*fə:st 'ofysə*] |

## 5. Autokar, samochód osobowy — 5. Coach, car [*koucz, ka:*]

| | |
|---|---|
| Muszę zadzwonić na dworzec samochodowy. | I must ring up the coach station. [*aj mast 'ryŋ 'ap ðə 'koucz stejszn*] |
| Chciałbym przejrzeć rozkład jazdy. | I want to see the time-table. [*aj 'uont tə 'si: ðə 'tajmtejbl*] |

| | |
|---|---|
| Autobus do ... odjeżdża o ... | The coach for... leaves at...<br>[*ðə 'koucz fə ... 'li:wz ət ...*] |
| Czy mam jechać autobusem, czy pociągiem? | Shall I go by coach or by train?<br>[*szœl aj 'gou baj 'koucz 'o: baj 'trejn*] |
| Proszę mnie zawieźć na najbliższy dworzec autobusowy. | Take me to the nearest coach station.<br>[*'tejk mi: tə ðə 'niəryst 'koucz stejszn*] |
| Jeden (bilet) do Glasgow. | One to Glasgow, please.<br>[*'$^{u}$an tə 'gla:sgou, 'pli:z*] |
| To pana bilet. | Here's your ticket.<br>[*hiəz jo: 'tykyt*] |
| Czy będę się musiał przesiadać? | Will I have to change?<br>[*$^{u}$yl aj hœw tə 'czejndż*] |
| Może pan zostawić tutaj cały swój bagaż. | You may leave all your luggage here.<br>[*ju mej 'li:w 'o:l jo: 'lagydż hiə*] |
| Za bilet pan zapłaci w autobusie. | You'll pay your fare on the coach.<br>[*jul 'pej jo: 'feər on ðə 'koucz*] |
| Czy wyjedziemy o czasie? | Are we leaving on time?<br>[*a: $^{u}$i: 'li:wyŋ on 'tajm*] |
| Są tylko trzy przystanki po drodze. | There are only three stops on our way.<br>[*ðeər ə ounly 'θri: 'stops on auə '$^{u}$ej*] |
| O której mamy być w ...? | At what time are we due at...?<br>[*ət '$^{u}$ot 'tajm a: $^{u}$i: 'dju: ət*] |
| Przyjedziemy punktualnie o ... | We shall arrive at... sharp...<br>[*$^{u}$i: szəl ə'rajw ət... 'sza:p*] |
| Czy pan umie prowadzić wóz? | Can you drive a car?<br>[*kœn ju 'drajw ə 'ka:*] |
| Podróżuję własnym wozem. | I'm travelling in my own car.<br>[*ajm 'trœwlyŋ yn maj 'oun 'ka:*] |

| | |
|---|---|
| Niech pan lepiej kupi dobrą mapę. | You'd better buy a good map. [*jud betə 'baj ə 'gud 'mœp*] |
| Gdzie jest najbliższa stacja benzynowa? | Where's the nearest petrol station? [*'ᵘeəz ðə 'niəryst 'petrəl stejszn*] |
| Potrzebuję ... galonów benzyny. | I want ... gallons of petrol. [*aj 'ᵘont ... 'gœlənz əw 'petrəl*] |
| Nasz wóz stanął i nie chciał jechać. | Our car stopped and wouldn't go. [*auə 'ka: 'stopt ənd ᵘudnt 'gou*] |
| Coś się zepsuło w samochodzie. | Something has gone wrong with the car. [*'samθyŋ hœz 'gon 'roŋ ᵘyð ðə 'ka:*] |
| Trzeba naprawić jedną oponę. | One of the tires must be mended. [*'ᵘan əw ðə 'tajəz mast by 'mendyd*] |
| W końcu dojechaliśmy do garażu. | We got to the garage at last. [*ᵘy got tə də 'gœra:ż ət 'la:st*] |
| Chcę zostawić wóz w garażu na noc. | I want garage space for the night. [*aj 'ᵘont 'gœra:ż spejs fə ðə 'najt*] |
| Ile pan liczy za noc? | What's the charge per night? [*'ᵘots ðə 'cza:dż pə 'najt*] |
| Proszę mi umyć wóz. | Please, wash my car. [*'pli:z 'ᵘosz maj 'ka:*] |

| **SŁÓWKA** | **WORDS** | [*ᵘə:dz*] |
|---|---|---|
| **błotnik** | mudguard | [*'madga:d*] |
| **hamulec** | brake | [*brejk*] |
| **karoseria** | body | [*'body*] |
| **parkować** | park | [*pa:k*] |
| **podwozie** | chassis | [*'szœsy*] |
| **reflektor** | spotlight | [*spotlajt*] |
| **warsztat samochodowy** | motor repair shop | [*'moute ry'peə szop*] |

| VII. HOTEL | VII. HOTEL |
|---|---|
| **1. Poszukiwanie hotelu** | **1. Looking for a hotel** *['lukyŋ fər ə hou'tel]* |
| Czy pan może mi polecić jakiś dobry hotel? | Can you recommend a good hotel? *[kœn ju rykə'mend ə 'gud hou'tel]* |
| Jak pan myśli, gdzie powinienem zamówić pokój? | Where do you think I should book a room? *['ueə d ju 'θyŋk aj szud 'buk ə 'rum]* |
| Jakie u nich są opłaty? | What are their charges? *['uot ə ðeə 'cza:dżyz]* |
| Który hotel jest najtańszy? | Which is the cheapest hotel? *['uycz yz ðə 'czi:pyst hou'tel]* |
| Gdzie pani chce mieszkać? | Where do you want to live? *[ueə du ju 'uont tə 'lyw]* |
| Chciałabym mieszkać blisko... | I'd like to live close to... *[ajd lajk tə 'lyw 'klous tə]* |
| Mogę pani dać adres dobrego hotelu blisko stacji. | I can give you the address of a good hotel near the station. *[aj kən 'gyw ju ðy ə'dres əw ə 'gud hou'tel niə ðə 'stejszn]* |
| Wolałbym jakiś hotel w centrum. | I prefer a central hotel. *[aj pry'fər ə 'sentrəl hou'tel]* |
| To bardzo wygodny hotel. | This is a very comfortable hotel. *[ðys yz ə wery 'kamftəbl hou'tel]* |
| Gdzie się pani zatrzymuje? | Where are you staying? *[ueər ə ju 'stejyŋ]* |
| Mój przyjaciel polecił mi pański hotel. | A friend of mine has recommended your hotel to me. *[ə 'frend əw majn həz rekə'mendyd jo: hou'tel tə mi:]* |

| **2. Wynajmowanie pokoju** | **2. Taking a room** <br> *['tejkyŋ ə rum]* |
|---|---|
| Ma pan jakiś pojedynczy pokój wolny? | Have you got a single room free? <br> *['hœw ju got ə 'syŋgl 'rum 'fri:]* |
| Czy ma pan jakiś przyjemny spokojny pokój? | Have you got a nice quiet room? <br> *['hœw ju got ə 'najs 'kuajət 'rum]* |
| Czy pan zarezerwował pokój telegraficznie? | Have you reserved the room by cable? <br> *['hœw ju ry'zə:wd ðə 'rum baj 'kejbl]* |
| Czy pan dostał moją depeszę w sprawie dwóch pokoi pojedynczych? | Have you had my message about two single rooms? <br> *['hœw ju 'hœd maj 'mesydż əbaut 'tu: 'syŋl 'rumz]* |
| W zeszły piątek telefonowałem w sprawie pokoju. | Last Friday I phoned you about a room. <br> *['la:st 'frajdy aj 'found ju əbaut ə 'rum]* |

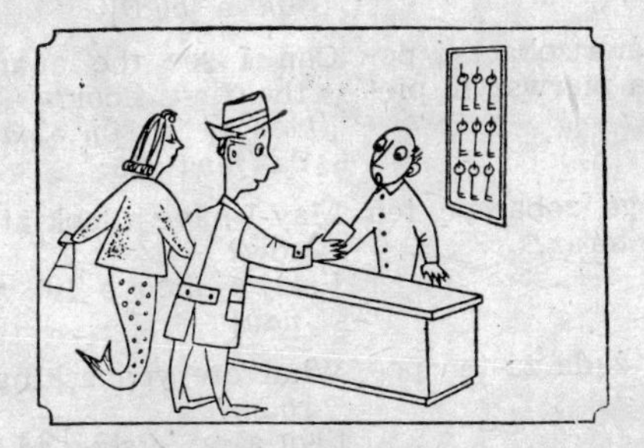

Zamówiłem telefonicznie pokój z łazienką (osobną).

I brooked a room with a private bath by phone.

*[aj 'bukt ə 'rum uyð ə 'prajwyt 'ba:θ baj 'foun]*

| | |
|---|---|
| Zarezerwowałem dla pana pokój na czwartym piętrze. | I have reserved a room for you on the fourth floor.<br>*[aj həw ry'zə:wd ə 'rum fə ju: on ðə 'fo:θ 'flo:]* |
| Mamy ładny pokój do wynajęcia. | There is a nice room to let in my house.<br>*[ðeər yz ə 'najs 'rum tə 'let yn maj 'haus]* |
| Czy to pokój od tyłu, czy od frontu? | Is it a back room or a front one?<br>*[yz yt ə bæk 'rum o:r ə 'frant ᵘan]* |
| Wolę pokój od podwórza. | I prefer a back room.<br>*[aj pry'fə:r ə 'bæk 'rum]* |
| Mam w tej chwili dwa pokoje nie zajęte. | I have two rooms unoccupied at present.<br>*[aj hæw 'tu:'rumz an'okjupajd ət 'preznt]* |
| Mamy tylko dwuosobowy pokój z łazienką. | We have only a double room with a bath.<br>*[ᵘy hæw 'ounly ə 'dabl 'rum ᵘyð ə 'ba:θ]* |
| Czy można zobaczyć pokój na pierwszym piętrze? | Can I see the apartment on the first floor?<br>*['kæn aj 'si: ðy ə'pa:tmənt on ðə 'fə:st 'flo:]* |
| Czy mogę zobaczyć ten pokój teraz? | May I have a look at the room now?<br>*['mej aj hæw ə 'luk ət ðə 'rum 'nau]* |
| Ile pani żąda za ten pokój? | What are you asking for that room?<br>*['ᵘot ə ju: 'a:skyŋ fə ðæt 'rum]* |
| Co obejmuje cena? | What does the price include?<br>*['ᵘot daz ðə 'prajs yn'klu:d]* |

| | |
|---|---|
| Cena obejmuje światło, obsługę, gorące i zimne kąpiele. | The price includes light, attendance, hot and cold baths. *[ðə 'prajs yn'klu:dz 'lajt, ə'tendəns, 'hot ən 'kould 'ba:Θs]* |
| Za gaz oczywiście liczyłoby się osobno. | Gas would of course be extra. *['gœs ᵘud əf'ko:s bi: 'ekstrə]* |
| Cena wynosi jedną gwineę łącznie ze śniadaniem i kąpielą. | The price is one guinea, including breakfast and bath. *[ðə 'prajs yz 'ᵘan 'gyny, yn'klu:dyŋ 'brekfəst ən 'ba:Θ]* |
| Bardzo dobrze, wezmę ten pokój. | Very well, I'll take the room. *['wery 'ᵘel, ajl 'tejk ðə 'rum]* |
| Mogą się państwo wprowadzić w każdej chwili. | You may move in any day. *[ju mej 'mu:w 'yn 'eny dej]* |
| Czy mam zostawić zadatek? | Shall I leave a deposit? *[szœl aj 'li:w ə dy'pozyt]* |
| Czy mogę dostać klucz? | May I have my key? *['mej aj hœw maj 'ki:]* |

| | |
|---|---|
| **3. W hotelu: meldowanie się, pokój, obsługa, pościel, posiłki, kąpiel, reklamacje, obudzenie** | **3. At the hotel: registration, room, service, bedlinen, meals, bath, complaints, waking up** *[ət ðə hou'tel, redżys'trejszn, rum, 'sə:wys, 'bedlynyn, mi:lz, ba:Θ, kəm'plejnts, 'ᵘejkyŋ 'ap]* |
| Nazywam się... Zamówiłem tu pokój jednoosobowy. | My name is... I have booked a single room here. *[maj 'nejm yz ... aj həw 'bukt ə 'syŋgl 'rum hiə]* |
| Pani pokoje są gotowe. | Your rooms are ready, ma'am. *[jo: 'rumz ə 'redy, məm]* |
| Proszę podpisać się w księdze gości. | Please sign the visitors' book. *['pli:z 'sajn ðə 'wyzytəz buk]* |
| Czy pani wypełniła kartę meldunkową? | Have you filled in your registration form? *['hœw ju 'fyld 'yn jo: redżys'trejszn 'fo:m]* |

| | |
|---|---|
| Czy mogę prosić o pański paszport? | May I have your passport?<br>*[mej aj hœw jo: 'pa:spo:t]* |
| Pański paszport trzeba zabrać na policję do rejestracji. | Your passport must be taken to the police for registration.<br>*[jo: 'pa:spo:t mast bi: 'tejkn tə ðə pə'li:s fə redżys'trejszn]* |
| Gdzie jest jadalnia? | Where is the dining-room?<br>*['ueər yz ðə 'dajnyŋ rum]* |
| Kiedy wydajecie posiłki? | What time are meals served?<br>*['uot 'tajm ə 'mi:lz 'sə:wd]* |
| Gdzie jest łazienka (ubikacja)? | Where is the bathroom (the toilet)?<br>*['ueər yz ðə 'ba:θrum (ðə 'tojlyt)]* |
| Proszę mi pokazać mój pokój. | Please show me my room.<br>*['pliz 'szou mi: maj 'rum]* |
| Pokój jest na trzecim piętrze. Proszę korzystać z windy. | The room is on the third floor. Use the lift.<br>*[ðə 'rum yz on ðə 'θə:d 'flo: 'ju:z ðə 'lyft]* |
| Pokój został właśnie pomalowany. | The room has just been repainted.<br>*[ðə 'rum həz 'dżast byn 'ri:'pejntyd]* |
| Czy w pokoju jest bieżąca gorąca woda? | Is there running hot water in the room?<br>*[yz ðeə 'ranyŋ 'hot 'uo:tər yn ðə 'rum]* |
| Czy mogę telefonować z pokoju? | Can I telephone from my room?<br>*['kœn aj 'telyfoun frəm maj 'rum]* |
| Jest toaletka w tym pokoju? | Is there a dressing table in that room?<br>*[yz ðeər ə 'dresyŋ 'tejbl yn ðœt 'rum]* |

| | |
|---|---|
| To pokój od ulicy, ale bardzo spokojny. | It's a front room, but it's very quiet. *[yts ə 'frant 'rum, bat yts 'wery 'kuajət]* |
| Okna wychodzą na ogród. | The windows look on the garden. *[ðə 'uyndouz luk on ðə 'gaa:dn]* |
| W pokoju są bardzo wygodne meble. | The room is very comfortably furnished. *[ðə 'rum yz 'wery 'kamftəbly 'fə:nyszt]* |
| Wszystkie nasze pokoje mają centralne ogrzewanie. | All our rooms have central heating. *[o:l auə 'rumz hœw 'sentrəl 'hi:tyŋ]* |
| Czy może pan przesłać mój bagaż na górę? | Can I have my luggage taken up? *[kœn aj hœw maj 'lagydż 'tejkn 'ap]* |

| SŁÓWKA | WORDS | *[uə:dz]* |
|---|---|---|
| **dywan** | carpet | *['ka:pyt]* |
| **firanki** | curtains | *['kə:tynz]* |
| **kontakt** | socket | *['sokyt]* |
| **krzesło** | chair | *[czeə]* |
| **lampa** | lamp | *[lœmp]* |
| **lampka nocna** | bedside lamp | *['bedsajd lœmp]* |
| **lustro** | looking-glass | *['lukyŋ gla:s]* |
| **łóżko** | bed | *[bed]* |
| **meble** | furniture | *['fə:nyczə]* |
| **nocnik** | chamber pot | *['czejmbə pot]* |
| **obraz** | picture | *['pykczə]* |
| **parawan** | screen | *[skri:n]* |
| **stół** | table | *[tejbl]* |
| **szafa** | cupboard | *['kabəd]* |
| **tapczan** | divan | *[di'wœn]* |
| **wieszak** | cloth-rack | *['kloθ rœk]* |
| **wtyczka** | plug | *[plag]* |

| | |
|---|---|
| Muszę się rozpakować przed obiadem. | I must unpack before dinner. [*aj mast an'pœk byfo: 'dynə*] |
| Obsługa tam jest pierwszorzędna. | The service there is first-class. [*ðə 'sə:wys ðeər yz 'fə:st 'kla:s*] |
| Portier to panu zrobi. | The porter will do it for you. [*ðə 'po:tə uyl 'du: yt fə ju:*] |
| Zaraz się pana obsłuży. | You will be served in a moment, sir. [*ju uyl bi: 'sə:wd yn ə 'moumənt, sə*] |
| Tu jednak każą ludziom czekać, prawda? | They keep one waiting here, don't they? [*ðej 'ki:p uan 'uejtyŋ hiə, 'dount ðej*] |
| Czy pan po mnie dzwonił? | Have you rung for me, sir? [*'hœw ju 'raŋ fə mi:, sə*] |
| Czy może nam pani przynieść trochę atramentu? | Can you bring us some ink? [*'kœn ju 'bryŋ əs səm 'yŋk*] |
| Muszę dać oczyścić marynarkę. | I must get my coat cleaned. [*aj məst 'get maj 'kout 'kli:nd*] |
| Czy można dać koszule do prania? | Can I have my shirts washed? [*kœn aj həw maj 'szə:ts 'uoszt*] |
| Kiedy moja bielizna będzie gotowa? | When will my washing be ready? [*'uen uyl maj 'uoszyŋ bi: 'redy*] |
| Pranie jest dobre, ale prasowanie — nie. | Washing is all right, but ironing is not. [*'uoszyŋ yz 'o:l 'rajt, bat 'ajənyŋ yz 'not*] |
| Użyła pani za dużo krochmalu. | You've used too much starch. [*juw 'ju:zd 'tu: macz 'sta:cz*] |
| Czy może mi pani wyprasować ...? | Can you iron my ... for me? [*kœn ju 'ajən maj ... fə mi:*] |
| Czy mogę dostać igłę? | Can I get a needle? [*kœn aj 'get ə 'ni:dl*] |

| | |
|---|---|
| Oderwał mi się guzik. Czy może mi pani go przyszyć? | One of my buttons has come off. Can you sew it on for me? *[ᵘan əw maj 'batnz həz 'kam of. kœn ju 'sou yt 'on fə mi:]* |
| Niech mi pan dobrze wyczyści płaszcz. | Give my overcoat a good brushing. *['gyw maj 'ouwəkout ə 'gud braszyŋ]* |
| Proszę, a resztę proszę sobie zatrzymać. | Here you are, and keep the change for yourself. *[hiə ju 'a:, ən 'ki:p ðə 'czejndż fə jə'self]* |
| Każdemu musicie dać napiwek. | You must tip everybody. *[ju məs 'typ 'ewrybədy]* |
| Musisz dać tej dziewczynie mały napiwek. | You have to give the girl a small tip. *[ju hœw tə 'gyw ðə 'gə:l ə 'smo:l typ]* |

| **SŁÓWKA** | **WORDS** | *[ᵘə:dz]* |
|---|---|---|
| **boy hotelowy** | page | *[pejdż]* |
| **guzik** | button | *[batn]* |
| **służba** | attendants | *[ə'tendənts]* |
| **sprzątaczka** | care-taker | *['keə tejkə]* |
| **tłumacz** | interpreter | *[yn'tə:prytə]* |
| **windziarz** | lift-boy | *['lyft boj]* |

| | |
|---|---|
| Moja bielizna pościelowa nie jest kompletna. | My bed-linen isn't complete. *[maj 'bedlynən 'yznt kəm'pli:t]* |
| Potrzebuję jeszcze jednego koca. | I need another blanket. *[aj 'ni:d ə'naðə 'blœŋkyt]* |
| Chcę, żeby mi pan przyniósł dodatkowe prześcieradło. | I want you to bring me an extra sheet. *[aj 'ᵘont ju tə 'bryŋ mi: ən 'ekstra 'szi:t]* |
| Czy pan potrzebuje jeszcze jednej poduszki? | Do you want another pillow? *[d ju 'ᵘont ə'naðə 'pylou]* |

| | |
|---|---|
| Materac jest zupełnie zniszczony. | The mattress is quite dilapidated. *[ðə 'mœtrys yz 'k^u^ajt dy'lœpydejtyd]* |
| Czy pani zmieniła moją pościel? | Have you changed my bedclothes? *[hœw ju 'czejndżd maj 'bedklouz]* |
| Kiedy pani znowu zmieni moją pościel? | When will you change my bed-linen again? *[^u^en '^u^yl ju czejndż maj 'bedlynən ə'gejn]* |
| Bielizna jest po prostu brudna. | The linen is simply dirty. *[ðə 'lynən yz 'symply 'də:ty]* |
| Wypaliłem dziurę w poszewce. | I've burnt a hole in my pillow-case. *[ajw 'bə:nt ə 'houl yn maj 'pyloukejs]* |
| Czy mogę się wykąpać? | Can I have a bath? *[kœn aj həw ə 'ba:θ]* |
| Kiedy mogę się wykąpać? | When can I have a bath? *['^u^en kœn aj hœw ə 'ba:θ]* |
| Jest tylko zimny natrysk. | There's only a cold shower. *[ðeəz ounly ə 'kould szauə]* |
| Ten pokój nie ma osobnej łazienki. | This room has no private bathroom. *[ðys 'rum hœz 'nou 'prajwyt 'ba:θrum]* |
| Muszę brać gorącą kąpiel co rano. | I must have a hot bath every morning. *[aj məst hœw ə 'hot 'ba:θ 'ewry 'mo:nyŋ]* |
| Czy można wziąć kąpiel parową w czwartek? | May I take a Turkish bath on Thursday? *[mej aj 'tejk ə 'tə:kysz 'ba:θ on 'θə:zdy]* |

| SŁÓWKA | WORDS | [ᵘə:dz] |
|---|---|---|
| **gąbka** | sponge | [*spandż*] |
| **golić (się)** | shave | [*szejw*] |
| **kurek** | tap | [*tœp*] |
| **maszynka do golenia** | safety razor | [*'sejfty rejzə*] |
| **myć (się)** | wash | [*ᵘosz*] |
| **mydło** | soap | [*soup*] |
| **pasta do zębów** | tooth-paste | [*'tu:θ pejst*] |
| **płaszcz kąpielowy** | bath-robe | [*'ba:θ roub*] |
| **przybory do golenia** | shavings | [*'szejwyŋz*] |
| **ręcznik** | towel | [*'tauəl*] |
| **szczotka do rąk** | nail-brush | [*'nejl brasz*] |
| **szczotka do zębów** | tooth-brush | [*'tu:θ brasz*] |
| **umywalka** | wash-basin | [*'ᵘosz bejsn*] |
| **wanna** | tub | [*tab*] |

| | |
|---|---|
| Czy można dostać śniadanie o siódmej? | Can I have breakfast at seven? [*'kœn aj hœw 'brekfəst ət 'sewn*] |
| Podwieczorek jest między czwartą a piątą. | Tea is served between four and five. [*'ti: yz 'sə:wd bytᵘi:n 'fo:r ən 'fajw*] |
| Herbatę przyniesie się pani do pokoju. | Tea will be served in your room. [*ti: ᵘyl bi: 'səwd yn jo: rum*] |
| O której jest obiad? | What time's dinner? [*'ᵘot 'tajmz 'dynə*] |
| Czy pan będzie jadł obiad późno? | Will you have dinner late? [*ᵘyl ju hœw 'dynə 'lejt*] |
| Jestem na specjalnej diecie. | I'm on a special diet. [*ajm on ə 'speszl 'dajət*] |
| Inne posiłki liczy się osobno. | Other meals are charged separately. [*'aðə 'mi:lz ə 'cza:dżd 'seprytly*] |

| | |
|---|---|
| Mój pokój nie jest posprzątany. | My room hasn't been done. *[maj 'rum hœznt byn 'dan]* |
| Moje łóżko nie jest zasłane. | My bed hasn't been made. *[maj 'bed hœznt byn 'mejd]* |
| Nie ma wody. | There's no water. *[ðeəz 'nou 'uo:tə]* |
| Światło zgasło. | The light's gone out. *[ðə 'lajts 'gon 'aut]* |
| Jest trochę za zimno w moim pokoju. | It's a little too cold in my room. *[yts ə 'lytl 'tu: 'kould yn maj 'rum]* |
| Drzwi się nie chcą zamknąć. | The door won't shut. *[ðə 'do: 'uount 'szat]* |
| Proszę wymienić żarówkę. | Change the bulb, please. *[czejndż ðə 'balb, 'pli:z]* |
| Proszę to naprawić. | Put it right, please. *['put yt 'rajt, 'pli:z]* |
| Proszę mnie obudzić punkt o siódmej. | Wake me at seven sharp, please. *['uejk mi: ət sewn 'sza:p, 'pli:z]* |
| Proszę nie zapomnieć mnie obudzić. | Don't forget to wake me up. *['dount fə'get tə 'uejk mi: 'ap]* |

### 4. Wyprowadzenie się, rachunek hotelowy

### 4. Leaving the hotel, hotel bill

*['li:wyŋ ðə hou'tel, hou'tel byl]*

| | |
|---|---|
| Muszę spakować się natychmiast. | I must pack my things at once. *[aj məst 'pœk maj 'θyŋz ət 'uans]* |
| Zapomniałem zapakować pantofle domowe. | I've forgotten to pack my slippers. *[ajw fə'gotn tə 'pœk maj 'slypəz]* |

| | |
|---|---|
| Spakowałem chyba wszystko. | I think I've got everything in. [aj 'θyŋk ajw got 'ewryθyŋ 'yn] |
| Nie mogę zamknąć tego kufra. | I cannot shut that trunk. [aj 'kœnot 'szat ðœt 'traŋk] |
| Wszystkie kufry są już spakowane i mają etykietki. | All the trunks are already packed and labelled. [o:l ðə 'traŋks ər o:l'redy 'pœkt ən 'lejbld] |
| Wszystko gotowe do mojej wyprowadzki. | Everything is ready for my moving. ['ewryθyŋ yz 'redy fə maj 'mu:wyŋ] |
| Chcę uregulować rachunek za pokój. | I want to settle my hotel bill. [aj 'uont tə 'setl maj hou'tel byl] |
| Pan mi za dużo policzył. | You have charged me too much. [ju hœw 'cza:dżd mi: 'tu: 'macz] |
| W rachunku jest błąd. | There's a mistake in the bill. [ðeəz ə mys'tejk yn ðə 'byl] |
| Wyjeżdżamy jutro rano. | We're leaving tomorrow morning. [uiə 'li:wyŋ tə'morou 'mo:nyŋ] |
| Proszę przesłać mój bagaż na lotnisko. | Send my luggage to the airport. ['send maj 'lagydż tə ðy 'eəpo:t] |
| Gdzie mamy kierować listy do pana? | Where are we to forward your letters? [ueər ə ui: tə 'fo:uəd jo: letə:z] |
| Polecę pański hotel moim znajomym. | I'll recommend your hotel to my friends. [ajl rekə'mend jo: hou'tel tə maj 'frendz] |

# VIII. POSIŁKI

# VIII. MEALS
*[mi:lz]*

## 1. Rozmowy ogólne

## 1. General conversation
*['dżenrəl konwə'sejszn]*

Jestem głodny.

I'm hungry.
*[ajm 'haŋgry]*

Czy pani się nie chce pić?

Aren't you thirsty?
*['a:nt· ju 'θə:sty]*

Pani też chyba będzie miała apetyt.

I hope you also have a good appetite.
*[aj 'houp ju 'o:lsou hœw ə 'gud 'œpytajt]*

Ja mogę jeść wszystko.

I can eat anything.
*[aj kən 'i:t 'enyθyŋ]*

Co pan będzie jadł?

What will you have?
*['uot uyl ju 'hœw]*

Czego się pan napije?

What will you have for drink?
*['uot uyl ju hœw fə 'dryŋk]*

Nie wiem naprawdę, co wybrać.

I don't really know what to choose.
*[aj 'dount 'riəly 'nou 'uot tə 'czu:z]*

To menu zawiera tyle dobrych rzeczy...

This menu contains so many good things...
*[ðys 'menju: kən'tejnz 'sou 'meny 'gud 'θyŋz]*

| | |
|---|---|
| To wygląda apetycznie. | That looks appetizing. ['ðœt 'luks 'œpytajzyŋ] |
| To bardzo dobre w smaku. | It tastes very nice. [yt 'tejsts 'wery 'najs] |
| Smakuje lepiej, jeżeli jest gorące. | It tastes nicer if it's hot. [yt 'tejsts 'najsər yf yts 'hot] |
| Ja wszystko lubię na gorąco. | I like everything hot. [aj 'lajk 'ewryθyŋ 'hot] |
| Wszystko jest takie smaczne. | Everything's so tasty. ['ewryθyŋz 'so 'tejsty] |
| Ja to lubię raczej nie dosmażone. | I like it rather underdone. [aj 'lajk yt 'ra:ðər 'andədan] |
| To moja ulubiona potrawa. | It's my favourite dish. [yts maj 'fejwryt 'dysz] |
| Jaki dzisiaj jest budyń? | What's there for pudding today? ['uots ðeə fə 'pudyŋ tə'dej] |
| Jakie owoce będziemy dziś jeść? | What are we going to have for fruit? ['uot ə ui: goyŋ tə hœw fə 'fru:t] |
| Nie chce pan więcej? | Won't you have more? ['uount ju hœw 'mo:] |
| Jeszcze sobie nabiorę. | I'll have another helping. [ajl hœw ə'naðə 'helpyŋ] |

## 2. Restauracja / 2. Restaurant ['restəra:ŋ]

| | |
|---|---|
| Może mi pan polecić jakąś tanią restaurację? | Can you recommend a cheap restaurant? [kœn ju rekə'mend ə 'czi:p 'restəra:ŋ] |
| Ta restauracja nie jest zbyt droga. | This restaurant isn't too dear. [ðys 'restəra:ŋ 'yznt 'tu: 'diə] |
| Co za tłok w tej restauracji! | What large crowds there are in this restaurant! ['uot 'la:dż 'kraudz ðeər a: yn ðys 'restəra:ŋ] |

| | |
|---|---|
| Gdzie pani chce usiąść? | Where would you like to sit? *['ᵘeə ᵘud ju 'lajk tə 'syt]* |
| Nie możemy usiąść zbyt blisko orkiestry. | We mustn't sit too close to the band. *[ᵘy 'masnt 'syt 'tu: 'klous tə ðə 'bænd]* |
| Kelner, proszę mi podać kartę. | Waiter, hand me the menu, please. *['ᵘejtə, 'hænd mi: ðə 'menju:, 'pli:z]* |
| Kelner, proszę o kartę win. | Waiter, bring me the wine-list, please. *['ᵘejtə, 'bryŋ mi: ðə 'ᵘajnlyst, 'pli:z]* |
| Czy ma pani kartę? | Have you the menu, waitress? *[hæw ju ðə 'menju:, 'ᵘejtrys]* |
| Czy pan już zamówił? | Have you given your order, sir? *[hæw ju 'gywn jo:r 'o:də, sə]* |
| Czy pan już otrzymuje? | Are you being attended to, sir? *['a: ju bi:yŋ ə'tendyd tu:, sə]* |
| Co pan zamawia? | What will you have? *['ᵘot ᵘyl ju 'hæw]* |
| Ma pan jakiś stolik na trzy osoby? | Have you a table for three persons? *[hæw ju ə 'tejbl fə 'θri: 'pe:snz]* |
| Ten befsztyk jest zimny. Proszę go zabrać i przynieść mi gorący. | This beefsteak is cold. Please take it and bring it hot. *[ðys 'bi:f'stejk yz 'kould. 'pli:z 'tejk yt ən 'bryŋ yt 'hot]* |
| Przepraszam, tego nie ma w karcie. | Sorry, it is not on the menu. *['sory, yt yz 'not on ðə 'menju:]* |
| To nie jest całkiem świeże. | This is not quite fresh. *[ðys yz 'not 'kᵘajt 'fresz]* |
| Chciałbym zapłacić. | Let me pay the bill. *[let mi: 'pej ðə 'byl]* |

| | | |
|---|---|---|
| Chciałbym się widzieć z kierownikiem. | I'd like to see the manager. [*ajd lajk tə 'si: ðə 'mœnydżə*] | |
| Proszę rachunek. | The bill, please. [*ðə 'byl, 'pli:z*] | |
| Zamykamy, proszę państwa. | Time, please. [*'tajm, 'pli:z*] | |

| SŁÓWKA | WORDS | [*ᵘə:dz*] |
|---|---|---|
| **cukierniczka** | sugar-basin, sugar-bowl | [*'szugə bejsn, 'szugə boul*] |
| **filiżanka** | cup | [*kap*] |
| **kieliszek** | glass | [*gla:s*] |
| **korkociąg** | cork-screw | [*'ko:k skru:*] |
| **łyżeczka** | teaspoon | [*'ti:spu:n*] |
| **łyżka** | tablespoon | [*'tejblspu:n*] |
| **nóż** | knife | [*najf*] |
| **obrus** | table-cloth | [*'tejbl kloΘ*] |
| **półmisek** | dish | [*dysz*] |
| **serwetka** | napkin | [*'nœpkyn*] |
| **solniczka** | salt-cellar | [*'so:lt selə*] |
| **sosjerka** | sauce-boat | [*'so:s bout*] |
| **spodek** | saucer | [*so:sə*] |
| **szklanka** | glass | [*gla:s*] |
| **talerz** | plate | [*plejt*] |
| **widelec** | fork | [*fo:k*] |

| | |
|---|---|
| Poczęstuj się tym. | Help yourself to this. [*'help jə'self tə 'ðys*] |
| Czy można panu nałożyć więcej? | May I help you to some more? [*'mej aj 'help ju tə səm 'mo:*] |
| Czy można pani nalać jeszcze trochę? | May I pour you out some more? [*'mej aj 'po: ju 'aut səm 'mo:*] |
| Dziękuję. Już mam dość. | No, thank you, I have had quite enough. [*'nou, 'Θœŋk ju, aj həw hœd 'kᵘajt y'naf*] |
| Jeszcze jedną łyżeczkę. | One more spoonful. [*'ᵘan mo: 'spu:nfl*] |

| | |
|---|---|
| Poproszę pół filiżanki. | Half a cup, please. ['ha:f ə 'kap 'pli:z] |
| Może jeszcze jedną szklankę ... | Will you have another cup of... [ᵘyl ju hœw ə'naðə 'kap əw] |
| Poproszę tylko kawałeczek. | Just a small piece, please. [dżast ə 'smo:l 'pi:s 'pli:z] |
| Będzie mi pani musiała dać dużą porcję. | You'll have to give me a large helping. [jul hœw tə 'gyw mi: ə 'la:dż 'helpyŋ] |
| Proszę mi podać sól. | Pass the salt, please. ['pa:s ðə 'so:lt 'pli:z] |

| SŁÓWKA | WORDS | [ᵘə:dz] |
|---|---|---|
| **Posiłki** | **Meals** | [mi:lz] |
| **śniadanie** | breakfast | ['brekfəst] |
| **drugie śniadanie** | lunch | [lancz] |
| **podwieczorek** | tea | [ti:] |
| **obiad** | dinner | ['dynə] |
| **kolacja** | supper | ['sapə] |
| **Zupy** | **Soups** | [su:ps] |
| **bulion** | clear soup | ['kliə su:p] |
| **zupa jarzynowa** | vegetable soup | ['wedżytəbl su:p] |
| **zupa pomidorowa** | tomato soup | [tə'ma:tou su:p] |
| **Dania mięsne** | **Dishes of meat** | ['dyszyz əw 'mi:t] |
| **baranina** | mutton | [matn] |
| **befsztyk** | beefsteak | ['bi:f'stejk] |
| **boczek** | bacon | [bejkn] |
| **cielęcina** | veal | [wi:l] |
| **dziczyzna** | game | [gejm] |
| **kiełbasa** | sausage | ['so:sydż] |
| **kotlet** | cutlet | ['katlyt] |
| **polędwica** | sirloin | ['sə:lojn] |
| **szynka** | ham | [hœm] |
| **wątróbka** | liver | ['lywə] |
| **wieprzowina** | pork | [po:k] |
| **wołowina** | beef | [bi:f] |

| **Ryby** | **Fish** | *[fysz]* |
|---|---|---|
| **flądra** | plaice | *[plejs]* |
| **karp** | carp | *[ka:p]* |
| **kleń** | whiting | *['$^{u}$ajtyŋ]* |
| **łosoś** | salmon | *['sœmən]* |
| **łupacz** | haddock | *['hœdək]* |
| **płastuga** | halibut | *['hœlybət]* |
| **pstrąg** | trout | *[traut]* |
| **sandacz** | perch | *[pə:cz]* |
| **sardynki** | sardines | *[sa:'di:nz]* |
| **śledź** | herring | *['heryŋ]* |
| **ostryga** | oyster | *['ojstə]* |
| **rak** | lobster | *['lobstə]* |
| **kawior** | caviare | *[kœwj'a:]* |

| **Sposób przyrządzenia** | **The way it is done** | *[ðə '$^{u}$ej yt yz 'dan]* |
|---|---|---|
| **duszony** | stewed | *[stju:d]* |
| **gotowany** | boiled, cooked | *[boild, kukt]* |
| **gotowany na miękko** | soft | *[soft]* |
| **gotowany na twardo** | hard-boiled | *['ha:d bojld]* |
| **na gorąco** | hot | *[hot]* |
| **na zimno** | cold | *[kould]* |
| **pieczony** | roast, baked | *[roust, bejkt]* |
| **siekany** | hashed | *[hœszt]* |
| **smażony** | fried | *[frajd]* |
| **wędzony** | smoked | *[smoukt]* |

| **Jarzyny** | **Vegetables** | *['wedżytəblz]* |
|---|---|---|
| **brukiew** | turnip | *['tə:nyp]* |
| **cebula** | onions | *['anjənz]* |
| **fasola** | beans | *[bi:nz]* |
| **groch** | peas | *[pi:z]* |
| **kalafior** | cauliflower | *['kolyflauə]* |
| **kapusta** | cabbage | *['kœbydż]* |
| **kapusta brukselka** | brussels-sprouts | *['braslz 'sprauts]* |
| **marchew** | carrots | *['kœrəts]* |
| **pietruszka** | parsley | *['pa:sly]* |
| **pomidor** | tomato | *[tə'ma:tou]* |
| **sałata** | lettuce | *['letys]* |

| | | |
|---|---|---|
| **selery** | celery | [*'seləry*] |
| **szpinak** | spinach | [*'spynydż*] |
| **ziemniaki** | potatoes | [*pə'tejtouz*] |
| **ziemniaki frytki** | chips | [*czyps*] |
| **ziemniaki purée** | mashed potatoes | [*'mœszt pə'tejtouz*] |
| **Deser** | **Dessert** | [*dy'zə:t*] |
| **budyń** | pudding | [*'pudyŋ*] |
| **ciastka** | cakes | [*kejks*] |
| **lody** | ice-cream | [*'ajs kri:m*] |
| **słodycze** | sweets | [*s^ui:ts*] |
| **Owoce** | **Fruit** | [*fru:t*] |
| **ananas** | pine-apple | [*'pajnœpl*] |
| **banany** | bananas | [*bə'na:nəz*] |
| **brzoskwinie** | peaches | [*'pi:czyz*] |
| **cytryny** | lemons | [*'lemənz*] |
| **grejpfruty** | grapefruits | [*'grejpfru:ts*] |
| **gruszki** | pears | [*peə:z*] |
| **jabłka** | apples | [*œplz*] |
| **maliny** | raspberries | [*'ra:zbryz*] |
| **morele** | apricots | [*'ejprykots*] |
| **pomarańcze** | oranges | [*'oryndżyz*] |
| **porzeczki** | currants | [*'karənts*] |
| **poziomki** | wild strawberries | [*'^uajld 'stro:bryz*] |
| **śliwki** | plums | [*plamz*] |
| **truskawki** | strawberries | [*'stro:bryz*] |
| **winogrona** | grapes | [*grejps*] |
| **wiśnie** | cherries | [*'czeryz*] |
| **Napoje** | **Drinks** | [*dryŋks*] |
| **czekolada** | chocolate | [*'czoklyt*] |
| **herbata** | tea | [*ti:*] |
| **kakao** | cocoa | [*'koukou*] |
| **kawa** | coffee | [*'kofy*] |
| **mleko** | milk | [*mylk*] |
| **piwo** | beer | [*biə*] |
| **wino** | wine | [*^uajn*] |

## 3. Bar

## 3. Bar
[*ba:*]

| | |
|---|---|
| Napijmy się czegoś w barze. | Let's have something to drink at the snack-bar.<br>[*lets hœw 'samθyŋ tə'dryŋk ət ðə 'snœkba:*] |
| Wypije pan jeden cocktail? | Will you have a cocktail?<br>[*ᵘyl ju hœw ə 'koktejl*] |
| Właśnie zamówiłem wódkę. | I have just ordered a whisky and soda.<br>[*aj həw dżast 'o:dəd ə 'ᵘysky ən 'soudə*] |
| Słodkie czy wytrawne? | Sweet or dry?<br>[*'sᵘi:t o: 'draj*] |
| Nie lubię siedzieć na tych wysokich stołkach. | I dislike sitting up on those high stools.<br>[*aj dys'lajk 'sytyŋ 'ap on ðouz 'haj 'stu:lz*] |
| Małe piwo z beczki. | A small beer drawn from the cask.<br>[*ə 'smo:l 'biə 'dro:n frəm ðə 'ka:sk*] |
| Napijemy się? | Shall we have a drink?<br>[*szœl ᵘi: hœw ə 'dryŋk*] |

Nie pijam alkoholu.
I don't drink any spirits.
[*aj 'dount 'dryŋk eny 'spyryts*]

**4. Kawiarnia, cukiernia**

**4. Café, confectionery** *[kœfej, kən'feksznry]*

Dwie kawy proszę.

A pot of coffee for two, please.
*[ə 'pot əw 'kofy fə 'tu:, 'pli:z]*

Cztery mocne herbaty.

Strong tea for four, please.
*['stroŋ 'ti: fə 'fo:, 'pli:z]*

Może trochę śmietanki do kawy?

A little cream with the coffee?
*[ə lytl 'kri:m uyð ðə 'kofy]*

Poproszę pięć ciastek.

Five cakes, please.
*['fajw 'kejks, 'pli:z]*

Ja chcę jeszcze jedną kostkę cukru do kawy.

I want another lump of sugar in my coffee.
*[aj 'uont ə'naðə 'lamp əw 'szugər yn maj 'kofy]*

Wypiję jeszcze jedną filiżankę herbaty.

I'll have another cup of tea.
*[ajl hœw ə'naðə 'kap əw 'ti:]*

Moja jest za mocna.

Mine is too strong.
*['majn yz 'tu: 'stroŋ]*

Kawa zawsze mnie orzeźwia.

Coffee always make me fresher.
*['kofy 'o:luyz 'mejks mi: 'freszə]*

## IX. USŁUGI RZEMIEŚLNICZE | IX. TRADESMEN'S SERVICES ['trejdzmənz 'se:wysyz]

### 1. Fryzjer | 1. Hairdresser ['heədresə]

#### a. Fryzjer damski | a. Ladies' Hairdresser ['lejdyz 'heədresə]

| | |
|---|---|
| Proszę mi umyć i ułożyć włosy. | I want my hair washed and set. *[aj 'uont maj 'heə 'uoszt ən 'set]* |
| Proszę mi przystrzyc, umyć i zaondulować włosy. | I want my hair trimmed, washed and waved. *[aj 'uont maj 'heə 'trymd, 'uoszt ən 'uejwd]* |
| Proszę mi ufarbować włosy i rzęsy. | I want my hair and eye-lashes dyed. *[aj 'uont maj 'heə and 'ajlœszyz 'dajd]* |
| Proszę mi zrobić manicure. | I'll have a manicure. *[ajl hœw ə 'mœnykjuə]* |
| Z tyłu proszę nie ścinać. | Don't cut it at the back. *['dount 'kat yt ət ðə 'bœk]* |
| Proszę tylko wyrównać. | Just make the ends even, will you? *[dżast 'mejk ðy 'endz 'i:wn, 'uyl ju]* |
| Proszę obciąć krótko z tyłu i po bokach, ale nie za bardzo z przodu. | Cut it short at the back and sides, but not too much off in front. *['kat yt 'szo:t ət ðə 'bœk ən 'sajdz, bat 'not 'tu: macz 'of yn 'frant]* |
| Proszę nie używać tego szamponu. | Don't use this shampoo. *['dount 'ju:z ðys szœm'pu:]* |
| Jak długo będzie się trzymać trwała ondulacja? | How long will a perm last? *['hau loŋ uyl ə 'pə:m 'la:st]* |

**b. Fryzjer męski** — **b. Gentlemen's Hairdresser**
*['dżentlmənz' heədresə]*

Czym mogę panu służyć?
What can I do for you, sir?
*['uot kən aj 'du: fə ju, sə]*

Strzyżenie i golenie.
Hair-cut and shave, please.
*['heəkat ən 'szejw, 'pli:z]*

Chciałbym się ostrzyc.
I want a hair-cut.
*[aj 'uont ə 'heəkat]*

Proszę mnie ostrzyc krótko.
Cut the hair close, please.
*['kat ðə 'heə 'klous, 'pl:iz]*

Proszę mnie szybko ogolić.
A quick shave please.
*[ə 'kuyk 'szejw, 'pli:z]*

Proszę mi przystrzyc wąsy i brodę.
Trim my moustache and beard, please.
*['trym maj mu'sta:sz ən 'biəd, 'pli:z]*

Pańska skóra jest bardzo wrażliwa.
Your skin's very sensitive.
*[jo: 'skynz 'wery 'sensytyw]*

Puder, krem czy woda kolońska?
Powder, cream or spray, sir?
*['paudə, 'kri:m o: 'sprej, sə]*

Przyjemne to mydło do golenia.
This is a pleasant shaving-stick.
*[ðys yz ə 'pleznt 'szejwyŋstyk]*

Czyja teraz kolej?
Whose turn next, please?
*['hu:z 'tə:n 'nekst, 'pli:z]*

| SŁÓWKA | WORDS | [ᵘə:dz] |
|---|---|---|
| ałun | alum | [ˈœləm] |
| brylantyna | brilliantine | [bryljənˈti:n] |
| grzebień | comb | [koum] |
| masaż twarzy | face massage | [ˈfejs mœsa:ż] |
| maszynka do strzyżenia | clippers | [klypə:z] |
| nożyczki | scissors | [ˈsyzəz] |
| płyn do włosów | hair tonic | [ˈheə tonyk] |
| rumianek | camomile | [ˈkœməmajl] |
| suszarka | dryer | [drajə] |
| szczotka do włosów | hair-brush | [ˈheə brasz] |
| szczotkować włosy | brush the hair | [ˈbrasz ðə ˈheə] |

## 2. Krawiec damski i męski — 2. Dressmaker and tailor
*[ˈdresmejkər ən ˈtejlə]*

| | |
|---|---|
| Chciał(a)bym sobie uszyć płaszcz. | I'd like to have a coat made.<br>*[ajd lajk tə hœw ə ˈkout ˈmejd]* |
| Czy może mi pan(i) pokazać jakieś wzory? | Can you show me some patterns?<br>*[kœn ju ˈszou mi: sam ˈpœtə:nz]* |
| Czy mam wziąć miarę? | Shall I take your measurements?<br>*[szœl aj tejk jo: ˈmeżəmənts]* |
| Kiedy mam przyjść do pierwszej przymiarki? | When am I to come for my first fitting?<br>*[ˈᵘen œm aj tə ˈkam fə maj ˈfə:st ˈfytyŋ]* |
| Rękawy musi mi pan(i) skrócić. | I must get these sleeves shortened.<br>*[aj mast ˈget ði:z ˈsli:wz ˈszo:tnd]* |
| Jest za krótki(a). | It's too short.<br>*[yts ˈtu: ˈszo:t]* |

Proszę się odwrócić i wyprostować.

Turn round and keep straight, please.
['tə:n 'raund ən 'ki:p 'strejt, 'pli:z]

| | |
|---|---|
| To jest czysta wełna. | This is pure wool.<br>[ðys yz 'pjuə 'uul] |
| Ile pani liczy za uszycie tej sukni? | What do you charge for making this dress?<br>['uot du ju 'cza:dż fə 'mejkyŋ ðys 'dres] |
| Chciałabym mieć suknię jak najszybciej. | I'd like to have the dress as soon as possible.<br>[ajd 'lajk tə hœw ðə 'dres əz 'su:n əz 'posəbl] |
| W niebieskim pani świetnie. | Blue becomes you perfectly.<br>['blu: by'kamz ju: 'pə:fyktly] |
| Wygląda pani w niej czarująco. | You look charming in it.<br>[ju: 'luk 'cza:myŋ yn yt] |
| Kiedy można przyjść przymierzyć garnitur? | When can I come to try the suit on?<br>['uen kœn aj 'kam tə 'traj ðə 'sju:t 'on] |
| A co ze spodniami? | And how about the trousers?<br>[ən 'hau əbaut ðə 'trauzəz] |

Czy nie będą za wąskie? Won't they be too narrow?
*['$^{u}$ount ðej by 'tu: 'nœrou]*

Ile zrobimy kieszeni w spodniach? How many pockets in your trousers, sir?
*['hau meny 'pokyts yn jo: 'trauzə:z, sə]*

Czy garnitur może być gotowy do czwartku? Can the suit be ready by Thursday?
*['kœn ðə 'sju:t by 'redy baj 'θə:zdy]*

Czy może mi pan(i) to zacerować? Can you darn this for me?
*[kœn ju 'da:n ðys fə mi:]*

Proszę coś zrobić z tą dziurą. Do something with this hole, please.
*['du 'samθyŋ $^{u}$yð ðys 'houl, 'pli:z]*

Proszę to poprawić. Put this right, please.
*['put ðys 'rajt, 'pli:z]*

| SŁÓWKA | WORDS | [$^{u}$ə:dz] |
|---|---|---|
| długość | length | [leŋθ] |
| dodatki | trimmings | ['trymyŋz] |
| dwurzędowa | double-breasted | ['dabl 'brestyd] |
| jednorzędowa | single-breasted | ['syŋgl 'brestyd] |
| kamizelka | waistcoat | ['wejskout] |
| kaptur | hood | [hud] |
| klapa | lapel | [lə'pel] |
| mankiet | cuff | [kaf] |
| modny | fashionable | ['fœsznəbl] |
| peleryna | cape | [kejp] |
| podszewka | lining | ['lajnyŋ] |
| poprawka | alteration | [o:ltə'rejszn] |
| sukno | cloth | [kloθ] |
| szerokość | width | [$^{u}$ydθ] |
| szewiot | cheviot | ['czewiət] |
| sztruks | cord, corduroy | [ko:d, 'ko:dəroj] |
| tweed | tweed | [t$^{u}$i:d] |

| 3. Szewc | 3. Shoemaker ['szu:mejkə] |
| --- | --- |
| Chciałem dać sobie zrobić parę butów. | I'd like to have a pair of shoes made. [ajd lajk tə hœw ə 'peər əw 'szu:z 'mejd] |
| Czy ta skóra będzie dobra? | Will this leather be good? [ᵘyl ðys 'leðə by 'gud] |
| Proszę wziąć miarę. | Take my measurements, please. ['tejk maj 'meżə:mənts, 'pli:z] |
| Chcę zelówki z gumy indyjskiej. | I want crêpe soles. [aj 'ᵘont 'krejp 'soulz] |
| Reperuje pan buty? | Do you repair shoes? [d ju ry'peə 'szu:z] |
| Chciałbym dać te buty do naprawy. | I'd like to get these shoes mended. [ajd lajk tə 'get ði:z 'szu:z 'mendyd] |
| Czy pan je naprawi na poczekaniu? | Will you mend them while I wait? [ᵘyl ju 'mend ðəm ᵘajl aj 'ᵘejt] |
| Te pantofle trzeba podzelować. | These shoes must be soled. [ði:z 'szu:z məst bi: 'sould] |
| Chcę dać podzelować tę parę. | I want to get this pair soled. [aj 'ᵘont tə' get ðys 'peə 'sould] |
| Trzeba im tylko dać obcasy. | They only need heeling. [ðej 'ounly 'ni:d 'hi:lyŋ] |
| Nie chcę, by pan dawał obcasy. | I don't want them to be heeled. [aj 'dount 'ᵘont ðəm tə bi: 'hi:ld] |
| Mogę je podzelować na piątek wieczór. | I can sole them for Friday evening. [aj kən 'soul ðəm fə 'frajdy 'i:wnyŋ] |

| | |
|---|---|
| Moje buty są za ciasne. | My shoes are too tight. [*maj 'szu:z ə 'tu: 'tajt*] |
| Ta podeszwa mi się odkleiła. | This sole has come off. [*ðys 'soul həz 'kam 'of*] |
| Proszę mi przyszyć ten pasek. | Sew this strap on for me, please. [*'sou ðys 'stræp 'on fə mi:, 'pli:z*] |
| Niech pan to usunie. | Remove this, please. [*ry'mu:w ðys, 'pli:z*] |

## 4. Fotograf — 4. Photographer [*fə'tografə*]

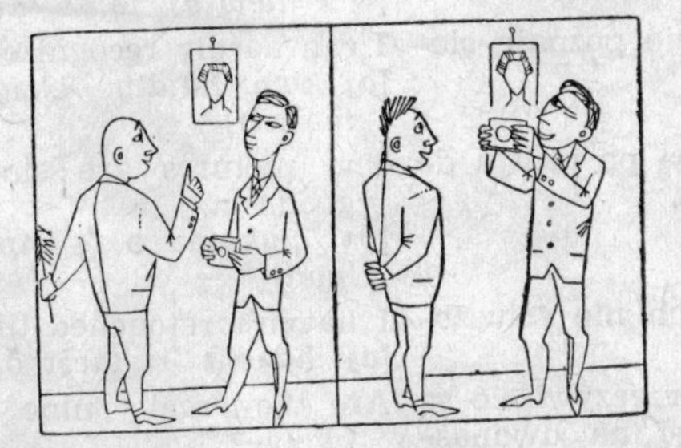

| | |
|---|---|
| Chciałem sobie zrobić zdjęcie. | I want to have my photograph taken. [*aj 'uont tə hæw maj 'foutəgra:f 'tejkn*] |
| Chcę sobie zrobić parę zdjęć paszportowych. | I'd like to have a few passport photographs. [*ajd 'lajk tə hæw ə 'fju: 'pa:spo:t 'foutəgra:fs*] |
| Chciałbym dać te filmy do wywołania. | I'd like to have these films developed. [*ajd lajk tə hæw ði:z 'fylmz dy'weləpt*] |

| | |
|---|---|
| Czy może pan mi zrobić odbitki tych zdjęć? | Can I have these snapshots printed? *['kœn aj hœw ði:z 'snœpszots 'pryntyd]* |
| Z profilu czy en face? | In profile or a full face? *[yn 'proufi:l o:r ə 'ful 'fejs]* |
| Jaka to ma być wielkość? | What size is it to be? *['uot 'sajz yz yt tə 'bi:]* |
| Ile pani chce tych zdjęć? | How many of these pictures do you want? *['hau meny əw ði:z 'pykczəz du ju 'uont]* |
| Jak wyszedłem? | What have I turned out like? *['uot hœw aj 'tə:nd 'aut 'lajk]* |
| Prawie nie poznaję siebie. | I can hardly recognize myself. *[aj kœn 'ha:dly 'rekəgnajz mə'self]* |
| Zdjęcia są po prostu do niczego. | The pictures are simply no good. *[ðə 'pykczəz ə 'symply 'nou 'gud]* |
| Jeszcze ich nie retuszowałem. | I haven't retouched them yet. *[aj 'hœwnt 'ri:'taczt ðəm 'jet]* |
| Czy one rzeczywiście są dziewięć na dwanaście? | Are they really nine by twelve? *[a: ðej 'riəly 'najn baj 'tuelw]* |
| Czy może je pani powiększyć? | Can you enlarge them? *[kœn ju yn'la:dż ðəm]* |

| **SŁÓWKA** | **WORDS** | *['uə:dz]* |
|---|---|---|
| **błona** | film | *[fylm]* |
| **negatyw** | negative | *['negətyw]* |
| **portret** | portrait | *['po:tryt]* |
| **powiększenie** | enlargement | *[yn'la:dżmənt]* |
| **pozować** | sit | *[syt]* |
| **pozytyw** | positive | *['pozytyw]* |
| **tło** | background | *['bœkgraund]* |

## 5. Zegarmistrz — 5. Watch-maker *['uoczmejkə]*

| | |
|---|---|
| Coś się stało z moim zegarkiem. | Something's happened to my watch. *['samθyŋz 'hœpnd tə maj 'uocz]* |
| Proszę mi go wyregulować. | Regulate it for me, please. *['regjulejt yt fə mi:, 'pli:z]* |
| Nie chodzi dobrze. | It doesn't keep good time. *[yt 'daznt 'ki:p 'gud 'tajm]* |
| Spieszy się minutę na dwa dni. | It gains a minute in two days. *[yt 'gejnz ə 'mynyt yn 'tu: 'dejz]* |
| Chciałem dać ten zegarek do naprawy. | I want to have this watch overhauled. *[aj 'uont tə hœw ðys 'uocz ouwə'ho:ld]* |
| Sądzę, że trzeba przeczyścić mój zegarek. | I think my watch wants cleaning. *[aj 'θyŋk maj 'uocz 'uonts 'kli:nyŋ]* |
| Czy mam go panu oczyścić? | Shall I clean it for you? *[szœl aj 'kli:n yt fə ju:]* |
| Chciałam wstawić nowe szkiełko do tego zegarka. | I want a new glass put in this watch. *[aj 'uont ə 'nju: 'gla:s 'put in ðys uocz]* |

| SŁÓWKA | WORDS | ['uə:dz] |
|---|---|---|
| sprężyna | spring | *[spryŋ]* |
| stoper | stop-watch | *['stop uocz]* |
| wskazówka duża | minute-hand | *['mynyt hœnd]* |
| wskazówka mała | hour-hand | *['auə hœnd]* |
| zegarmistrz | watch-maker | *['uocz mejkə]* |

## X. ZDROWIE

## X. HEALTH
['helθ]

### 1. Ciało ludzkie

### 1. The human body
[ðə 'hju:mən 'body]

| SŁÓWKA | WORDS | [ᵘə:dz] |
|---|---|---|
| arteria | artery | ['a:təry] |
| biodro | hip | [hyp] |
| brzuch | belly, abdomen | ['bely, æb'doumən] |
| czoło | forehead | ['foryd] |
| głowa | head | [hed] |
| jelito | intestine | [yn'testyn] |
| kciuk | thumb | [θam] |
| kolano | knee | [ni:] |
| kostka | ankle | [æŋkl] |
| kość | bone | [boun] |
| krew | blood | [blad] |
| kręgosłup | spine | [spajn] |
| krtań | larynx | ['læryŋks] |
| mięsień | muscle | [masl] |
| mózg | brain | [brejn] |
| nerka | kidney | ['kydny] |
| nerw | nerve | [nə:w] |
| nos | nose | [nouz] |
| oko | eye | [aj] |
| palec | finger | ['fyŋgə] |
| podbródek | chin | [czyn] |
| policzek | cheek | [czi:k] |
| pęcherz | bladder | [blædə] |
| ramię | arm | [a:m] |
| serce | heart | [ha:t] |
| skroń | temple | [templ] |
| staw | joint | [dżojnt] |
| szczęka | jaw | [dżo:] |
| szyja | neck | [nek] |
| ucho | ear | [i:ə] |
| udo | thigh | [θaj] |
| warga | lip | [lyp] |
| wątroba | liver | ['lywə] |
| żebro | rib | [ryb] |

| **2. Stan zdrowia, samopoczucie, dolegliwości** | **2. The condition of one's health, the way one feels, ailments** [*ðə kən'dyszn əw ᵘanz 'helθ, ðə ᵘej ᵘan 'fi:lz, 'ejlmənts*] |
|---|---|
| Jak się pan czuje dziś (rano)? | How are you feeling this morning? ['*hau ə ju 'fi:lyŋ ðys 'mo:nyŋ*] |
| On zawsze jest zdrowy. | He has always had good health. [*hi: hæz 'o:lᵘyz hæd 'gud 'helθ*] |
| Czuje się bardzo dobrze. | She's very well indeed. [*szi:z 'wery 'ᵘel yn'di:d*] |
| Wyzdrowiałem szybko. | I have made a wonderful recovery. [*aj həw 'mejd ə 'ᵘandəfl ry'kawry*] |
| Nie czuję się dzisiaj bardzo dobrze. | I don't feel very well today. [*aj 'dount 'fi:l 'wery 'ᵘel tə'dej*] |
| Czuję się dość źle. | I feel rather unwell. [*aj 'fi:l 'ra:ðər 'an'ᵘel*] |
| Pani nie wygląda dobrze. | You don't look well. [*ju 'dount 'lu:k 'ᵘel*] |
| Może pan się zaziębił. | Perhaps you've caught a cold. [*pə'hæps juw 'ko:t ə 'kould*] |
| Mam straszny ból głowy. | I have a very bad headache. [*aj hæw ə 'wery 'bæd 'hedejk*] |
| W głowie mi się kręci. | I feel giddy. [*aj 'fi:l 'gidy*] |
| Słabo mi. | I feel faint. [*aj 'fi:l 'fejnt*] |
| Jestem zmęczona. | I'm tired. [*ajm 'tajəd*] |

| | |
|---|---|
| Jestem zaziębiony. | I have a cold. [*aj hœw ə 'kould*] |
| Ochrypła pani. | You have lost your voice. [*ju həw 'lost jo: 'wojs*] |
| Gardło mnie boli i mam chrypkę. | I have a sore throat and I'm hoarse. [*aj hœw ə 'so: 'θrout ənd ajm 'ho:s*] |
| (On) cierpi na ból w nodze. | He suffers from a pain in his leg. [*hi: 'safəz frəm ə 'pejn yn hyz 'leg*] |
| Zażywam różnego rodzaju pastylki. | I'm taking pills of all kinds. [*ajm 'tejkyŋ 'pylz əw 'o:l 'kajndz*] |
| Prześwietlałem się w zeszłym tygodniu. | I was X-rayed last week. [*aj ᵘəz 'eksrejd 'la:st 'ᵘi:k*] |
| Stwierdzono, że płuca mam zdrowe. | My lungs were found to be all right. [*maj 'laŋz ᵘeə faund tə bi: 'o:l 'rajt*] |

| SŁÓWKA | WORDS | [*ᵘə:dz*] |
|---|---|---|
| czkawka | hiccup | [*'hykap*] |
| dreszcze | chills | [*czylz*] |
| drżeć | tremble | [*trembl*] |
| kichać | sneeze | [*sni:z*] |
| pocić się | get sweated | [*get 'sᵘetyd*] |
| podniecony | excited | [*yk'sajtyd*] |
| przerażony | frightened | [*frajtnd*] |
| przygnębiony | upset | [*ap'set*] |
| smutny | sad | [*sœd*] |
| spokojny | quiet | [*'kᵘajət*] |
| szczęśliwy, wesoły | happy | [*'hœpy*] |
| wymiotować | vomit | [*'womyt*] |
| wzruszony | moved | [*mu:wd*] |
| zadowolony | satisfied, pleased | [*'sœtysfajd, pli:zd*] |
| zdenerwowany | irritated | [*'yrytejtyd*] |
| ziewać | yawn | [*jo:n*] |
| zły | angry | [*'œŋgry*] |

| **3. U lekarza. Objawy choroby. Badanie. Zapisanie lekarstwa** | **3. At a doctor's. Signs and symptoms. Examination. Prescribing a medicine** *[ət ə 'doktəz. sajnz 'ən 'symptəmz. ygzœmy'nejszn. pryskrajbyŋ ə 'medsyn]* |
|---|---|
| Muszę iść do lekarza. | I must see a doctor. *[aj məst 'si: ə 'doktə]* |
| Niech pan zmierzy temperaturę. | Take your temperature. *['tejk jo: 'tempryczə]* |
| Proszę się rozebrać i położyć. | Please undress and lie down. *['pli:z an'dres ən 'laj 'daun]* |
| Pan ma obłożony język. | Your tongue is furred. *[jo: 'taŋ yz 'fə:d]* |
| Trochę gorączkuję. | I'm a bit feverish. *[ajm ə byt 'fi:wrysz]* |
| On ma wysoką gorączkę. | He has a high fever. *[hi: hœz ə 'haj 'fi:wə]* |
| Zbadam pańskie tętno. | I'll feel your pulse. *[ajl 'fi:l jo: 'pals]* |
| To nie jest poważny objaw. | It's not a serious symptom. *[yts 'not ə 'siəriəs 'symptəm]* |
| Pan powinien prowadzić bardzo higieniczny tryb życia. | You should lead a very hygienic life. *[ju szud 'li:d ə 'wery haj'dżi:nyk 'lajf]* |
| Proszę unikać zmęczenia. | Avoid fatigue. *[ə'wojd fə'ti:g]* |
| Leżenie w łóżku jest nieodzowne. | Bed rest is indispensable. *['bed rest yz yndys'pensəbl]* |
| Jak tam pański apetyt? | How's your appetite? *['hauz jo:r 'œpytajt]* |
| Niech pan je potrawy tylko lekko strawne. | Take light food only. *['tejk 'lajt 'fu:d 'ounly]* |

| | |
|---|---|
| Dieta powinna być bogata w węglowodany. | The diet should be rich in carbohydrates.<br>[*ðə 'dajət szud by 'rycz yn 'ka:bou'hajdrejts*] |
| Posiłki muszą być małe i częste. | Meals should be small and frequent.<br>[*'mi:lz szud by 'smo:l ən fryk$^{u}$ənt*] |
| Niech pani je bez pospiechu i dobrze żuje. | Eat without haste and chew well.<br>[*'i:t $^{u}$yðaut 'hejst ən 'czu: '$^{u}$el*] |
| Proszę nie używać środków przeczyszczających. | Don't use purgatives.<br>[*'dount 'ju:z 'pə:gətywz*] |
| Proszę przyłożyć worek z lodem w okolicy wyrostka. | Place an ice bag over the appendix.<br>[*'plejs ən 'ajs bæg ouwə ðy ə'pendyks*] |
| Proszę brać te zastrzyki. | Take these injections.<br>[*'tejk ði:z yn'dżekszn z*] |
| Skieruję panią do domu ozdrowieńców. | I'll send you to a convalescent home.<br>[*ajl 'send ju tu ə konwə'lesnt houm*] |
| Przepiszę panu maść. | I'll prescribe you some ointment.<br>[*ajl pry'skrajb ju sam 'ojntmənt*] |
| Oto recepta dla pana. | Here's your prescription.<br>[*hiəz jo: pry'skrypszn*] |
| Niech pani zażywa trzy razy dziennie (co dwie godziny). | Take this three times a day (every two hours).<br>[*'tejk ðys 'θri: 'tajmz ə 'dej ('ewry 'tu: 'auəz)*] |
| Niech pan bierze te proszki z odrobiną wody. | Take these powders with a little water.<br>[*'tejk ði:z 'paudəz $^{u}$yð ə 'lytl '$^{u}$o:tə*] |

| | |
|---|---|
| Przed jedzeniem czy po jedzeniu? | Before or after meals? *[by'fo: o:r 'a:ftə 'mi:lz]* |
| Te tabletki złagodzą pani ból. | These tablets will lessen your pain. *['ði:z 'tæblyts ᵘyl 'lesn jə 'pejn]* |

| **Choroby** | **Diseases** | *[dy'zi:zyz]* |
|---|---|---|
| astma | asthma | *['æsmə]* |
| biegunka | diarrhoea | *[dajə'riə]* |
| cukrzyca | diabetes | *[dajə'bi:ti:z]* |
| gruźlica | tuberculosis, T. B. | *[tjubə:kju'lousys 'ti:'bi:]* |
| reumatyzm | rheumatism | *['ru:mətyzm]* |
| wrzód | ulcer, abscess | *['alsə, 'æbsys]* |
| zakażenie | infection | *[yn'fekszn]* |
| zapalenie oskrzeli | bronchitis | *[broŋ'kajtys]* |
| zapalenie płuc | pneumonia | *[nju:'mouniə]* |
| zatrucie | poisoning | *['poyzonyŋ]* |
| zatwardzenie | constipation | *[konsty'pejszn]* |
| | | |
| atak | attack | *[ə'tæk]* |
| chory | ill, sick, unwell | *[yl, syk, 'an'ᵘel]* |
| diagnoza | diagnosis | *[dajə'gnousys]* |
| krwotok | haemorrhage | *['hemərydż]* |
| leczenie | treatment | *['tri:tmənt]* |
| leczyć się | get treated | *['get 'tri:tyd]* |
| ostry | acute | *[ə'kju:t]* |
| pasożyt | parasite | *[pærəsajt]* |
| pot | sweat, perspiration | *[sᵘet, pə:spy'rejszn]* |
| skurcz | cramp, contraction | *[kræmp, kən'trækszn]* |
| swędzić | itch | *[ycz]* |
| wyleczyć | cure | *[kjuə]* |
| zemdleć | faint, swoon | *[fejnt, sᵘu:n]* |
| | | |
| asystent | assistant | *[ə'systənt]* |
| bakteriolog | bacteriologist | *[bæktiəry'olədżyst]* |
| chirurg | surgeon | *[sə:dżn]* |

| | | |
|---|---|---|
| dermatolog | dermatologist | [*də:mə'tolədżyst*] |
| ginekolog | gynaecologist | [*gajny'kolədżyst*] |
| internista | internist | [*yn'tə:nyst*] |
| kardiolog | cardiologist | [*ka:dy'olədżyst*] |
| laryngolog | laryngologist | [*læryŋ'golədżyst*] |
| okulista | oculist, ophthalmologist | [*'okjulyst, ofθəl'molədżyst*] |
| ortopedysta | orthopaedist | [*o:θou'pi:dyst*] |
| pediatra | pediatrician | [*pi:djə'tryszn*] |
| psychiatra | psychiatrist | [*saj'kajətryst*] |
| specjalista | specialist | [*'speszəlyst*] |

## 4. W aptece (drogerii)

## 4. At a chemist's [*ət ə 'kemysts*]

Czy można dostać to lekarstwo? — Can I have this medicine? [*kœn aj hœw ðys 'medsyn*]

To lekarstwo (narkotyk) może pani dostać, jeśli pani przedstawi receptę. — You can get this drug only if you present a prescription. [*ju kən 'get ðys 'drag 'ounly yf ju pry'zent ə pry'skrypszn*]

| | |
|---|---|
| Mogę panu to przygotować dopiero za dwie godziny. | I can prepare this for you only in two hours. [*aj kən pry'peə ðys fə ju 'ounly yn 'tu: 'auəz*] |
| Proszki dla pana będą gotowe za trzy godziny. | Your powders will be ready in three hours. [*jo: 'paudəz $^{u}$yl by 'redy yn 'θri: 'auəz*] |
| Oto pański numerek. | Here's your check. [*'hiəz jo: 'czek*] |
| Poproszę o trochę waty. | Some cotton-wool, please. [*sam 'kotn$^{u}$ul, 'pli:z*] |
| Proszę pudełko pastylek od bólu gardła. | A box of pastilles for my throat, please. [*ə 'boks əw pœs'ti:lz fə maj 'θrout, 'pli:z*] |
| Chciałem coś na sen. | I'd like something to make me sleep. [*ajd 'lajk 'samθyŋ tə 'mejk mi: 'sli:p*] |
| Cierpię na ból żołądka i zaparcie. Da mi pan coś na to? | I've been suffering from stomach-ache and obstruction. Can you help me? [*ajw byn 'safryŋ frəm 'staməkejk ənd əb'strakszn. 'kœn ju: 'help mi:*] |
| Mogę pani dać tabletki bardzo skuteczne i przyjemne w smaku. | I can give you some tablets, very effective and palatable. [*aj kən 'gyw ju sam 'tœblyts, 'wery y'fektyw ən 'pœlətəbl*] |
| Proszę zażywać łyżkę stołową trzy razy dziennie po posiłkach. | Take a table-spoonful three times a day after meals. [*'tejk ə 'tejblspu:nfl 'θri: 'tajmz ə 'dej a:ftə 'mi:lz*] |
| Nie ma żadnych szkodliwych skutków. | No harmful after-effects. [*'nou 'ha:mfl 'a:ftəryfekts*] |
| Przed użyciem wstrząsnąć. | Shake before use. [*'szejk byfo: 'ju:s*] |

| | |
|---|---|
| Mam straszny odcisk na lewej podeszwie. | I've got an awful corn on the sole of my left foot. *[ajw 'got ən 'o:fl 'ko:n on ðə 'soul əw maj 'left 'fut]* |
| To tutaj zawsze kupuję przybory toaletowe. | That's where I always get my toilet things. *['ðæts ᵘeər aj 'o:lᵘyz get maj 'tojlyt θyŋz]* |
| Pani będzie łaskawa jakiś dobry puder i szminkę. | Some good powder and a lipstick, please. *[sam 'gud 'paudər ənd ə 'lypstyk, 'pli:z]* |
| Jaki odcień, proszę pani? | What shade, ma'am? *['ᵘot 'szejd, məm]* |
| Chciałam kupić jakieś dobre perfumy. | I want some good scent. *[aj 'ᵘont səm 'gud 'sent]* |
| Może pani stosować ten krem rano. | You can use this cream in the morning. *[ju kən 'ju:z ðys 'kri:m yn ðə 'mo:nyŋ]* |
| Poproszę o szczotkę do włosów i grzebień. | A hair-brush and a comb, please. *[ə 'heə brasz ənd ə 'koum, 'pli:z]* |
| Ten pilnik do paznokci będzie dobry. | This nail-file will do. *[ðys 'nejl fajl ᵘyl 'du:]* |
| Pani będzie łaskawa dziesięć dobrych żyletek. | Ten good blades, please. *['ten 'gud 'blejdz, 'pli:z]* |
| Sprzedałem ostatnio bardzo dużo tych maszynek do golenia. | I've sold quite a lot of these safety razors lately. *[ajw 'sould 'kᵘajt ə 'lot əw ði:z 'sejfty rejzəz 'lejtly]* |
| Tej brzytwy nic będzie pan potrzebował ostrzyć tak często. | You won't have to strop this razor so often. *[ju 'ᵘount hæw tə 'strop ðys 'rejzə 'sou 'o:fn]* |

| | |
|---|---|
| Niech pan obejrzy tę maszynkę do ostrzenia żyletek. | Have a look at this stropping machine. *['hœw ə luk ət ðys 'stropyŋ mə'szi:n]* |
| To jest naprawdę dobry pędzel do golenia. | This is a really good shaving-brush. *[ðys yz ə 'riəly 'gud 'szejwyŋ brasz]* |

| SŁÓWKA | WORDS | *[ᵘə:dz]* |
|---|---|---|
| **ampułka** | ampoule | *['æmpu:l]* |
| **antybiotyki** | antibiotics | *['æntybaj'otyks]* |
| **antyseptyczny** | antiseptic | *['ænty'septyk]* |
| **aspiryna** | aspirin | *[æspyryn]* |
| **aureomycyna** | aureomycin | *['o:ryou'majsyn]* |
| **bandaż** | bandage | *['bændydż]* |
| **domięśniowy** | intramuscular | *[yntrə'maskjulə]* |
| **doza, dawka** | dosis | *['dousys]* |
| **dożylny** | intravenous | *[yntrə'wi:nəs]* |
| **emalia do paznokci** | nail-polish | *['nejl polysz]* |
| **kapsułka** | capsule | *['kæpsju:l]* |
| **kwas** | acid | *['æsyd]* |
| **lekarstwo** | medicine, drug | *['medsyn, drag]* |
| **lokówka** | hair-curler | *['heə kə:lə]* |
| **papier higieniczny** | toilet paper | *['tojlyt pejpə]* |
| **penicylina** | penicillin | *[peny'sylyn]* |
| **przylepiec** | adhesive | *[əd'hi:syw]* |
| **puderniczka** | compact | *['kompækt]* |
| **puszek do pudru** | powder-puff | *['paudə paf]* |
| **roztwór** | solution | *[sə'lu:szn]* |
| **rycyna** | castor oil | *['ka:stərojl]* |
| **szpilka do włosów** | hair-pin | *['heə pyn]* |
| **stężenie** | concentration | *[konsen'trejszn]* |
| **streptomycyna** | streptomycin | *['streptou'majsyn]* |
| **trucizna** | poison | *['pojzən]* |
| **wata** | cotton wool | *['kotnᵘul]* |
| **witamina** | vitamin | *['wytəmyn]* |
| **50.000 jednostek** | 50.000 units | *['fyfty 'θauzənd 'ju:nyts]* |

## 5. U dentysty

## 5. At a dentist's
*[ət ə 'dentysts]*

Boli mnie ząb.

I have a toothache.
*[aj hœw ə 'tu:θejk]*

Niech pani idzie do dentysty.

Go to the dentist.
*['gou tə ðə 'dentyst]*

Nie miałem odwagi wejść do gabinetu.

I had no courage to enter the surgery.
*[aj hœd 'nou 'karydż tu 'entə ðə 'sə:dżəry]*

Który ząb stale panią boli?

Which of your teeth keeps on aching?
*['uycz əw jo: 'ti:θ 'ki:ps 'on 'ejkyŋ]*

Czy ten ząb już przedtem nie był plombowany?

Haven't you had this tooth stopped before?
*['hœwnt ju hœd ðys 'tu:θ 'stopt by'fo:]*

Wypadła mi plomba z zęba.

The stopping fell out of one of my teeth.
*[ðə 'stopyŋ 'fel 'aut əw 'uan əw maj 'ti:θ]*

Chcę sobie zaplombować ząb.

I want my tooth stopped.
*[aj 'uont maj 'tu:θ 'stopt]*

| | |
|---|---|
| Obawiam się, że tego już nie uratujemy. | I'm afraid we can't save that one.<br>*[ajm ə'frejd ᵘi: 'ka:nt 'sejw 'ðœt ᵘan]* |
| Trzeba panu usunąć wszystkie zęby. | You must have all your teeth taken out.<br>*[ju məst hœw 'o:l jo: 'ti:θ 'tejkn 'aut]* |
| Zrobię pani zastrzyk. | I'll give you an injection.<br>*[ajl 'gyw ju: ən yn'dżekszn]* |
| Niech pan odplunie i wypłucze usta. | Spit and wash your mouth out.<br>*['spyt ən 'ᵘosz jo: 'mauθ 'aut]* |
| Honorarium dentysty wynosi dwie gwinee za jedną wizytę. | The dentist's fee is two guineas a visit.<br>*[ðə 'dentysts 'fi: yz 'tu: gynyz ə 'wyzyt]* |

| SŁÓWKA | WORDS | [ᵘə:dz] |
|---|---|---|
| kieł | canine | ['kœnajn] |
| korzeń | root | [ru:t] |
| próchnica zębów | dental caries | ['dentl 'keəryi:z] |
| siekacz | incisor | [yn'sajzə] |
| szkliwo | enamel | [yn'œml] |
| wyrwać | extract | [yks'trœkt] |
| wyrwanie | extraction | [yks'trœkszn] |
| ząb mleczny | milk tooth | ['mylk tu:θ] |
| ząb trzonowy | molar | ['moulə] |
| zepsuty ząb | bad tooth | [bœd tu:θ] |
| | decayed tooth | [dy'kejd tu:θ] |

## XI. POCZTA, TELEGRAF, TELEFON

## XI. POST-OFFICE, TELEGRAPH, TELEPHONE
*['poust ofys, 'telygra:f, 'telyfoun]*

### 1. Korespondencja

### 1. Correspondence
*[korys'pondəns]*

#### a. Listonosz, otrzymanie korespondencji

#### a. Postman, receiving the mail
*['poustmən, ry'si:wyŋ ðə 'mejl]*

| | |
|---|---|
| Są jakieś listy dla mnie dzisiaj? | Any letters for me today? *[eny 'letəz fə mi: tə'dej]* |
| Są listy dla pani. | There are some letters for you. *[ðeər ə sam 'letəz fə ju:]* |
| Nie ma dla was listów. | No letters for you. *[nou 'letəz fə ju:]* |
| Jeszcze nie było listonosza. | The postman hasn't called yet. *[ðə 'poustmən 'hœznt 'ko:ld jet]* |
| Listonosz nie zastał go w domu. | The postman didn't find him in. *[ðə 'poustmən 'dydnt 'fajnd hym 'yn]* |
| Czy listonosz doręczy mi paczkę? | Will the postman deliver the parcel to me? *[uyl ðə 'poustmən dy'lywə ðə 'pa:sl tə mi:]* |
| Paczki przychodzą o tej porze. | The parcel post comes at this time. *[ðə 'pa:sl 'poust 'kamz ət ðys 'tajm]* |
| Listonosz nie chciał przyjąć napiwku. | The postman refused my tip. *[ðə 'poustmən ry'fju:zd maj 'typ]* |
| Listonosz może zabrać te listy także. | The postman may also collect these letters. *[ðə 'poustmən mej 'o:lsou kə'lekt ði:z 'letəz]* |

| | |
|---|---|
| Może listy będą na pana czekać. | There may be letters waiting for you. [*ðeə mej by 'letəz 'uejtyŋ fə ju:*] |
| Czekam na list z Warszawy. | I'm waiting for a letter from Warsaw. [*ajm 'uejtyŋ fr ə 'letə frəm 'uo:so:*] |

**b. Napisanie listu** — **b. Writing a letter** [*'rajtyŋ ə 'letə*]

| | |
|---|---|
| Mam napisać dzisiaj dwa listy. | I have two letters to write today. [*aj hœw 'tu: 'letəz tə 'rajt tədej*] |
| Muszę odpowiedzieć mu na list. | I must reply to his letter. [*aj mast ry'plaj tə hyz 'letə*] |
| Potrzebuję trochę papieru i kopert. | I need some paper and envelopes. [*aj 'ni:d səm 'pejpər ənd 'enwyloups*] |
| Czy może mi pani pożyczyć tego ołówka? | Can you lend me this pencil? [*'kœn ju 'lend my ðys 'pensl*] |
| Wolałbym pisać atramentem. | I'd rather write in ink. [*ajd 'ra:ðə 'rajt yn 'yŋk*] |
| Nie mogę pisać tym piórem. Jest do niczego. | I can't write with this pen. It's too bad. [*aj 'ka:nt 'rajt uyð ðys 'pen. yts 'tu: 'bœd*] |

c. **Adresowanie**

c. **Writing the address**
[*'rajtyŋ ðy ə'dres*]

Mr. Andrews Selwyn,
Lotus House
10, Calthorpe Street,
London W. C. 1

Miss Diana Haroldson,
Viking Hotel,
77, Albert Beach,
Montrose,
Scotland

Marmaduke Oliver Elmslie Esq.
15, The Yellow House,
The Terrace,
Torquay
Devonshire

Mrs. Barbara Stilford,
12, Ermine Terrace,
Liverpool,
England

Dr. Patrick Snodgrass,
47, Pittiville Lawn,
Cheltenham,
England

Miss Monica Satchwell,
c/o Mrs. Margaret Meynell,
Treleon,
Liphook,
Hants.

| **d. Zwroty korespondencyjne i formułki grzecznościowe** | **d. Phrases and polite formulas in letter writing** *['frejzyz ən pə'lajt 'fo:mjuləz yn 'letə rajtyŋ]* |
|---|---|
| Szanowny Panie, | Dear Mr. Bush, *['diə mystə 'busz]* Dear Sir, *['diə 'sə:]* |
| Szanowna Pani, | Dear Mrs. Griffith, *[diə mysyz 'gryfyθ]* Dear Madam, *['diə 'mœdəm]* |
| Droga Pani, | My dear Miss King, *[maj 'diə mys 'kyŋ]* |
| Drogi Panie, | My dear Mr. Lennox, *[maj 'diə mystə 'lenəks]* |
| Szanowni Panowie, | Dear Sirs, *['diə 'sə:z]* |
| Drogi Andrzeju, | Dear Andrew, *['diər 'œndru:]* |
| Droga Kasiu, | Dear Kate, *['diə 'kejt]* |
| W odpowiedzi na list Pana z dnia ... | In reply to your letter of... *[yn ry'plaj tə jo: 'letər əw]* |
| Dziękuję ci bardzo za list... | Thank you so much for your letter... *[θœŋk ju 'sou 'macz fə jo: 'lətə]* |
| ...w oczekiwaniu na odpowiedź Pani... | ... awaiting your answer... *[ə'$^{u}$ejtyŋ jo:r 'a:nsə]* |
| Serdeczne ukłony od (dla) ... | Kind regards from (to) *['kajnd ry'ga:dz frəm (tu)]* |
| Serdeczne pozdrowienia dla ... | Love to *[law tə]* |
| Proszę pozdrowić brata | Remember me to your brother *[ry'membə mi: tu jo: 'bračə]* |
| Z poważaniem (oficjalnie) | Yours faithfully *['jo:z 'fejθfly]* |
| Z poważaniem (mniej oficjalnie) | Yours very truly *['jo:z 'wery 'tru:ly]* |
| Z szacunkiem | Yours sincerely *['jo:z syn'siəly]* |

| e. Na poczcie | e. At the post-office<br>[*ət ðə 'poust ofys*] |
|---|---|
| Pójdę po znaczki pocztowe. | I'll go and buy stamps.<br>[*ajl 'gou ən 'baj 'stœmps*] |
| Jaka jest opłata za ten list? | What is the postage for this letter?<br>[*'uot yz ðə 'poustydż fə ðys 'letə*] |
| Proszę sześć znaczków po jednym pensie. | Six penny stamps, please.<br>[*'syks 'peny stœmps, 'pli:z*] |
| Pani będzie łaskawa trzy znaczki po dwa i pół pensa. | Three twopence-ha'penny stamps, please, miss.<br>[*'θri: 'tapəns 'hejpny stœmps, 'pli:z, mys*] |
| Poproszę o karnet ze znaczkami. | A book of stamps, please.<br>[*ə buk əw 'stœmps, 'pli:z*] |
| Taki za trzy szylingi? | A three-shilling one?<br>[*ə 'θri: szylyŋ uan*] |
| Proszę o znaczki po jednym pensie za cztery szylingi. | Four shillings' worth of penny stamps, please.<br>[*'fo: 'szylyŋz 'uə:θ əw 'peny stœmps 'pli:z*] |
| Pani pozwoli mi parę pocztówek. | Let me have some postcards.<br>[*let my hœw səm 'poustka:dz*] |

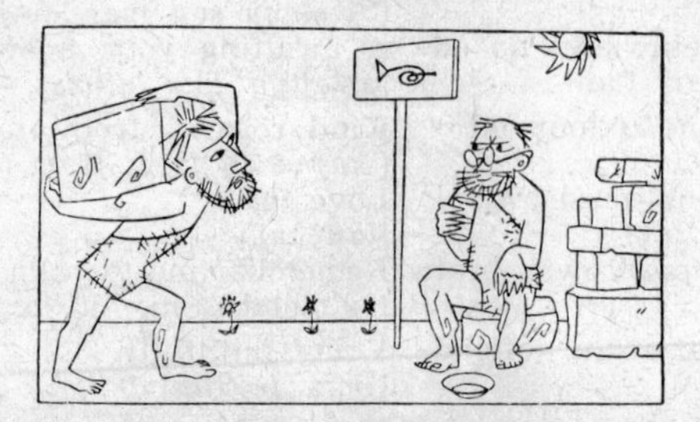

Gdzie mogę nadać ten ekspres?
Where can I hand in this express letter?
[*'ueə kən aj 'hœnd 'yn ðys yks'pres letə*]

| | |
|---|---|
| Proszę mi dać trochę więcej nalepek na list lotniczy. | Will you please give me a supply of airmail labels? *[uyl ju 'pli:z 'gyw mi ə sə'plaj əw 'eəmejl lejblz]* |
| Gdzie mogę nadać ten polecony? | Where can I have this letter registered? *['ueə kən aj hœw ðys 'letə 'redżystəd]* |
| Chcę to wysłać pocztą lotniczą. | I want to send this by airmail. *[aj 'uont tə 'send ðys baj 'eəmejl)* |
| Kiedy dojdzie do adresata? | How soon will it get there? *['hau su:n uyl yt 'get ðeə]* |
| Czy nada mi pan ten list po drodze da teatru? | Can you post this letter for me on your way to the theatre? *['kœn ju 'poust ðys 'letə fə mi: on jo: 'uej tə ðə 'θiətə]* |
| Chciałem wysłać książkę. | I want to post a book. *[aj 'uont tə 'poust ə 'buk]* |
| To musi iść jako paczka. | This must go by parcel post. *[ðys məst 'gou baj 'pa:sb poust]* |
| Ta paczka nie jest zapieczętowana jak należy. | The parcel isn't properly sealed. *[ðə 'pa:sl 'yznt 'propəly 'si:ld]* |
| Czy można nadać tu pieniądze? | Can I send money away from here? *[kœn aj 'send 'many əuej frəm 'hiə]* |
| Proszę przekaz pocztowy na osiem i pół szylinga. | A postal order for eight-and-sixpence, please. *[ə 'poustl 'o:də fr 'ejt ən 'sykspəns 'pli:z]* |
| Chciałbym podjąć pieniądze na ten przekaz. | I'd like to cash this money order, please. *[ajd 'lajk tə kœsz ðys 'many o:də, 'pli:z]* |

| | |
|---|---|
| Proszę wypełnić te formularze. | Just fill in these forms, please. [dżast 'fyl 'yn ði:z 'fo:mz, 'pli:z] |
| Następne okienko. | Next desk, please. ['nekst 'desk, 'pli:z] |
| Ile to będzie kosztować? | What does it come to? ['uot daz yt 'kam tu:] |

| SŁÓWKA | WORDS | [uə:dz] |
|---|---|---|
| **druk** | printed matter | ['pryntyd 'mætə] |
| **naczelnik poczty** | post-master | ['poust ma:stə] |
| **pilny** | urgent | [ə:dżnt] |
| **pokwitowanie** | receipt | [ry'si:t] |
| **poste-restante** | poste restante | ['poust 'resta:nt] |
| **skrytka pocztowa nr 318** | box 318 | [boks 'θri: 'uan 'ejt] |
| **skrzynka pocztowa** | pillar-box | ['pylə boks] |
| **telegram** | cable, message | [kejbl, 'mesydż] |
| **zwrot** | return | [ry'tə:n] |

## 2. Telegraf — 2. Telegraph ['te!ygra:f]

| | |
|---|---|
| Chciałbym nadać depeszę do ... | I'd like to send a cable to... [ajd lajk tə 'send ə 'kejbl tə...] |
| Ile to będzie kosztowało? | How much will it be? ['hau macz uyl yt 'bi:] |
| Ile kosztuje jedno słowo? | How much is one word? ['hau macz yz 'uan 'uə:d] |
| Czy pani to liczy za dwa słowa? | Do you count this as two words? [du: ju 'kaunt 'ðys əz 'tu: 'uə:dz] |
| Może pani nadać telegram tylko po angielsku. | You can send your message in English only. [ju kən 'send jo: 'mesydż yn 'yŋglysz 'ounly] |
| Proszę pisać drukowanymi literami. | Use block letters, please. ['ju:z 'blok letəz, 'pli:z] |

| | |
|---|---|
| Czy depesza za granicę jest bardzo droga? | Is a foreign cable very expensive? *[yz ə 'foryn 'kejbl 'wery yks-'pensyw]* |
| To bardzo pilny telegram. | This is a very urgent message. *[ðys yz ə 'wery 'ə:dżnt 'mesydż]* |
| Kiedy będzie doręczona? | When will it be delivered? *['$^{u}$en $^{u}$yl yt bi: 'dy'lywəd]* |

| 3. Telefon | 3. Telephone *['telyfoun]* |
|---|---|
| Gdzie można zatelefonować? | Where can I telephone? *['$^{u}$eə kən aj 'telyfoun]* |
| Budka telefoniczna jest za rogiem. | The telephone kiosk is round the corner. *[ðə 'telyfoun 'kjosk yz raund ðə 'ko:nə]* |
| Oto książka telefoniczna. | Here's the directory. *[hiəz ðə dy'rektry]* |
| Poproszę numer 3350. | Double three, five, o, please. *[dabl 'θri:, 'fajw, 'ou, 'pli:z]* |
| Proszę mnie połączyć z policją. | Put me through to the police. *['put my 'θru: tə ðə pə'li:s]* |
| Proszę mi dać Ambasadę Polską. | Get me the Polish Embassy. *['get mi: ðə 'poulysz 'embəsy]* |
| Miejscowa czy międzymiastowa? | Local or trunk call? *['loukl o: 'traŋk 'ko:l]* |
| Rozmowy międzymiastowe — następne okienko. | Long-distance calls next desk, please. *['loŋ dystns 'ko:lz 'neks 'desk, 'pli:z]* |
| To bardzo pilne. | This is urgent. *[ðys yz 'ə:dżnt]* |
| Proszę nacisnąć guzik A. | Press button A. *['pres 'batn 'ej]* |

| | |
|---|---|
| Połączyłam pana. | You're through.<br>[*juə 'θru:*] |
| Zajęte. | Number engaged.<br>[*'nambər yn'gejdżd*] |
| Proszę mi podać pański numer. | Give me your number, please.<br>[*'gyw mi: jo: 'nambə, 'pli:z*] |
| Czy to Temple 4327? | Is that Temple 4327?<br>[*yz ðœt 'templ 'fo: 'θri: 'tu: 'sewn*] |
| Znowu mnie rozłączono. | I've been disconnected again.<br>[*ajw byn dyskə'nektyd ə'gen*] |

Czy mam panią znowu połączyć?
Shall I put you through again?
[*szœl aj 'put 'ju 'θru: ə'gen*]

| | |
|---|---|
| Tu mówi Newton. | This is Mrs. Newton speaking.<br>[*ðys yz mysyz 'nju:tn 'spi:kyŋ*] |
| Mówi Miller. | Miller speaking.<br>[*'mylə 'spi:kyŋ*] |
| Czy to pan Barton? | Is that Mr. Barton?<br>[*yz ðœt mystə 'ba:tn*] |
| Nie dosłyszałem pańskiego nazwiska. | I didn't catch your name.<br>[*aj 'dydnt 'kœcz jo: 'nejm*] |

| | |
|---|---|
| Nie słyszę pani. | I can't hear you.<br>*[aj 'ka:nt 'hiə ju:]* |
| Proszę głośniej. | Louder, please.<br>*['laudə, 'pli:z]* |
| Zadzwonię do pana jutro. | I'll ring you up tomorrow.<br>*[ajl 'ryŋ ju 'ap tə'morou]* |
| Zadzwonię do pani przed siódmą. | I'll call you up before seven.<br>*[ajl 'ko:l ju 'ap byfo: 'sewn]* |
| Zadzwoni pani do mnie w sobotę? | Will you telephone me on Saturday?<br>*[ᵘyl ju: 'telyfoun mi: on 'sœtədy]* |
| Pani będzie łaskawa przyjąć telefon, gdy wyjdę. | Will you please answer the telephone while I'm out?<br>*[ᵘyl ju 'pli:z 'a:nsə ðə 'telyfoun 'ᵘajl ajm 'aut]* |
| Czy mam przekazać jakąś wiadomość? | Can I take a message?<br>*['kœn aj 'tejk ə mesydż]* |

| XII. ZAKUPY | XII. SHOPPING<br>*['szopyŋ]* |
|---|---|
| **1. Zakupy (ogólnie)** | **1. Shopping (in general)**<br>*['szopyŋ (yn 'dżenrəl)]* |
| Muszę kupić sobie dziś parę rzeczy. | I must buy a few things today.<br>*[aj məs 'baj ə fju: 'θyŋz tə'dej]* |
| Chcę jutro zrobić trochę zakupów. | I want to do some shopping tomorrow.<br>*[aj '$^{u}$ont tə 'du səm 'szopyŋ tə'morou]* |
| Mam długą listę zakupów. | My shopping list is long.<br>*[maj 'szopyŋ lyst yz 'loŋ]* |
| Czy nie zechciałby pan iść ze mną po zakupy? | Would you care to come with me and go shopping?<br>*[$^{u}$ud ju 'keə tə 'kam $^{u}$yð mi: ən 'gou 'szopyŋ]* |
| To jest pierwszorzędny sklep. | That's a first-class shop.<br>*[ðæts ə 'fə:stkla:s 'szop]* |
| Niech pan idzie po to do Selfridge'a. | Try and get it at Selfridge's.<br>*['traj ən 'get yt ət 'selfrydżyz]* |
| Sklep zamyka się o szóstej. | The shop closes at six.<br>*[ðə 'szop 'klouzyz ət 'syks]* |
| Czy sklep jest otwarty w sobotę po południu? | Are you open on Saturday afternoon?<br>*['a: ju 'oupn on 'sætədy 'a:ftə'nu:n]* |
| Czy wykonujecie także reperacje? | Do you also do repairs?<br>*[du: ju 'o:lsou 'du: ry'peəz]* |
| Co pani chciała dać do naprawy? | What is it you would like to get repaired?<br>*['$^{u}$ot yz yt ju '$^{u}$ud 'lajk tə 'get ry'peəd]* |
| Czy pan to sprzedaje na funty? | Do you sell it by the pound?<br>*[d ju 'sel yt baj ðə 'paund]* |
| Ile to kosztuje? | How much is this?<br>*['hau macz yz 'ðys]* |
| Jaka jest cena tego? | What is the price of this?<br>*['$^{u}$ot yz ðə 'prajs əw 'ðys]* |

| | |
|---|---|
| Ile pani mówiła? | How much was that? *['hau macz $^{u}$əz 'ðœt]* |
| Ile pan za to zapłacił? | How much did you pay for this? *['hau macz dyd ju 'pej fə 'ðys]* |
| Po ile pudełko? | How much is a box? *['hau macz yz ə 'boks]* |
| Po ile butelka? | What's a bottle? *['$^{u}$ots ə 'botl]* |
| Ile panu jestem winna? | How much do I owe you? *['hau macz du aj 'ou ju:]* |
| One są po jednym pensie. | They're a penny each. *[ðeər ə 'peny 'i:cz]* |
| Szyling za pudełko. | They're a shilling a box. *[ðeər ə 'szylyŋ ə 'boks]* |
| Butelka sześć pensów. | Sixpence a bottle. *['sykspəns ə 'botl]* |
| Dwa funty tuzin. | £ 2 a dozen. *['tu: 'paundz ə 'dazn]* |
| To moja najniższa cena. | This is my lowest price. *[ðys yz maj 'louyst 'prajs]* |
| U nas są tylko ceny stałe. | We have only fixed prices here. *[$^{u}$i hœw 'ounly 'fykst 'prajsyz hiə]* |
| Na to mnie nie stać. | I can't afford it. *[aj 'ka:nt ə'fo:d yt]* |
| To za drogo. | That's too expensive. *[ðœts 'tu: yks'pensyw]* |
| To naprawdę okazja. | It's really a bargain. *[yts 'riəly ə 'ba:gyn]* |
| Gdzie mam zapłacić? | Where shall I pay? *['$^{u}$eə szəl aj 'pej]* |
| Czy mam to panu zapakować? | Shall I wrap it for you? *[szœl aj 'rœp yt fə ju:]* |
| Czy mam to pani przesłać? | Shall I send this to you, madam? *[szœl aj 'send ðys tə ju:, məm]* |

| SŁÓWKA | WORDS | [ᵘə:dz] |
|---|---|---|
| bazar | bazaar | [ba'za:] |
| branża | branch, line | [bra:ncz, lajn] |
| detal | retail | ['ri:tejl] |
| dział | department | [dy'pa:tmənt] |
| hurt | wholesale | ['houlsejl] |
| kupić | buy | [baj] |
| magazyn | store | [sto:] |
| na sprzedaż | on sale, for sale | [on 'sejl, fə 'sejl] |
| oszukać | cheat, deceive | [czi:t, dy'si:w] |
| sklep | shop, store | [szop, sto:] |
| sklepikarz | shop-keeper | ['szop ki:pə] |
| sprzedać | sell | [sel] |
| szyld | sign | [sajn] |
| ukraść | steal | [sti:l] |
| zamówić | order | ['o:də] |

## 2. W kiosku

## 2. At a kiosk
[ ət ə 'kjosk]

Mogę posłać po gazety dla pana.

I can send out for papers for you.
[aj kən 'send 'aut fə 'pejpəz fə ju:]

Zejdę do sklepu z gazetami.

I'll go down to the newspaper shop.
[ajl 'gou 'daun tə ðə 'nju:z-pejpə 'szop]

Poproszę „The Times".
"The Times", please.
[ðə 'tajmz, 'pli:z]

| | |
|---|---|
| Czy to jest ostatnie wydanie? | Is this the latest edition? *[yz ðys ðə 'lejtyst y'dyszn]* |
| Przede wszystkim chciałem gazetę miejscową. | I want the local paper first of all. *[aj 'uont ðə 'loukl 'pejpə 'fə:st əw 'o:l]* |
| Nie ma dużo wiadomości z zagranicy w tej gazecie. | There isn't much foreign news in this paper. *[ðeər 'yznt 'macz 'foryn 'nju:z yn ðys 'pejpə]* |
| Chciałbym dwa egzemplarze „The Star". | I'd like to have two copies of "The Star". *[ajd 'lajk tə hœw 'tu: 'kopyz əw ðə 'sta:]* |
| Chciałabym dostać gazetę, w której jest dużo drobnych ogłoszeń. | I'd like to have a newspaper where there are plenty of small ads. *[ajd 'lajk tə hœw ə 'nju:zpejpə ueə ðeər ə 'plenty əw 'smo:l œdz]* |
| Jakieś tygodniki ilustrowane? | Any illustrated weeklies? *[eny 'ylastrejtyd 'ui:klyz]* |
| Czy ma pani jakieś pisma polskie? | Do you keep any Polish magazines in stock? *[d ju 'ki:p eny 'poulysz mœgə'zi:nz yn 'stok]* |
| Pisma sportowe ukazują się tylko w poniedziałek. | Sports papers appear on Monday only. *['spo:ts pejpəz ə'piər on 'mandy 'ounly]* |
| Po prostu niech pani wrzuci dwa i pół pensa do pudełka i weźmie gazetę. | Just drop twopence ha'penny into the box and take your paper. *[dżast 'drop 'tapəns 'hejpny yntu ðə 'boks ən 'tejk jə 'pejpə]* |

| SŁÓWKA | WORDS | [ᵘə:dz] |
|---|---|---|
| **czasopismo** | periodical | [*piə'rjodykl*] |
| **dodatek** | supplement | [*'sapləmənt*] |
| **gazeciarz** | news-boy, news-man | [*'nju:z boj, 'nju:z mœn*] |
| **kioskarz** | news-agent | [*'nju:z ejdżnt*] |
| **kwartalnik** | quarterly | [*'kᵘo:təly*] |
| **miesięcznik** | monthly | [*'manθly*] |
| **prenumerata** | subscription | [*səb'skrypszn*] |
| **prenumerować** | subscribe | [*səb'skrajb*] |

### 3. W sklepie tytoniowym

### 3. At a tobacconist's [*ət ə tə'bœkənysts*]

| | |
|---|---|
| Paczkę Players'ów proszę. | A box of Player's, please. [*ə 'boks əw 'plejəz, 'pli:z*] |
| Niech pan idzie do trafiki na rogu. | Go to the tobacconist's shop at the corner. [*'gou tə ðə tə'bœkənysts szop ət ðə 'ko:nə*] |
| Proszę trochę tytoniu. | I want some tobacco. [*aj 'ᵘont sam tə'bœkou*] |
| Łagodny, średni czy mocny? | Mild, medium, or strong? [*'majld, 'mi:diəm, o: 'stroŋ*] |
| Proszę jakiś naprawdę dobry tytoń fajkowy. | Some really good pipe tobacco, please. [*səm 'riəly 'gud 'pajp tə'bœkou, 'pli:z*] |
| Chciałem woreczek na na tytoń. | I want a tobacco pouch. [*aj 'ᵘont ə tə'bœkou paucz*] |
| Niech pan tylko spróbuje tych cygar. | Just try one of these cigars, please. [*dżast 'traj 'ᵘan əw 'ði:z sy'ga:z, 'pli:z*] |
| Ta zapalniczka jest za ciężka. | This lighter is too heavy. [*ðys 'lajtər yz 'tu: 'hewy*] |
| Wolę dwa pudełka po dziesięć sztuk niż jedno zawierające dwadzieścia sztuk. | I prefer two boxes of ten to one of twenty. [*aj pry'fə: 'tu: 'boksyz əw 'ten tə 'ᵘan əw 'tᵘenty*] |

| SŁÓWKA | WORDS | [$^{u}$*ə:dz*] |
|---|---|---|
| bezustnikowy | plain | [*plejn*] |
| drobno krojony | fine cut | [*'fajn 'kat*] |
| mentolowy | menthol | [*'menθol*] |
| mieszanka | blend | [*blend*] |
| przybory do palenia | smoking requisites | [*'smoukyŋ rek$^{u}$yzyts*] |
| tabaka | snuff | [*snaf*] |
| z ustnikiem | with mouthpiece | [$^{u}$*yð 'mauθpi:s*] |

**Najbardziej znane gatunki papierosów:**
**The best-known brand of cigarettes:**
[*ðə 'best noun 'brœndz əw sygə'rets*]

Abdulla, Baron's, Churchman's, Capstan, Player's,
[*əb'dalə, 'bœrənz, 'czə:czmənz, 'kœpstən, 'plejəz,*
Senior Service, State Express, Three Castles.
*'sin:jə 'sə:wys, 'stejt yks'pres, 'θri: 'ka:slz*]

**Najbardziej znane gatunki cygar:**
**The best-known brands of cigars:**
[*ðə 'best noun 'brœndz əw sy'ga:z*]

El Trovador, El Pedro.
[*el trə'wa:do:, el 'pedrou*]

**Najbardziej znane gatunki tytoniu fajkowego:**
**The best-known brands of pipe tobacco:**
[*ðə 'best noun 'brœndz əw 'pajp təbœkou*]

Golden Virginia, Erinmore, John Cotton.
[*'gouldn wə:'dżynjə, 'iərynmo:, 'dżon 'kotn*]

| **4. W sklepie ze słodyczami** | **4. At a sweet-shop** [*ət ə 's$^{u}$i:t szop*] |
|---|---|
| Tabliczkę czekolady. | A cake of chocolate. [*ə 'kejk əw 'czoklyt*] |
| Pół funta śliwek w cukrze. | Half a pound of candied plums. [*'ha:f ə paund əw 'kœndyd 'plamz*] |
| Nie bierze pan dzisiaj gumy do żucia? | No chewing-gum today, sir? [*'nou 'czu:yŋ gam tə'dej, sə*] |

| | |
|---|---|
| Wezmę trochę tych batonów czekoladowych. | I'll have some of these chocolate bars. [*ajl hæw 'sam əw ði:z 'czoklyt ba:z*] |
| Nie chcę pomadek miętowych. | No peppermint creams for me. [*'nou 'pepəmynt 'kri:mz fə mi:*] |
| Biszkopty imbierowe? Niestety, zabrakło, proszę pana. | Ginger biscuits? None left, I'm afraid, sir. [*'dżyndżə 'byskyts*] [*'nan 'left, ajm ə'frejd, sə*] |
| Nie weźmie pani pudełka tych pralinek? | Won't you take a box of these pralines, ma'am? [*'uount ju 'tejk ə 'boks əw ði:z 'pra:li:nz, məm*] |
| Te migdałowe toffee są zupełnie inne niż nasze polskie wyroby. | These almond toffees are nothing like our Polish product. [*ði:z 'a:mənd tofyz ə 'naθyŋ lajk auə 'poulysz 'prodakt*] |

## 5. U piekarza — 5. At a baker's [*ət ə 'bejkəz*]

| | |
|---|---|
| Trochę chleba. | Some bread. [*səm 'bred*] |
| Bochenek razowego chleba. | A loaf of brown bread. [*ə 'louf əw 'braun 'bred*] |
| Ten chleb jest zupełnie czerstwy. | The bread is quite stale. [*ðə 'bred yz 'kuajt 'stejl*] |
| Wszystko jest bezwzględnie świeże. | Everything is absolutely fresh. [*'ewryθyŋ yz 'æbsəlu:tly 'fresz*] |
| Jakie biszkopty? | What kind of biscuits? [*'uot 'kajnd əw 'byskyts*] |

Te bułki wyglądają dość ładnie, prawda?

These rolls look pretty nice, don't they?
*['ði:z 'roulz 'luk 'pryty 'najs, 'dount ðej]*

Te ciastka dopiero co przyniesiono.

These cakes have just been brought.
*['ði:z 'kejks hœw dżast byn 'bro:t]*

## 6. U rzeźnika

## 6. At a butcher's
*[ət ə 'buczəz]*

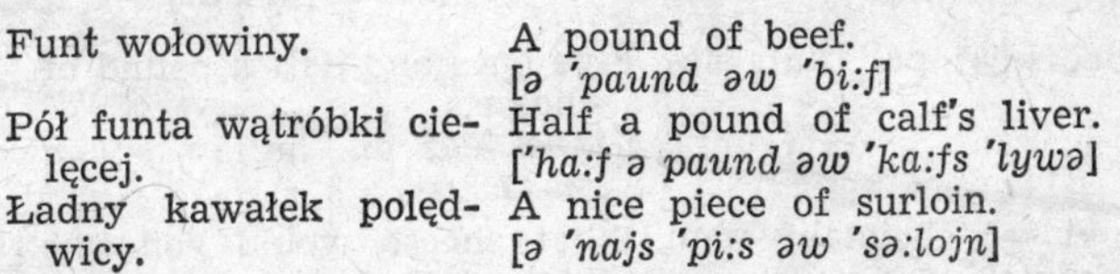

Funt wołowiny.

A pound of beef.
*[ə 'paund əw 'bi:f]*

Pół funta wątróbki cielęcej.

Half a pound of calf's liver.
*['ha:f ə paund əw 'ka:fs 'lywə]*

Ładny kawałek polędwicy.

A nice piece of surloin.
*[ə 'najs 'pi:s əw 'sə:lojn]*

Czy ma pan cynaderki?

Have you any kidneys?
*['hœw ju: eny 'kydnyz]*

Kawałek wieprzowiny na pieczeń.

A piece of pork for roasting.
*[ə 'pi:s əw 'po:k fə 'roustyŋ]*

Może pani jeszcze dostać siekanej wołowiny i cielęciny.

You may still have some chopped beef and veal.
*[ju mej 'styl hœw səm 'czopt 'bi:f ən 'wi:l]*

| | |
|---|---|
| Czy pan zatrzyma trochę filetów wołowych dla mnie jutro? | Will you keep some fillets of beef for me tomorrow? *[ᵘyl ju 'ki:p səm 'fylyts əw 'bi:f fə mi: tə'morou]* |
| Prześlę pani wszystko do domu. | I'll send everything to your house, ma'am. *[ajl 'send 'ewryθyŋ tə jo: 'haus, məm]* |

| **7. W sklepie z nabiałem** | **7. At a dairyman's** *[ət ə 'deərymənz]* |
|---|---|
| Pięć jaj i pół funta sera. | Five eggs and half a pound of cheese. *['fajw 'egz ən 'ha:f ə paund əw 'czi:z]* |
| Jaki ser chciałaby pani kupić? | What cheese would you like to have? *['ᵘot 'czi:z ᵘud ju 'lajk tə 'hœw]* |
| Spróbuję tego sera. | I'll try this cheese. *[ajl 'traj ðys 'czi:z]* |
| Czy można dostać codziennie pół litra mleka z dostawą do domu? | May I have a pint of milk sent every day? *[mej aj hœw ə 'pajnt əw 'mylk 'sent 'ewry 'dej]* |
| Mogę panu polecić również pyszną śmietanę. | I can offer you exquisite cream as well. *[aj kən 'ofə ju: 'ekskᵘyzyt 'kri:m əz 'ᵘel]* |
| Czy to masło jest świeże? | Is this butter fresh? *[yz ðys 'batə 'fresz]* |
| Czy pan nie chce jajek? | Don't you want any eggs? *['dount ju 'ᵘont eny 'egz]* |
| Liczymy trzy szylingi za tuzin jajek. | We charge 3/- a dozen for eggs. *[ᵘy 'cza:dż 'θri: 'szylyŋz ə 'dazn fər 'egz]* |

| **8. W owocarni, w sklepie z warzywami** | **8. At a fruiterer's, at a greengrocer's** *[ət ə 'fru:tərəz, ət ə 'gri:n grousəz]* |
|---|---|
| Funt grejpfrutów. | A pound of grapefruit. *[ə 'paund əw 'grejpfru:t]* |
| Pięć pomarańcz i sześć bananów. | Five oranges and six bananas. *['fajw 'oryndżyz ən 'syks bə'na:nəz]* |
| Dwa funty dobrych jabłek deserowych. | Two pounds of good eating apples. *['tu: 'paundz əw 'gud 'i:tyŋ 'œplz]* |
| Chciałem trochę brzoskwiń. | I'd like to have some peaches. *[ajd 'lajk ət hœw səm 'pi:czyz]* |
| Po ile te daktyle? | How much are these dates? *['hau macz ə ði:z 'dejts]* |
| Czy te śliwki są słodkie? | Are these plums sweet? *['a: ði:z 'plamz 'sui:t]* |
| Czy to włoskie winogrona? | Are these grapes Italian? *['a: ði:z 'grejps y'tœljən]* |
| Niech pani tylko spróbuje tych moreli. | Just try these apricots. *[dżast 'traj ði:z 'ejprykots]* |
| Mam dzisiaj na składzie ładny agrest. | I've got fine gooseberries in today. *[ajw got 'fajn 'gu:zbryz 'yn tə'dej]* |
| Wiśni (czereśni) dla pani? | Any cherries for you, ma'am? *[eny 'czeryz fə 'ju:, məm]* |
| Czy pani nie weźmie trochę tych pięknych malin? | Won't you take any of those beautiful raspberries? *['uount ju: 'tejk eny əw ðouz 'bju:tyfl 'ra:zbryz]* |

| 9. W sklepie z materiałami piśmiennymi | 9. At a stationer's [ət ə 'stejsznəz] |
|---|---|
| Niech mi pan da kilka dużych, brązowych kopert. | Some large brown envelopes, please. [səm 'la:dż 'braun 'enwyloups, 'pli:z] |
| Pani będzie łaskawa trochę zwykłego papieru listowego i kopert. | Some plain note paper and envelopes, please. [səm 'plejn 'nout pejpər ənd 'enwyloups 'pli:z] |
| Może kilka arkuszy papieru pakowego. | A few sheets of brown paper, please. [ə 'fju: 'szi:ts əw 'braun pejpə, 'pli:z] |
| Poproszę kilka widokówek. | Some picture postcards, please. [səm 'pykczə pouska:dz, 'pli:z] |
| Pan mi pozwoli trochę papieru maszynowego. | Let me have some type-writing paper, please. [let mi: hœw səm 'tajp rajtyŋ 'pejpə, 'pli:z] |
| Sprzedałem cały zapas czarnej kalki. | I've sold out all my supply of black carbon paper. [ajw 'sould 'aut 'o:l maj səplaj əw 'blœk 'ka:bən pejpə] |
| Proszę butelkę niebieskiego atramentu do wiecznych piór. | A bottle of blue fountain pen ink, please. [ə 'botl əw 'blu: 'fauntyn pen 'ynk, 'pli:z] |
| Chciałem kieszonkowy terminarzyk na nadchodzący rok. | A small pocket diary for the coming year. [ə 'smo:l 'pokyt 'dajəry fə ðə 'kamyŋ 'jə:] |
| Czy ten papier kancelaryjny ma wymiary 17 na 13 cali? | Is this folscap 17 by 13 inches? [yz ðys 'fu:lzkœp 'sewnti:n baj 'θə:ti:n 'ynczyz] |

| SŁÓWKA | WORDS | [ᵘə:dz] |
|---|---|---|
| bibuła | blotting paper | ['blotyŋ pejpə] |
| gumka | eraser, rubber | [y'rejzə 'rabə] |
| notes | note-book | ['nout buk] |
| ołówek | pencil | [pensl] |
| papeteria | writing-pad | ['rajtyŋ pæd] |
| stalówka | pen, nib | [pen, nyb] |
| szpagat | string | [stryŋ] |

## 10. W sklepie z pamiątkami

## 10. At a souvenir shop
[ət ə 'su:wəniə szop]

Szukam skromnego prezentu dla młodej kobiety.

I'm looking for a modest present for a young lady.
[ajm 'lukyŋ fər ə 'modyst 'preznt fər ə 'jaŋ 'lejdy]

Mamy na składzie ładną kolekcję broszek.

We keep a lovely collection of brooches in stock.
[ui: 'ki:p ə 'lawly kə'lekszn əw 'brouczyz yn 'stok]

| | |
|---|---|
| Te paciorki są rzeczywiście bardzo ładne. | These beads are very fine indeed. [*ði:z 'bi:dz ə 'wery 'fajn yn'di:d*] |
| Poproszę kryształowy wazon na kwiaty. | A crystal bowl for flowers, please. [*ə 'krystl 'boul fə 'flauəz, 'pli:z*] |
| Może ten nóż do rozcinania książek, proszę pana? | Perhaps this paper-knife, sir? [*pə'hœps ðys pejpə najf, sə*] |
| Z czego jest ta figurka? Z malachitu? Z porcelany? | What's this statuette of? Malachite? China? ['*uots ðys stœtju'et əw? 'mœləkajt? 'czajnə?*] |
| Myślę, że wezmę tę salaterkę z ciętego szkła. | I think I'll have this salad bowl of cut glass. [*aj 'θyŋk ajl hœw ðys 'sœləd boul əw 'kat 'gla:s*] |
| Potrzebny mi jest jakiś ładny komplet popielniczek. | What I want is a fine set of ash-trays. ['*uot aj 'uont yz ə 'fajn 'set əw 'œsztrejz*] |
| Cygarniczka nie wystarczy. | A cigarette-holder won't do. [*ə sygə'ret houldə 'uount 'du:*] |

| SŁÓWKA | WORDS | [*uə:dz*] |
|---|---|---|
| **album** | album | ['*œlbəm*] |
| **klipsy** | clips | [*klyps*] |
| **laska** | stick | [*styk*] |
| **pamiątka** | souvenir | ['*su:wniə*] |
| **porcelana** | china | ['*czajnə*] |
| **scyzoryk** | penknife | ['*pennajf*] |
| **szkatułka** | casket | ['*ka:skyt*] |
| **talerz drewniany** | platter | ['*plœtə*] |
| **zakładka do książki** | book-mark | ['*buk ma:k*] |
| **z plastyku** | plastic | ['*plœstyk*] |

| 11. W kwiaciarni | 11. At a florist's<br>[ət ə 'florysts] |
|---|---|
| Jakie róże może mi pan polecić? | What roses can you recommend?<br>*['uot 'rouzyz kæn ju rekə-'mend]* |
| Chciałabym ładny bukiet goździków. | I'd like to have a fine bouquet of pinks.<br>*[ajd 'lajk tə hæw ə 'fajn 'bukəj əw 'pyŋks]* |
| Pan pozwoli mi kilka tych tulipanów. | Let me have some of these tulips, please.<br>*[let my hæw sam əw ði:z 'tju:lyps, 'pli:z]* |
| Proszę mi wybrać kilka pięknych narcyzów. | Pick some beatiful daffodils for me.<br>*['pyk səm 'bju:tyfl 'dæfədylz fə mi:]* |
| Niestety, proszę pani, dziś rano nie mamy hiacyntów. | Sorry, ma'am, we have no hyacinths this morning.<br>*['sory məm, ui: hæw 'nou 'hajəsynθs ðys 'mo:nyŋ]* |
| Proszę wysłać ten bukiet do pani Reeve, hotel Royal. | Get this bouquet sent to Mrs. Reeve, Royal Hotel.<br>*['get ðys 'bukej 'sent tə mysyz 'ri:w 'rojəl hou'tel]* |

| SŁÓWKA | WORDS | [uə'dz] |
|---|---|---|
| **aster** | aster | *['æstə]* |
| **bez** | lilac | *['lajlək]* |
| **chryzantema** | chrysanthemum | *[kry'sænθməm]* |
| **cyklamen** | cyclamen | *['sykləmən]* |
| **fiołek** | violet | *['wajəlyt]* |
| **kaktus** | cactus | *['kæktəs]* |
| **konwalia** | lily of the valley | *['lyly əw ðə 'wæly]* |
| **orchidea** | orchid | *['o:kyd]* |
| **paproć** | fern | *[fə:n]* |
| **prymulka** | primrose | *['prymrouz]* |

| 12. **W księgarni** | 12. **At a book-seller's** *[ət ə 'buk seləz]* |
|---|---|
| Czy jest tu blisko księgarnia? | Is there a book-seller's near here? *[yz ðeər ə 'buk seləz 'niə hiə]* |
| Proszę jakiś podręcznik angielskiego. | A handbook of English, please. *[ə 'hœndbuk əw 'yŋglysz, 'pli:z]* |
| Szukam jakiegoś samouczka języka angielskiego. | I'm looking for a handbook of English self-taught. *[ajm 'lukyŋ fər ə hœndbuk əw 'yŋglysz 'self 'to:t]* |
| Proszę o zwięzłą gramatykę języka chińskiego. | A concise Chinese grammar, please. *[ə kən'sajz 'czaj'ni:z 'grœmə, 'pli:z]* |
| Ma pan książki w innych językach? | Have you got books in other languages? *[hœw j got 'buks yn aðə 'lœŋg$^{u}$ydżyz]* |
| Dobry słownik dla uczących się angielskiego. | A good dictionary for students of English. *[ə 'gud 'dyksznry fə 'stju:dnts əw 'yŋglysz]* |
| Czy mógłby mi się pan postarać o egzemplarz Słownika Oksfordzkiego? | Could you get me a copy of the Oxford Dictionary? *[kud ju 'get mi: ə 'kopy əw ðy 'oksfəd 'dyksznry]* |
| Poproszę o jakieś ładne wydanie Szekspira. | I want a nice set of Shakespeare. *[aj '$^{u}$ont ə 'najs 'set əw 'szejkspiə]* |
| Ładny prezent dla miłośnika książek. | A nice present for a lover of books. *[ə 'najs 'preznt fər ə 'lawər əw 'buks]* |

| | |
|---|---|
| Chciałem dobry przewodnik po tym mieście. | I want a good guide-book to this town.<br>*[aj 'uont ə 'gud 'gajd-buk tə ðys 'taun]* |
| Chciałbym wybrać kilka powieści kryminalnych. | I'd like to choose a few detective stories.<br>*[ajd lajk tə 'czu:z ə 'fju: dy'tektyw 'storyz]* |
| Jakieś książki podróżnicze? | Any books of travel?<br>*[eny 'buks əw 'træwl]* |
| Oto nasz dział antykwarski. | Here is our department of second hand books.<br>*['hiər yz auə dy'pa:tmənt əw 'seknd hænd 'buks]* |
| Czy pan życzy sobie nasz ostatni katalog? | Will you have our latest catalogue?<br>*[uyl ju hæw auə 'lejtyst 'kætəlog]* |
| Książka miała dobrą prasę. | The book has had favourable reviews.<br>*[ðə 'buk həz hæd 'fejwərəbl ry'wju:z]* |
| Chciałbym egzemplarz nie oprawiony. | I'd like to have an unbound copy.<br>*[ajd lajk tə hæw ən 'anbaund 'kopy]* |
| Czy nie ma pan tańszego wydania? | Have you no cheaper edition?<br>*['hæw ju 'nou 'czi:pər y'dyszn]* |
| Książka ta jest wyczerpana. | The book is out of print.<br>*[ðə 'buk yz 'aut əw 'prynt]* |
| Tę książkę mają wydać ponownie na wiosnę. | The book is to be reprinted in spring.<br>*[ðə 'buk yz tə bi: 'ri:'pryntyd yn 'spryŋ]* |

| SŁÓWKA | WORDS | [ᵘə:dz] |
|---|---|---|
| atlas | atlas | ['ætləs] |
| egzemplarz okazowy | specimen copy | ['specymyn 'kopy] |
| ilustrowany | illustrated | ['yləstrejtyd] |
| mapa | map | [mæp] |
| okładka | cover | ['kawə] |
| oprawiony | bound | [baund] |
| oprawiony w skórę | leather-bound | ['leðə baund] |
| tytuł | title | [tajtl] |
| wydanie kieszonkowe | pocket edition | ['pokyt ydyszn] |
| wydawca | editor | ['edytə] |

## 13. W sklepie z obuwiem

## 13. At a shoe shop
*[ət ə 'szu: szop]*

| | |
|---|---|
| Potrzebuję pary czarnych zamszowych butów. | A pair of black suede shoes, please. *[ə 'peər əw 'blæk 'sᵘejd 'szu:z, 'pli:z]* |
| Który numer butów pani nosi? | What size do you take in shoes? *['ᵘot 'sajz du ju 'tejk yn 'szu:z]* |
| Chciałabym jakieś buty na niskich obcasach, odpowiednie do tej sukni. | Some low-heeled shoes to match this dress, please. *[sam 'lou-hi:ld 'szu:z tə 'mæcz ðys 'dres 'pli:z]* |
| Poproszę parę prawideł. | A pair of boot-trees, please. *[ə 'peər əw 'bu:ttri:z, 'pli:z]* |
| Ile kosztuje ta para? | What's the price of that pair? *['ᵘots ðə 'prajs əw 'ðæt 'peə]* |
| Ale ile kosztują te brązowe pantofle ranne? | And how much are those brown slippers? *[ən 'hau macz a: ðouz 'braun 'slypəz]* |
| Brązowe kosztują 50 szylingów. | The brown pair is 50 shillings. *[ðə 'braun 'peər yz 'fyfty 'szylyŋz]* |

| | |
|---|---|
| Czy to jest skórka wężowa? | Is it snake-skin?<br>*[yz yt 'snejkskyn]* |
| Nie, to jaszczurka. | No, it's lizard.<br>*['nou, yts 'lyzəd]* |
| Czy te lekkie sandały będą się długo nosić? | Will these light sandals last?<br>*[$^{u}$yl ði:z 'lajt 'sændlz 'la:st]* |
| Będą się nosić wiecznie. | They will wear for ever.<br>*[ðej $^{u}$yl '$^{u}$eə fər 'ewə]* |
| Czy te są nieprzemakalne? | Are these water-proof?<br>*[a: ði:z '$^{u}$o:tə pru:f]* |
| Te buty pasują doskonale. | These shoes fit me perfectly.<br>*['ði:z 'szu:z 'fyt my 'pə:fyktly]* |
| Pasują. | They fit all right.<br>*[ðej 'fyt 'o:l 'rajt]* |
| Wyglądają bardzo ładnie. | They look very pretty.<br>*[ðej 'luk 'wery 'pryty]* |
| Ta jasnobrązowa para będzie dobra. | This tan-coloured pair will be right.<br>*[ðys 'tænkaləd 'peə $^{u}$yl bi: 'rajt]* |
| Wezmę tę parę z cielęcej skóry. | I'll take the box-calf pair.<br>*[ajl təjk ðə 'bokska:f 'peə]* |
| Niech pani przymierzy te nylonowe pantofle domowe. | Try on these nylon slippers.<br>*['traj 'on ði:z 'najlən 'slypəz]* |
| To nie jest akurat mój numer. | They'e not exactly my size.<br>*[ðeə not yg'zæktly maj 'sajz]* |
| Obcas jest za wysoki. | The heel is too high.<br>*[ðə 'hi:l yz 'tu: 'haj]* |
| Te buty nie są bardzo wygodne. | These shoes are not very comfortable.<br>*[ði:z 'szu:z ə 'not 'wery 'kamftəbl]* |
| Ta para jest za ciasna. | This pair is too tight.<br>*[ðys 'peər yz 'tu: 'tajt]* |

| | |
|---|---|
| O nie, uciskają mnie strasznie. | Oh, no, they pinch me horribly.<br>[*'ou, 'nou, ðej 'pyncz mi: 'horybly*] |
| Te są ładne, ale za wąskie z przodu. | These are fine, but they're too narrow at the front.<br>[*'ði:z ə 'fajn, bat ðeə 'tu: 'nærou ət ðə 'frant*] |

| SŁÓWKA | WORDS | [*ᵘə:dz*] |
|---|---|---|
| **boty** | boots | [*bu:ts*] |
| **boty gumowe** | rubber boots | [*'rabə bu:ts*] |
| **boty na futrze** | fur-lined boots | [*'fə: lajnd 'bu:ts*] |
| **kalosze** | goloshes | [*gə'loszyz*] |
| **lakierki** | patent-leather shoes | [*'pejtnt leðə 'szu:z*] |
| **obuwie** | footwear | [*'futᵘeə:*] |
| **pasta do obuwia** | shoe polish | [*'szu: polysz*] |
| **szewc** | shoe-maker | [*'szu: mejkə*] |
| **sznurowadła** | shoe-laces | [*'szu: lejsyz*] |
| **śniegowce** | rubber boots | [*'rabə bu:ts*] |
| **tenisówki** | tennis shoes | [*'tenys szu:z*] |

## 14. W sklepie z konfekcją — 14. At a clothier's [*et ə 'klouðiəz*]

| | |
|---|---|
| Proszę mi pokazać jakieś suknie wieczorowe. | Show me some evening gowns, please.<br>[*'szou my sam 'i:wnyŋ 'gaunz, 'pli:z*] |
| Ten fason mi nie odpowiada. | This style doesn't appeal to me.<br>[*ðys 'stajl 'daznt ə'pi:l tə mi:*] |
| Ile pani ma w talii? | What size is your waist?<br>[*'ᵘ:ot 'sajz yz jə 'ᵘejst*] |
| Chciałam płaszcz gabardynowy. | I want a gaberdine coat.<br>[*aj 'ᵘont ə 'gæbədi:n 'kout*] |
| Poproszę letni garnitur. | A suit for summer, please.<br>[*ə 'sju:t fə 'samə, 'pli:z*] |

| | |
|---|---|
| Szare flanelowe spodnie. | Grey flannel trousers. *['grej 'flœnl 'trauzəz]* |
| Mogę panu sprzedać tylko cały garnitur. | I can only sell you the whole suit. *[aj kən 'ounly 'sel ju ðə 'houl 'sju:t]* |
| Może pan kupić samą marynarkę. | You may take the jacket only. *[ju mej 'tejk ðə 'dżœkyt 'ounly]* |
| Nie potrzebuje pan nosić paska do tych gabardynowych spodni. | You need no belt for these gaberdine trousers. *[ju: 'ni:d 'nou 'belt fə ði:z 'gœbədi:n 'trauzəz]* |
| Nogawki są troszeczkę za długie. | The trouser-legs are a bit too long. *[ðə 'trauzəlegz ər ə 'byt 'tu: 'loŋ]* |
| Czuję się całkiem wygodnie w tym garniturze (tej sukni). | I feel quite comfortable in this suit (this dress). *[aj 'fi:l 'kuajt 'kamfətəbl yn ðys 'sju:t (ðys 'dres)]* |

| SŁÓWKA | WORDS | [uə:dz] |
|---|---|---|
| **futro** | fur | [fə:] |
| **kostium** | costume | ['kostju:m] |
| **płaszcz** | overcoat, coat | ['ouwəkout, kout] |
| **płaszcz nieprzemakalny** | mackintosh, waterproof | ['mœkyntosz, 'uo:təpru:f] |
| **spódnica** | skirt | [skə:t] |
| **suknia** | frock, dress | [frok, dres] |
| **suknia popołudniowa** | afternoon frock | ['a:ftə'nu:n frok] |
| **szorty** | shorts | [szo:ts] |

## 15. W sklepie z galanterią

## 15. At an outfitter's
[*ət ən 'autfytəz*]

| | |
|---|---|
| Chciałem parę czarnych zamszowych rękawiczek, długich do łokci. | I want a pair of black suede gloves, elbow length. [*aj 'uont ə 'peər əw 'blœk 'suejd 'glawz, 'elbou leŋΘ*] |
| Pani numer jest sześć i trzy czwarte, prawda? | Your size is six and three-quarters, isn't it? [*jo: 'sajz yz 'syks ən 'Θri: 'kuo:təz, 'yznt yt*] |
| Noszę wielkość sześć i pół. | I take six and a half. [*aj 'tejk 'syks ənd ə 'ha:f*] |
| Czy pani się podoba ten fason? | Do you like this style? [*du ju 'lajk 'ðys 'stajl*] |
| Podoba mi się ten gatunek za dwadzieścia szylingów. | I like the twenty shilling kind. [*aj 'lajk ðə 'tuenty szylyŋ 'kajnd*] |
| Może dwie z tych popelinowych koszul męskich. | Perhaps two of those poplin shirts. [*pə'hœps 'tu: əw ðouz 'poplyn 'szə:ts*] |
| Wielkość kołnierzyka szesnaście i pół. | Size sixteen and a half collar. [*'sajz syks'ti:n ənd ə 'ha:f 'kolə*] |

| | |
|---|---|
| Białą czy kolorową? | White or coloured?<br>*['uajt o: 'kaləd]* |
| Te koszule są po gwinei. | These shirts are a guinea each.<br>*[ði:z 'szə:ts ər ə 'gyny 'i:cz]* |
| Ta z zapasowym kołnierzykiem jest nawet tańsza. | The one with a spare collar is even cheaper.<br>*[ðy 'uan uyð ə 'speə 'kolər yz 'i:wn 'czi:pə]* |
| Czy krój jest ten sam? | Is the cut the same?<br>*[yz ðə 'kat ðə 'sejm]* |
| Poproszę o pidżamę, odcień niebieski, wielkość czterdzieści. | A pyjamas suit, please; shade blue, size forty.<br>*[ə py'dża:məz 'sju:t, 'pli:z; 'szejd 'blu:, 'sajz 'fo:ty]* |
| Ta ma ładne wykończenie i przyjemny kolor. | This is a nice finish and a pleasant colour.<br>*['ðys yz ə 'najs 'fynysz ənd ə 'pleznt 'kalə]* |
| Ta ma tylko jedną kieszeń na piersi. | This has only one breast pocket.<br>*[ðys hæz ounly 'uan 'brest pokyt]* |
| Proszę wełniany kostium kąpielowy. | A woolen bathing suit, please.<br>*[ə 'uuln 'bejðyŋ sju:t, 'pli:z]* |
| Poproszę koszulę damską bez ramiączek. | A chemise with no shoulder-straps, please.<br>*[ə szy'mi:z uyð 'nou 'szouldə stræps, 'pli:z]* |
| Jakieś gładkie nylonowe skarpetki, numer dziesięć. | Some plain nylon socks, size ten.<br>*[sam 'plejn 'najlən 'soks, 'sajz 'ten]* |
| Czy mają wzmocnione palce i pięty? | Have they got reinforced toes and heels?<br>*['hæw ðej got 'ri:yn'fo:st 'touz ən 'hi:lz]* |

| | |
|---|---|
| Które z tych nylonów poleciłaby mi pani? | Which of these nylons would you recommend me? [*'uycz əw ði:z 'najlənz uud ju rekə'mend mi:*] |
| Tuzin jedwabnych chusteczek do nosa. | A dozen silk handkerchiefs, please. [*ə 'dazn 'sylk 'hœŋkəczyfs, 'pli:z*] |
| Ten z zamkiem błyskawicznym jest bardziej elegancki. | The one with the zip-fastener is more elegant. [*ðə 'uan uyð ðə 'zyp fa:snər yz mo:r 'elygənt*] |
| Te krawaty mają bardzo eleganckie wzory. | These ties are of very smart designs. [*ði:z 'tajz ər əw 'wery 'sma:t dy'zajnz*] |
| Ten szalik w pasy to czysta wełna. | This scarf in stripes is pure wool. [*ðys 'ska:f yn 'strajps yz 'pjuə 'uul*] |
| Ma pan jakieś dobre parasole? | Have you got some good umbrellas? [*hœw ju got səm 'gud am'breləz*] |
| Podoba mi się ten parasol, ale nie podoba mi się rączka. | I like the umbrella, but I don't like the handle. [*aj 'lajk ðy am'brelə, bat aj 'dount 'lajk ðə 'hœndl*] |

| **SŁÓWKA** | **WORDS** | [*uə:dz*] |
|---|---|---|
| **bielizna** | underwear | [*'andəueə*] |
| **biustonosz** | brassière | [*'brœsyeə*] |
| **bluzka** | blouse | [*blauz*] |
| **fartuch** | apron | [*'ejprən*] |
| **halka** | petticoat | [*'petykout*] |
| **kalesony** | pants | [*pœnts*] |
| **majtki** | knickers | [*'nykəz*] |

| | | |
|---|---|---|
| **muszka** | bow tie | [*'bou taj*] |
| **pas** | belt | [*belt*] |
| **sweter** | sweater | [*s'ᵘetə*] |
| **jersey** | jersey | [*'dżə:zy*] |
| **pulower** | pullover | [*'pulouwə*] |
| **sweter rozpinany** | cardigan | [*'ka:dygən*] |
| **szelki** | braces | [*'brejsyz*] |
| **szlafrok** | dressing-gown | [*'dresyŋ gaun*] |

## 16. W sklepie tekstylnym / 16. At a draper's

[*ət ə 'drejpəz*]

| | |
|---|---|
| Potrzebuję półtora jarda białej satyny na podszewkę. | I want one and a half yards of white satin for lining. [*aj 'ᵘont 'ᵘan ənd ə 'ha:f 'ja:dz əw 'ᵘajt 'sætyn fə 'lajnyŋ*] |
| Podoba mi się kolor tego materiału. | I like the colour of the material. [*aj 'lajk ðə 'kalər əw ðə mə'tiəriəl*] |
| Taki ładny odcień. | Such a lovely shade. [*sacz ə 'lawly 'szejd*] |
| Niedobrze pani w tym kolorze. | This colour doesn't suit you. [*ðys 'kalə 'daznt 'sju:t ju:*] |
| W tym kolorze wyglądałabym blado. | This colour would make me look pale. [*ðys 'kalə ᵘud 'mejk mi: 'luk 'pejl*] |
| Jaki chciałaby pani wzór? | What pattern would you like, ma'am. [*'ᵘot 'pæten ᵘud ju: 'lajk, məm*] |
| Nie podoba mi się ten wzór. | I don't like this colour. [*aj 'dount 'lajk ðys 'kalə*] |
| Czy to nie będzie się gniotło? | Will this keep shape? [*ᵘyl ðys 'ki:p 'szejp*] |

| | |
|---|---|
| Czy to będzie dobrze leżeć? | Will this hang well?<br>[$^{u}$*yl ðys 'hæŋ '*$^{u}$*el*] |
| To się trochę skurczy w praniu. | This will shrink a little when you wash it.<br>[*ðys* $^{u}$*yl 'szryŋk ə lytl* $^{u}$*en ju '*$^{u}$*osz yt*] |
| Czy to łatwo się będzie prało. | Will this wash easily?<br>[$^{u}$*yl ðys '*$^{u}$*osz 'i:zyly*] |
| Poproszę trochę granatowej wełny do cerowania. | Some navy-blue darning wool, please.<br>[*sam 'nejwyblu: 'da:nyŋ* $^{u}$*ul, 'pli:z*] |
| Paczkę igieł poproszę. | A packet of needles, please.<br>[*ə 'pækyt əw 'ni:dlz, 'pli:z*] |
| Potrzebuję kilka koników i haftek. | I want some hooks and eyes.<br>[*aj '*$^{u}$*ont səm 'huks ənd 'ajz*] |
| Ta guma jest za szeroka. | This elastic is too wide.<br>[*ðys y'læstyk yz 'tu '*$^{u}$*ajd*] |
| Po ile tuzin tych perłowych guzików? | How much are these pearl buttons a dozen?<br>[*'hau macz ə ði:z 'pə:l 'batnz ə 'dazn*] |
| Kilka jardów tasiemki wystarczy. | A few yards of tape will do.<br>[*ə 'fju: 'ja:dz əw 'tejp* $^{u}$*yl 'du:*] |

| SŁÓWKA | WORDS | |
|---|---|---|
| | | [$^{u}$*ə:dz*] |
| **aksamit** | velvet | [*'welwyt*] |
| **bawełna** | cotton | [*kotn*] |
| **jadwab naturalny** | natural silk | [*'næczrəl 'sylk*] |
| **jedwab sztuczny** | artificial silk | [*a:ty'fyszl 'sylk*] |
| **wzór:** | pattern: | [*pætən*] |
| **gładki** | plain | [*plejn*] |
| **jodełka** | herring-bone | [*'heryŋ boun*] |
| **w grochy** | spotted | [*spotyd*] |
| **w kratkę** | chequered | [*'czekəd*] |
| **w kwiaty** | flowery | [*'flauəry*] |
| **w paski** | striped | [*strajpt*] |

| SŁÓWKA | WORDS | [ᵘə:dz] |
|---|---|---|
| **Kolory** | **Colours** | *['kaləz]* |
| beżowy | beige | *[bejż]* |
| biały | white | *[ᵘajt]* |
| błękitny | azure | *['æżə]* |
| brązowy | brown | *[braun]* |
| ciemny | dark | *[da:k]* |
| czarny | black | *[blæk]* |
| czerwony | red | *[red]* |
| fioletowy | violet | *['wajəlyt]* |
| granatowy | navy blue | *['nejwy blu:]* |
| jasny | light | *[lajt]* |
| niebieski | blue | *[blu:]* |
| pomarańczowy | orange | *['oryndż]* |
| różowy | pink | *[pyŋk]* |
| rudy | auburn | *['o:bən]* |
| seledynowy | celadon | *['selədon]* |
| szary | grey | *[grej]* |
| zielony | green | *[gri:n]* |
| żółty | yellow | *['jelou]* |

| | | |
|---|---|---|
| agrafka | safety pin | *['sejfty pyn]* |
| centymetr | tape measure | *['tejp meżə]* |
| grzybek | darning last | *['da:nyŋ la:st]* |
| guma | elastic | *[y'læstyk]* |
| guzik | button | *[batn]* |
| igła | needle | *[ni:dl]* |
| naparstek | thimble | *[θymbl]* |
| nici | thread | *[θred]* |
| przędza | yarn | *[ja:n]* |
| pudełko na nici | needlework box | *['ni:dlᵘə:k 'boks]* |
| sprzączka | buckle | *[bakl]* |
| szpilka | pin | *[pyn]* |
| taśma | tape | *[tejp]* |
| włóczka | knitting wool | *['nytyŋ ᵘul]* |
| wstążka | ribbon | *['rybən]* |
| zamek błyskawiczny | zip | *[zyp]* |
| zatrzask | clasp | *[kla:sp]* |

## 17. U modystki

## 17. At a milliner's
*[ət ə 'mylynəz]*

Chcę kupić elegancki kapelusz.

I want to buy an elegant hat.
*[aj '$^{u}$ont tə 'baj ən 'elygənt 'hœt]*

Proszę mi pokazać parę kapeluszy.

Show me a few hats, please.
*['szou mi: ə 'fju: 'hœts, 'pli:z]*

Proszę kapelusz słomkowy z aksamitnym przybraniem.

A straw hat with velvet trimming, please.
*[ə 'stro: 'hœt $^{u}$yð 'welwyt 'trymyŋ 'pli:z]*

Chcę dostać ten z czarnym przybraniem z wystawy.

I want to have the one with black trimming from the shop-window.
*[aj '$^{u}$ont tə hœw ðə '$^{u}$an $^{u}$yð 'blœk 'trymyŋ frəm ðe 'szop$^{u}$yndou]*

Ten niebieski nie jest naprawdę elegancki.

The blue one isn't really smart.
*[ðə 'blu: $^{u}$an 'yznt 'riəly 'sma:t]*

Oto naprawdę ładny kapelusik.

Here's a really lovely little hat.
*['hiəz ə 'riəly 'lawly lytl 'hœt]*

Czy pani go przymierzy?

Will you try it on, ma'am?
*[$^{u}$yl ju 'traj yt 'on, məm]*

Nie, proszę pani, czoło jest całkiem zakryte.

No, madam, the brow is completely covered.
*['nou, 'mœdəm, ðə 'brau yz kəm'pli:tly 'kawəd]*

Pani pozwoli, cokolwiek dalej do tyłu.

Allow me, a shade further back.
*[ə'lau mi:, ə 'szejd 'fə:ðə 'bœk]*

Czy ten model nie podoba się pani?

Don't you like this model?
*['dount ju 'lajk 'ðys 'modl]*

Ten kapelusz nie jest odpowiedni do mego płaszcza.

This hat doesn't go with my coat.
*[ðys 'hœt 'daznt 'gou $^{u}$yð maj 'kout]*

| | |
|---|---|
| Ten wysoki ma za małą główkę. | The high one is too small in the head. [*ðə 'haj uan yz 'tu: 'smo:l yn ðə 'hed*] |
| Ten możemy pani przerobić. | We can alter that for you, ma'am. [*ui: kən 'o:ltə ðæt fə ju:, məm*] |
| Czy nie ma pani czegoś spokojniejszego? | Haven't you something a little quieter? [*'hæwnt ju: samθyŋ ə lytl 'kuajətə*] |
| Czy w tym mi do twarzy? | Does this one suit me? [*daz 'ðys uan 'sju:t mi:*] |
| Pani wygląda teraz o pięć lat młodziej. | Madam looks five years younger now. [*mædəm 'luks 'fajw 'jə:z 'jaŋgə 'nau*] |
| W tym pani tak dobrze. | This one is so becoming to madam. [*ðys uan yz 'sou by'kamyŋ tə 'mædəm*] |

| **SŁÓWKA** | **WORDS** | [*uə:dz*] |
|---|---|---|
| **beret** | beret | [*'beryt*] |
| **kokarda** | bow | [*bou*] |
| **modystka** | milliner | [*'mylynə*] |
| **pilśniowy** | felt | [*felt*] |
| **pióro** | feather | [*feðə*] |
| **pióro strusie** | ostrich feather | [*'ostrycz feðə*] |
| **pudło na kapelusz** | hat-box | [*hæt boks*] |
| **woalka** | veil | [*wejl*] |

## 18. U kapelusznika — 18. At a hatter's [*ət ə 'hætəz*]

| | |
|---|---|
| Chciałem miękki filcowy kapelusz. | I want a soft felt hat. [*aj 'uont ə 'soft 'felt 'hæt*] |
| To może być coś w tym fasonie. | It may be something in this style. [*yt mej by 'samθyŋ yn 'ðys 'stajl*] |

| | |
|---|---|
| Który numer pan nosi? | What size do you take, sir? *['uot 'sajz d ju 'tejk, sə]* |
| Czy pan wie, jaki pan nosi numer? | Do you know your size, sir? *[d ju 'nou jo: 'sajz, sə]* |
| Numer siedem i trzy czwarte. | Size seven and three quarters. *['sajz 'sewn ən 'θri: 'kuo:təz]* |
| Czy ten kolor nie płowieje? | Is this colour fadeless? *[yz ðys 'kalə 'fejdlys]* |
| Góra jest dobra, ale rondo za szerokie. | The crown is all right, but the brim's too wide. *[ðə 'kraun yz 'o:l 'rajt, bat ðə 'brymz 'tu: 'uajd]* |
| Niech pan spróbuje ten. | Try this one, please. *['traj 'ðys uan, 'pli:z]* |
| Czy przymierzy pan ten? | Will you try on this, sir? *[uyl ju 'traj 'on 'ðys, sə]* |
| A może ten, proszę pana? | What about this one, sir? *['uot əbaut 'ðys uan, sə]* |
| To trzeba będzie zmienić. | This will have to be altered. *['ðys uyl hœw tə bi: 'o:ltəd]* |
| Dlaczego pan nie kupuje sobie panamy? | Why don't you get a Panama? *['uaj 'dount ju 'gət ə 'pœnə-'ma:]* |

| SŁÓWKA | WORDS | [uə:dz] |
|---|---|---|
| cylinder | top-hat | ['top hœt] |
| czapka | cap | [kœp] |
| czapka futrzana | fur cap | ['fə: kœp] |
| hełm tropikalny | sun helmet | ['san helmyt] |
| melonik | bowler | [boulə] |
| nakrycie głowy | head-wear | ['hed ueə] |
| turban | turban | ['tə:bən] |
| wstążka | hat-band | ['hœt bœnd] |

## 19. U jubilera i zegarmistrza | 19. At a jeweller's and a watch-maker's

[*ət ə 'dżu:ələz ənd ə 'ᵘocz mejkəz*]

| | |
|---|---|
| Chcielibyśmy kupić kilka niedrogich drobiazgów na pamiątkę. | We'd like to buy some not very expensive little things as souvenirs.<br>[*wi:d 'lajk tə 'baj səm 'not wery yks'pensyw lytl θyŋz əz 'su:wniəz*] |
| Na drobne prezenty mogę polecić cygarniczki, papierośnice, wyroby ze srebra filigranowego, puderniczki, broszki, naszyjniki, bransoletki. | As small presents I can recommend cigarette holders, cigarette-cases, filigree silver articles, powderboxes, brooches, necklaces, bracelets.<br>[*əz smo:l "prezənts aj kən rekə'mend sygə'ret houldəz sygə'ret, kejsyz fylygri: sylwər a:tyklz 'paudə boksyz brouczyz 'breislyts*] |
| Proszę to sobie obejrzeć i wybrać coś stąd. | Please, have a look at these and choose something.<br>[*pli:z 'hœw ə 'luk ət ði:z ənd 'czu:z 'samθyŋ*] |
| Proszę mi pokazać tę srebrną papierośnicę. | Would you mind showing me that silver cigarette-case, please.<br>[*ᵘud ju 'majnd 'szouyŋ mi: ðœt 'sylwə sygə'ret kejs pli:z*] |
| Ile kosztuje ten sznur koralików (bursztynów, perełek)? | How much is that string of coral beads (amber beads, small pearls)?<br>[*hau 'macz yz ðœt stryŋ əw 'korəl 'bi:dz 'œmbə bi:dz smo:l 'pə:lz*] |
| Jaka jest cena tej broszki (tych klipsów)? | What's the price of this brooch (these clips)?<br>[*ᵘots ðə 'prajs əw ðys 'broucz ði:z 'klyps*] |

| | |
|---|---|
| Chciałam jakieś ładne spinki do mankietów. | I want some fine cuff-links. [*aj 'uont səm 'fajn 'kaf lyŋks*] |
| Niech pani obejrzy nasz asortyment cygarniczek. | Have a look at our assortment of cigarette-holders. [*'hœw ə luk ət auər ə'so:tmənt əw sygə'ret houldəz*] |
| Pan będzie łaskaw srebrną papierośnicę. | A silver cigarette-case, please. [*ə 'sylwə sygə'ret kejs, 'pli:z*] |
| Waży trzy karaty. | It's three carats in weight. [*yts 'θri: 'kœrəts yn 'uejt*] |
| Proszę mi zapakować te białe korale dwurzędowe. | Please, wrap up this double row of white beads for me. [*pli:z 'rœp 'ap ðys 'dabl rou əw uajt bi:dz fə'mi:*] |
| W jakiej cenie jest ta kaseta? | How much is this case? [*hau 'macz yz ðys kejs*] |
| Panu potrzeba zegarka na rękę. | What you need is a wrist watch. [*uot 'ju: 'ni:d yz ə 'ryst 'uocz*] |
| Ten jest wodoszczelny. | This one is waterproof. [*'ðys uan yz 'uo:təpru:f*] |
| Ten jest bardziej elegancki i lżejszy. | This one is more elegant and lighter. [*'ðys uan yz mo:r 'elygənt ən 'lajtə*] |
| Ile on ma kamieni? | How many jewels has it got? [*'hau meny 'dżu:əlz həz yt got*] |
| Ten zegarek powinien doskonale chodzić. | This watch should keep perfect time. [*ðys 'uocz szud 'ki:p 'pə:fykt 'tajm*] |

| SŁÓWKA | WORDS | [*uə:dz*] |
|---|---|---|
| **biżuteria** | jewels | [*'dżu:əlz*] |
| **bursztyn** | amber | [*'œmbə*] |
| **jubiler** | jeweller | [*'dżu:ələ*] |
| **kość słoniowa** | ivory | [*'ajwry*] |
| **opal** | opal | [*oupl*] |
| **platyna** | platinum | [*'plœtynəm*] |
| **szmaragd** | emerald | [*'emrəld*] |
| **turkus** | turquois | [*'tə:kua:z*] |

## 20. U optyka

## 20. At an optician's
*[ət ən op'tysznz]*

Chciałem dostać szkła.

I want to have a pair of glasses.
*[aj 'uont tə həw ə 'peər əw 'gla:syz]*

Muszę nabyć zapasowe okulary.

I must have some extra pair of spectacles.
*[aj məst hœw səm 'ekstrə 'peər əw 'spektəklz]*

Szkła do czytania czy do noszenia?

Reading glasses or for the distance?
*['ri:dyŋ gla:syz o: fə ðə 'dystns]*

Czy mam zbadać panu oczy?

Shall I test your eyes?
*[szœl aj 'test jo:r 'ajz]*

Moje prawe oko jest słabsze od lewego.

My right eye is weaker than my left.
*[maj 'rajt 'aj yz 'ui:kə ðən maj 'left]*

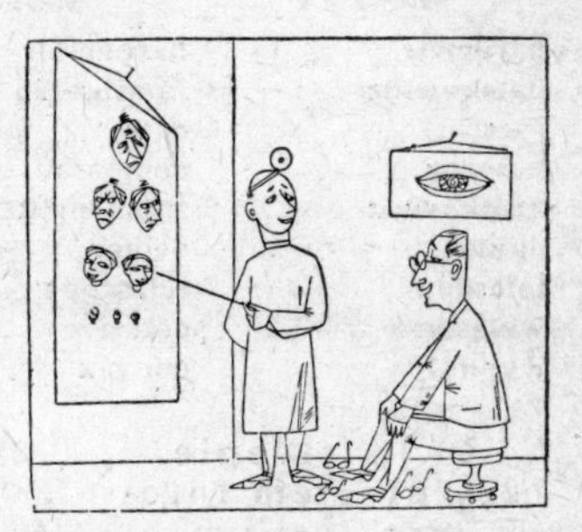

Może pan przymierzy tę parę.

Will you try this pair, please.
*[uyl ju 'traj 'ðys 'peə, 'pli:z]*

Sprzedaliśmy cały nasz zapas okularów przeciwsłonecznych.

We've sold out all our supply of sun-glasses.
*[uyw 'sould 'aut 'o:l auə sə'plaj əw 'sangla:syz]*

Proszę lornetkę polową.

A pair of field-glasses, please.
*[ə 'peər əw 'fi:ldgla:syz, 'pli:z]*

| | |
|---|---|
| W tej chwili nie mam kieszonkowych szkieł powiększających. | I haven't got any pocket magnifying-glasses at the moment. [*aj 'hœwnt got eny 'pokyt 'mœgnyfajyŋ gla:syz ət ðə 'moumənt*] |
| Chciałabym, żeby mi pan pokazał mikroskop pierwszej jakości. | I want you to show me a first-class microscope. [*aj 'uont ju tə 'szou mi: ə 'fə:stkla:s 'majkrəskoup*] |
| Czy można dostać termometr? | Can I have a thermometer? [*kœn aj hœw ə θə'momytə*] |
| Czy pan mi naprawi tę lornetkę? | Can I have these opera-glasses repaired? [*kœn aj hœw ði:z 'oprə gla:syz ry'peəd*] |
| Potrzebuje pan też oprawki? | Do you also need a frame? [*du ju 'o:lsou 'ni:d ə 'frejm*] |

| **SŁÓWKA** | **WORDS** | [*uə:dz*] |
|---|---|---|
| **barometr** | barometer | [*bə'romytə*] |
| **dalekowidz** | far-sighted person | [*'fa: sajtyd 'pə:sn*] |
| **futerał** | case | [*kejs*] |
| **kompas** | compass | [*'kampəs*] |
| **krótkowidz** | short-sighted person | [*'szo:t sajtyd 'pə:sn*] |
| **okular** | ocular | [*'okjulə*] |
| **teleskop** | telescope | [*'telyskoup*] |
| **wklęsły** | concave | [*kon'kejw*] |
| **wypukły** | convex | [*kon'weks*] |

## 21. W sklepie ze sprzętem fotograficznym

## 21. At a photographic supply store

[*ət ə foutə'grœfyk sə'plaj sto:*]

| | |
|---|---|
| Jakiej wielkości jest ten aparat? | What size is this camera? [*'uot 'sajz yz ðys 'kœmərə*] |
| Ten aparat jest bardzo prosty w użyciu. | This camera is very simple in use. [*ðys 'kœmərə yz 'wery 'sympl yn 'ju:s*] |

| | |
|---|---|
| Jakiego typu chce pan aparat? | What make of camera do you wish, sir? *['uot 'mejk əw 'kœmərə d ju 'uysz, sə]* |
| Czy pani nie interesuje się tymi miniaturowymi aparatami? | Aren't you interested in these miniature cameras? *['a:nt ju: 'yntrystyd yn ði:z 'mynyczə 'kœmərəz]* |
| To jest najmniejsza praktyczna wielkość. | This is the smallest practical size. *[ðys yz ðə 'smo:lyst 'prœktykl 'sajz]* |
| Czy ten będzie dobry do zdjęć sportowych? | Will this be good for sports photography? *[uyl ðys by 'gud fə 'spo:ts fə'togrəfy]* |
| Czy ten będzie przydatny do robienia portretów? | Will this one be useful for portraits? *[uyl 'ðys uan bi: 'ju:sfl fə 'po:tryts]* |
| To jest niezawodny wszechstronny typ. | This is a reliable all-round type. *[ðys yz ə ry'lajəbl 'o:l 'raund 'tajp]* |
| Ma trzy soczewki. | It has three lenses. *[yt hœz 'θri: 'lensyz]* |
| Ma najlepsze obecnie soczewki. | It has the best lenses that there are at present. *[yt hœz ðə 'best 'lensyz ðœt ðeər a: ət 'preznt]* |
| Czy za statyw płacę osobno? | Do I pay extra for the stand? *['du: aj 'pej 'ekstrə fə ðə 'stœnd]* |
| Pan będzie łaskaw tuzin filmów. | A dozen spools of film, please. *[ə 'dazn 'spu:lz əw 'fylm, 'pli:z]* |

| SŁÓWKA | WORDS | [ᵘə:dz] |
|---|---|---|
| aparat projekcyjny | film projector | ['fylm prə'dżektə] |
| epidiaskop | slide film projector | ['slajd 'fylm prə'dżektə] |
| filtr | filter | ['fyltə] |
| kaseta | slide | [slajd] |
| płyta | plate | [plejt] |

## 22. W sklepie sportowym — 22. At a sports-outfitter's [ət ə 'spo:ts autfytəz]

Chciałbym dostać rakietę tenisową. — I want to have a tennis racket. [aj 'ᵘont tə 'hœw ə 'tenys rœkyt]

Czy pani potrzebuje piłek tenisowych? — Do you need any tennis balls? [d ju 'ni:d eny 'tenys bo:lz]

Chciałbym obejrzeć pański asortyment sprzętu wycieczkowego. — I'd like to see your assortment of camping outfit. [ajd 'lajk tə 'si: jo:r ə'so:tmənt əw 'kœmpyŋ 'autfit]

Ciekaw jestem, czy ten śpiwór jest dość ciepły i wodoszczelny. — I wonder whether this sleeping-bag is warm enough and water-proof. [aj 'ᵘandə ᵘeðə ðys 'sli:pyŋ bœg yz 'ᵘo:m ynaf ən 'ᵘo:tə pru:f]

Potrzebuję przynajmniej tuzin tych kijów hokejowych. — I need at least a dozen of these hockey sticks. [aj 'ni:d ət 'li:st ə dazn əw ði:z 'hoky styks]

Możemy panu sprzedać tę strzelbę, jeśli pan przedstawi pozwolenie. — We can sell you this rifle if you produce a license. [ᵘi kən 'sel ju ðys 'rajfl yf ju prə'dju:s ə 'lajsəns]

| | |
|---|---|
| Niech mi pan pokaże jakieś bardzo lekkie kolce. | Show me some very light spiked shoes. [*'szou mi: səm 'wery 'lajt 'spajkt 'szu:z*] |
| Nie bardzo mi się podoba kolor tych spodenek kąpielowych. | I don't quite like the colour of these bathing trunks. [*aj 'dount 'kᵘajt 'lajk ðə 'kalər əw ði:z 'bejðyŋ traŋks*] |
| To są pierwszorzędne haczyki do wędki. | These are A1 fish hooks. [*ði:z ər 'ej 'ᵘan 'fysz huks*] |

| SŁÓWKA | WORDS | [*ᵘə:dz*] |
|---|---|---|
| **buty bokserskie** | boxing shoes | [*'boksyŋ szu:z*] |
| **buty do piłki nożnej** | football boots | [*'futbo:l bu:ts*] |
| **dętka** | bladder | [*blædə*] |
| **dres** | dress | [*dres*] |
| **dysk** | discus | [*'dyskəs*] |
| **koszula sportowa z krótkimi rękawami** | tennis shirt | [*tenys szə:t*] |
| **łyżwy** | ice-skates | [*'ajs skejts*] |
| **narty** | skis | [*szi:z*] |
| **kije do nart** | ski-sticks | [*'szi: styks*] |
| **smar do nart** | ski-wax | [*'szi: ᵘæks*] |
| **wiązania do nart** | ski-bindings | [*'szi: bajndyŋz*] |
| **rękawice bokserskie** | boxing gloves | [*'boksyŋ glawz*] |
| **sprzęt sportowy** | sports outfit | [*'spo:ts autfyt*] |

## 23. W sklepie muzycznym

## 23. At a gramophone store [*ət ə 'græməfoun sto:*]

| | |
|---|---|
| Poproszę mały walizkowy patefon. | A small portable gramophone, please. [*ə 'smo:l 'po:təbl 'græməfoun, 'pli:z*] |
| Nie potrzebuję patefonu, potrzebuję tylko ramię. | I don't need a gramophone, I need a pick-up only. [*aj 'dount 'ni:d ə 'græməfoun, aj 'ni:d ə 'pykap 'ounly*] |

| | |
|---|---|
| Proszę tylko posłuchać kilku naszych najnowszych nagrań. | Just listen to some of our latest recordings.<br>*[dżast 'lysn tə sam əw auə 'lejtyst ry'ko:dyŋz]* |
| Na pewno będzie się to pani podobało na płytach długo grających. | You'll certainly like it on long-playing records.<br>*[jul 'sə:tynly 'lajk yt on 'loŋ plejyŋ 'reko:dz]* |
| Chciałem przegrać parę płyt z muzyką jazzową. | I want to try a few records with jazz music.<br>*[aj 'uont tə 'traj ə 'fju: 'reko:dz uyð 'dżœz 'mju:zyk]* |
| Jakie instrumenty blaszane można tu kupić? | What brass instruments can I buy here?<br>*['uot 'bra:s 'ynstrumənts kœn aj 'baj hiə]* |
| Ma pan jakieś mniejsze organki? | Have you got some smaller harmonicas?<br>*[hœw ju 'got səm 'smo:lə ha:'monykəz]* |
| Chciałbym wybrać sobie ładną gitarę. | I'd like to choose a fine guitar.<br>*[ajd lajk tə 'czu:z ə 'fajn gy'ta:]* |
| Czy pan ma na myśli waltornię, czy rożek angielski. | Do you mean a French horn or an English horn?<br>*[d ju 'mi:n ə 'frencz 'ho:n o:r ən 'yŋglysz 'ho:n]* |
| Instrumenty jazzowe w następnym dziale. | Jazz instruments next department, please.<br>*['dżœz ynstrumənts 'neks dy'pa:tmənt, 'pli:z]* |
| To są dwa różne nagrania, proszę pani. | These are two different recordings, ma'am.<br>*[ði:z ə 'tu: 'dyfrənt ry'ko:dyŋz, məm]* |

| SŁÓWKA | WORDS | [ʷə:dz] |
|---|---|---|
| **adapter** | player | *['plejə]* |
| **akordeon** | accordion | *[ə'ko:djon]* |
| **bęben** | drum | *[dram]* |
| **flet** | flute | *[flu:t]* |
| **fortepian** | piano | *['pjænou]* |
| **harfa** | harp | *[ha:p]* |
| **igły do patefonu** | gramophone needles | *['græməfoun ni:dlz]* |
| **klarnet** | clarinet | *[klæry'net]* |
| **kocioł** | kettle-drum | *['ketl dram]* |
| **kontrabas** | double-bass | *['dabl 'bejs]* |
| **kornet** | cornet | *['ko:nyt]* |
| **magnetofon** | tape-recorder | *['tejp ry'ko:də]* |
| **obój** | oboe | *['oubou]* |
| **puzon** | trombone | *[trom'boun]* |
| **saksofon** | saxophone | *['sæksəfoun]* |
| **skrzypce** | violin | *[wajə'lyn]* |
| **smyczek** | bow | *[bou]* |
| **struna** | string | *[stryŋ]* |
| **wiolonczela** | cello | *['czelou]* |

## 24. W sklepie z zabawkami

## 24. At a toy dealer's
*[ət ə 'toj di:ləz]*

| | |
|---|---|
| Coś na prezent dla dziesięcioletniego chłopczyka. | Something for a present for a boy of ten.<br>*['samθyŋ fər ə 'preznt fər ə 'boj əw 'ten]* |
| Proszę o coś odpowiedniego dla dziewczynki pięcioletniej. | Something suitable for a girl of five, please.<br>*['samθyŋ 'sju:təbl fər ə 'gə:l əw 'fajw, 'pli:z]* |
| Komplet mebelków dla lalek, pani będzie łaskawa. | A set of toy furniture, please.<br>*[ə 'set əw 'toj 'fə:nyczə, pli:z]* |
| Czy to mogą być jakieś gry? | Can it be some games?<br>*[kæn yt bi: səm 'gejmz]* |
| Warcaby, szachy, czy też halma? | Draughts, chess, or halma?<br>*['dra:fts, 'czes, o: 'hælmə]* |

| | |
|---|---|
| Ma pani jakieś gry pokojowe dla dzieci? | Have you got any indoor games for children? *[hœw ju got eny 'yndo: 'gejmz fə 'czyldrən]* |
| Będzie zachwycona ładną lalką. | She'll be delighted with a pretty doll. *[szi:l bi: dy'lajtyd ᵘyð ə 'pryty 'dol]* |
| On bardzo chciałby mieć komplet narzędzi ogrodniczych. | He's dying for a set of gardening tools. *[hi:z 'dajyŋ fər ə 'set əw 'ga:dnyŋ tu:lz]* |
| Jim jest za duży, by mu kupować bąka. | Jim's too old for a spinning-top. *['dżymz 'tu: 'ould fər ə 'spynyŋ top]* |
| Chciałbyś pudełko żołnierzy? | How would you like a box of tin soldiers? *['hau ᵘud ju 'lajk ə boks əw 'tyn 'souldżəz]* |
| Najlepszą rzeczą będzie komplet klocków. | A set of building-blocks will be the thing, I suppose. *[ə 'set əw 'byldyŋ bloks ᵘyl bi: ðə 'ðyŋ, aj 'spouz]* |
| Elektryczna kolejka to będzie ładny prezent. | An electric toy railway will be a fine present. *[ən y'lektryk 'toj 'rejlᵘej ᵘyl bi: ə 'fajn 'preznt]* |
| Waham się pomiędzy koniem na biegunach a hulajnogą. | I hesitate between a hobby-horse and a scooter. *[aj 'hezytejt bytᵘi:n ə 'hoby ho:s ənd ə 'sku:tə]* |
| Pudełko farb byłoby dobrym prezentem dla małego chłopca. | A box of paints would be a good present for a young boy. *[ə 'boks əw 'pejnts ᵘud bi: ə 'gud 'preznt fər ə 'jaŋ 'boj]* |

| SŁÓWKA | WORDS | [ˈuə:dz] |
|---|---|---|
| gwizdek | whistle | [ˈuysl] |
| grzechotka | rattle | [rætl] |
| hulajnoga | scooter | [ˈsku:tə] |
| huśtawka | swing | [suyŋ] |
| mechaniczne zabawki | mechanical toys | [myˈkænykl tojz] |
| miś | Teddy bear | [ˈtedy beə] |
| piłka | ball | [bo:l] |
| skakanka | skipping rope | [ˈskypyŋ roup] |
| trąbka | trumpet | [ˈtrampyt] |
| zwierzęta pluszowe | plush animals | [ˈplasz ænymlz] |

## 25. W sklepie z galanterią skórzaną

## 25. At a trunkmaker's [ət ə ˈtraŋkmejkəz]

| | |
|---|---|
| Chciałem portfel średniej wielkości. | I want a wallet, of medium size. [aj ˈuont ə ˈuolyt, əw ˈmi:djəm ˈsajz] |
| Ile kosztuje ten z zamkiem błyskawicznym? | How much is the one with a zip? [hau macz yz ðə ˈuan uyð ə ˈzyp] |
| Chciałam teczkę z bardzo ładnej skóry. | I want a portfolio of very fine leather. [aj ˈuont ə po:tˈfouliou əw ˈwery ˈfajn ˈleðə] |
| To bardzo elegancka adwokatka. | This is a very elegant document case. [ðys yz ə ˈwery ˈelygənt ˈdokjumənt kejs] |
| Poproszę o futerał skórzany na aparat fotograficzny. | A leather camera case, please. [ə ˈleðə ˈkæmərə kejs, ˈpli:z] |
| Co zawiera ten neseser? | What does this dressing-case contain? [ˈuot daz ðys ˈdresyŋ kejs kənˈtejn] |

| | |
|---|---|
| Czy to skóra, czy fibra? | Is this leather or fibre?<br>*[yz 'ðys 'leðər o: 'fajbə]* |
| Czy to prawdziwa skóra? | Is this genuine leather?<br>*[yz 'ðys 'dżenjuyn 'leðə]* |
| To jest najlepsza szkocka skóra, jaką można dostać. | This is the best Scotch leather to be had.<br>*[ðys yz ðə 'best 'skocz 'leðə tə bi: hœd]* |
| Ta skóra, zdaje się, jest miększa. | This leather seems softer.<br>*['ðys 'leðə 'si:mz 'softə]* |
| Zobaczy pan, że ta rączka jest bardzo wygodna. | You'll find this handle very comfortable.<br>*[jul 'fajnd ðys 'hœndl 'wery 'kamfətəbl]* |
| Niestety, nie mogę panu naprawić tej walizy. | I'm afraid I cannot repair this suit-case for you.<br>*[ajm ə'frejd aj 'kœnot ry'peə ðys 'sju:tkejs fə ju:]* |

| SŁÓWKA | WORDS | [$^u$*ə:dz*] |
|---|---|---|
| **kufer na odzież** | wardrobe trunk | ['$^u$*o:droub traŋk*] |
| **portmonetka** | purse | [*pə:s*] |
| **raportówka** | map-case | ['*mœp kejs*] |
| **rzemień** | strap | [*strœp*] |
| **smycz** | lead | [*li:d*] |
| **torebka damska** | hand-bag | ['*hœnd bœg*] |
| **tornister** | knapsack | ['*nœpsœk*] |

## XIII. MIASTO / XIII. TOWN [*taun*]

### 1. O mieście (ogólnie) / 1. About the town (in general) [*əbaut ðə 'taun (yn 'dżenrəl)*]

|  |  |
|---|---|
| Byłeś już w tym mieście? | Have you been to this town? [*hœw ju 'bi:n tə ðys 'taun*] |
| Zupełnie nie znam tego miasta. | I don't know this town at all. [*aj 'dount 'nou ðys 'taun ət 'o:l*] |
| Tę część miasta znam nieźle. | I know this part of the town pretty well. [*aj 'nou ðys 'pa:t əw ðə 'taun 'pryty 'uel*] |
| Teraz znam to miasto od końca do końca. | Now I know the town from one end to another. [*'nau aj 'nou ðə 'taun frəm 'uan 'end tu ə'naðə*] |
| Zabłądziłem. | I've lost my way. [*ajw 'lost maj 'uej*] |
| W jakiej dzielnicy jest hotel? | In what part of the town is the hotel? [*yn 'uot 'pa:t əw ðə 'taun yz ðə hou'tel*] |
| Mieszkam w dzielnicy północnej. | I live in the northern district. [*aj 'lyw yn ðə 'no:ðən 'dystrykt*] |
| Port jest w dzielnicy południowej. | The port is in the southern part. [*ðə 'po:t yz yn ðə 'saðən 'pa:t*] |
| Dworzec jest w centrum miasta. | The railway station is in the centre of the town. [*ðə 'rejluej stejszn yz yn ðə 'sentər əw ðə 'taun*] |
| Gdzie jest ogród zoologiczny? | Where is the zoological garden? [*'ueər yz ðə zu'lodżykl 'ga:dn*] |

| | |
|---|---|
| Stadion jest na przedmieściu. | The stadium is in the suburb. *[ðə 'stejdjəm yz yn ðə 'sabə:b]* |
| Komunikacja jest bardzo dobra w tym mieście. | Transport is very good in this town. *['trœnspo:t yz 'wery 'gud yn 'ðys 'taun]* |
| Ile to miasto ma mieszkańców? | What is the population of the town? *['uot yz ðə popju'lejszn əw ðə 'taun]* |
| Nasze miasto to ważny ośrodek przemysłowy. | Our town is an important industrial centre. *[auə 'taun yz ən ym'po:tənt yn'dastrjəl 'sentə]* |
| To miasto jest stolicą okręgu. | The city is the capital of the district. *[ðə 'syty yz ðə 'kœpytl əw ðə 'dystrykt]* |
| W mieście jest pięć dworców kolejowych. | There are five railway stations in the city. *[ðeər ə 'fajw 'rejluej 'stejsznz yn ðə 'syty]* |
| Jest dużo przedszkoli, szkół i uczelni w naszym mieście. | There are many kindergartens, schools and colleges in our town. *[ðeər ə 'meny 'kyndəga:tnz, 'sku:lz ən 'kolydżyz yn auə 'taun]* |

| | |
|---|---|
| Właśnie minęliśmy dworzec. | We have just passed the station.<br>[*ui: həw 'dżast 'pa:st ðə 'stejszn*] |
| Budujemy nowe domy w całym mieście. | We're building new houses all over the town.<br>[*uiə 'byldyŋ 'nju: 'hayzyz 'o:l ouwə ðə 'taun*] |
| Co tam budują? | What are they building over there?<br>[*'uot ə ðej 'byldyŋ ouwə 'ðeə*] |
| Architektura waszego miasta jest nadzwyczaj interesująca. | The architecture of your town is extremely interesting.<br>[*ðy 'a:kytekczər əw jo: 'taun yz eks'tri:mly 'yntrestyŋ*] |
| To przedmieście było zupełnie zniszczone podczas wojny. | This suburb was completely destroyed during the war.<br>[*ðys 'sabə:b uəz kəm'pli:tly dys'trojd djuəryŋ ðə 'uo:*] |
| To jest dzielnica ambasad i poselstw. | This is the quarter of embassies and legations.<br>[*'ðyz yz ðə 'kuo:tər əw 'embəsyz ən le'gejsznz*] |
| Jak pani się podoba ta część Londynu? | How do you like this part of London?<br>[*'hau d ju 'lajk 'ðys 'pa:t əw 'landən*] |
| Nie ma tu sklepów w pobliżu. | There are no shops near here.<br>[*ðeər ə 'nou 'szops 'niə hiə*] |
| To jest nasze ministerstwo oświaty. | This is our Ministry of Education.<br>[*'ðys yz auə 'mynystry əw edju'kejszn*] |
| To będzie chyba uniwersytet. | This will be the University, I suppose.<br>[*'ðys uyl bi: ðə ju:ny'və:syty, aj 'spouz*] |

| | |
|---|---|
| Oto główny szpital, a naprzeciwko niego Akademia Medyczna. | Here's the central hospital and opposite to it the Medical Academy. *['hiəz ðə 'sentral 'hospytl ənd 'opəzyt tuyt ðə 'medykl ə'kœdəmy]* |
| Przejdźmy na drugą stronę. | Let's cross to the other side. *[lets 'kros tə ðy 'aðə 'sajd]* |
| Nie przechodź tędy przez ulicę. | Don't cross the street here. *['dount 'kros ðə 'stri:t 'hiə]* |
| Dojdź do przejścia dla pieszych. | Get to the pedestrian crossing. *['get tə ðə py'destrjən 'krosyŋ]* |
| Ulice są tutaj bardzo ruchliwe. | The streets are very busy here. *[ðə 'stri:ts ə 'wery 'byzy 'hiə]* |
| Policjant reguluje ruch. | The policeman regulates the traffic. *[ðə pə'li:smən 'regjulejts ðə 'trœfyk]* |
| Coś się zepsuło w sygnalizacji świetlnej. | Something's gone wrong with the traffic lights. *['samθyŋz gon 'roŋ uyð ðə 'trœfyk lajts]* |
| Zrobił się wielki korek. | There's a big block in the traffic. *[ðeəz ə 'byg 'blok yn ðə 'trœfyk]* |
| Mnóstwo samochodów jest przed nami. | There's a mass of cars ahead of us. *[ðeəz ə 'ma:s əw 'ka:z ə'hed əw əs]* |
| Jakiś wóz zatrzymał się i nie rusza z miejsca. | A car has stopped and can't restart. *[ə 'ka: həz 'stopt ən 'ka:nt 'ri:'sta:t]* |

| SŁÓWKA | WORDS [$^{u}$ə:dz] | |
|---|---|---|
| aleja | avenue, boulevard | ['æwynju:, 'bu:lwa:] |
| budka telefoniczna | telephone kiosk | ['telyfoun kjosk] |
| bulwar | boulevard, sea-front | ['bu:lwa:, 'si: frant] |
| burmistrz | mayor | [meə] |
| chodnik | pavement, side-walk | ['pejwmənt, 'sajd $^{u}$o:k] |
| cmentarz | cemetery | ['semytry] |
| fontanna | fountain | ['fauntyn] |
| główna ulica | main street | ['mejn 'stri:t] |
| jezdnia | roadway | ['roud$^{u}$ej] |
| kanalizacja | sewerage | ['sju:ərydż] |
| kanał | canal | [kə'næl] |
| koszary | barracks | ['bærəks] |
| latarnia | lantern | ['læntən] |
| miejski | town, municipal, urban | [taun, mju'nysypl, ə:bn] |
| mieszkalny | residential | [rezy'denszl] |
| ogród zoologiczny | zoological garden | [zu'lodżykl 'ga:dn] |
| osiedle | (housing) estate | ['hauzyŋ y'stejt] |
| park | park | [pa:k] |
| pieszy | pedestrian | [py'destrjən] |
| przechodzień | passer-by | ['pa:sə 'baj] |
| rada miejska | town council | ['taun kaunsl] |
| radny | councillor | ['kaunsylə] |
| róg | corner | ['ko:nə] |
| rynek | market place | ['ma:kyt plejs] |
| skwer | square | [sk$^{u}$eə] |
| ściek | gutter | ['gatə] |
| stołeczny | metropolitan | [metrə'polytn] |
| tłum | crowd | [kraud] |
| tunel | tunnel | [tanl] |
| ustęp | lavatory | ['læwətry] |
| zakręt | curve | [kə:w] |
| zamiatać | sweep | [s$^{u}$i:p] |

| 2. Wskazanie drogi | 2. Showing the way ['szouyŋ ðə 'uej] |
|---|---|
| Którędy do ...? | Which way to...? ['uycz uej tə...] |
| Czy może mi pan powiedzieć, którędy się idzie do muzeum? | Can you tell me the way to the museum? ['kœn ju 'tel mi: ðə 'uej tə ðə mju:'ziəm] |
| Przepraszam pana, czy może mi pan powiedzieć, którędy dojść na Oxford Street? | I beg your pardon, sir, can you direct me to Oxford Street? [aj beg jo: 'pa:dn, sə, kœn ju dy'rekt mi: tu 'oksfəd stri:t] |
| Którą ulicą mam iść do Berkeley Gardens? | Which street must I take for Berkeley Gardens? ['uycz 'stri:t mast aj 'tejk fə 'ba:kly 'ga:dnz] |
| Czy dobrze idę na Park Street? | Am I right for Park Street? [œm aj 'rajt fə 'pa:k stri:t] |
| Którędy teraz idziemy? | Which way do we go now? ['uycz uej du: ui: 'gou 'nau] |
| Którędy pan jedzie? | Which way are you going? ['uycz uej ə ju 'gouyŋ] |
| Dokąd prowadzi ta droga? | Where does this road lead to? ['ueə daz ðys 'roud 'li:d tu:] |
| Czy to najkrótsza droga? | Is this the shortest way? [yz 'ðys ðə 'szo:tyst 'uej] |
| Czy tędy najbliżej do High Street? | Is this the shortest way to High Street? [yz 'ðys ðə 'szo:tyst 'uej tə 'haj stri:t] |
| Jaka to ulica? | What street is this? ['uot stri:t yz 'ðys] |
| Czy to jest ... ulica? | Is this ... Street? [yz ðys ... stri:t] |
| Czy to bardzo daleko stąd? | Is it very far from here? [yz yt 'wery fa: frəm 'hiə] |

| | |
|---|---|
| Jak najlepiej tam się dostać? | Which is the best way to get there? [*'uycz yz ðə 'best uej tə 'get ðeə*] |
| Czy tu w pobliżu jest gdzieś poczta? | Is there a post-office anywhere near here? [*yz ðeər ə 'poust ofys enyueə 'niə hiə*] |
| Gdzie tu jest najbliższy garaż? | Where is the nearest garage? [*'ueər yz ðə 'niəryst 'gæra:ż*] |
| Czy może mi pan powiedzieć, gdzie jest najbliższa stacja metra? | Can you tell me where the nearest tube station is? [*kæn ju 'tel mi ueə ðə 'niəryst 'tju:b stejszn 'iz*] |
| Niech pani idzie prosto, aż pani dojdzie do Portland Place. | Go straight on till you come to Portland Place. [*'gou 'strejt 'on tyl ju 'kam tə 'po:tlənd plejs*] |
| Trzecia ulica na lewo. | Third street on your left. [*'ðə:d 'stri:t on jo: 'left*] |
| Proszę skręcić na lewo. | Turn to the left. [*'tə:n tə ðə 'left*] |
| Niech pan skręci w drugą ulicę na prawo. | Take the second turning on your right. [*'tejk ðə 'seknd 'tə:nyŋ on jo: 'rajt*] |
| Niech pan jedzie tą ulicą na prawo. | Take the street on your right. [*'tejk ðə 'stri:t on jo: 'rajt*] |
| Niech pani skręci w następną przecznicę na lewo. | Take the next turning to the left. [*'tejk ðə 'neks 'tənyŋ tə ðə 'left*] |
| Niech pan dojedzie do sygnałów świetlnych. | Go as far as the traffic lights. [*'gou əz fa:rəz ðə 'træfyk lajts*] |
| Musi pani iść z powrotem, aż pani dojdzie do przystanku autobusowego. | You must turn back till you come to the bus stop. [*ju mas 'tə:n 'bæk tyl ju 'kam tə ðə 'bas stop*] |

| | |
|---|---|
| Tam niech pan znowu zapyta o drogę. | Ask your way again there.<br>[*'a:sk jə 'uej ə'gejn ðeə*] |
| Jak długo będę szedł do mostu? | How long will it take me to get to the bridge?<br>[*'hau loŋ uyl yt 'tejk mi: tə 'get tə ðə 'brydż*] |
| Jak pan sądzi, jak długo będę szedł do galerii obrazów? | How long do you think it will take me to the picture gallery?<br>[*'hau loŋ d ju 'θyŋk yt uyl 'tejk mi: tə ðə 'pykczə gœləry*] |
| To mniej niż pięć minut drogi stąd. | It's less than five minutes' walk from here.<br>[*yts 'les ðən 'fajw mynyts 'uo:k frəm hiə*] |
| Czy to ten dom po lewej stronie? | Is it the house on the left?<br>[*yz yt ðə 'haus on ðə 'left*] |
| Gdzie jest wyjście? | Where is the exit?<br>[*'ueər yz ðy 'eksyt*] |
| Tędy proszę, prosto na dół po schodach. | This way, please, right down the stairs.<br>[*'ðys uej 'pli:z, 'rajt 'daun ðə 'steəz*] |
| Tędy do windy, proszę pana. | This way to the lift, sir.<br>[*'ðys uej tə ðə 'lyft, sə*] |

## 3. Komunikacja miejska — 3. Town transport [*'taun trœnspo:t*]

| | |
|---|---|
| Gdzie jest przystanek autobusowy? | Where is the bus stop?<br>[*'ueər yz ðə 'bas stop*] |
| Gdzie się zatrzymuje autobus? | Where does the bus stop?<br>[*'ueə daz ðə 'bas 'stop*] |
| Zatrzymuje się na przeciwległym rogu. | It stops at the opposite corner.<br>[*yt 'stops ət ðy 'opəzyt 'ko:nə*] |
| Co to za autobus? | What bus is this?<br>[*'uot 'bas yz 'ðys*] |

| | |
|---|---|
| On jedzie na lotnisko, prawda? | That takes us to the air-port, doesn't it? *[ðœt 'tejks əs tə ðy 'eə po:t, 'daznt yt]* |
| Nie, proszę pani. Nie przejeżdżamy koło lotniska. | No, lady. We don't pass the air-port. *['nou, lejdy. ui: 'dount 'pa:s ðy 'eə po:t]* |
| Ten autobus skręca w ulicę Oxford. | This bus turns down to Oxford Street. *[ðys 'bas 'tə:nz 'daun tu 'oksfəd stri:t]* |
| Niech pan wsiądzie do następnego autobusu linii nr 19. | Take the next bus, service No. 19. *['tejk ðə 'nekst 'bas, 'sə:wys 'nambə 'najn'ti:n]* |
| Lepiej niech pani jedzie autobusem nr 33. | You'd better take number 33 bus. *[jud bətə 'tejk 'nambə 'θə:ty 'θri: 'bas]* |
| Nadchodzi pana autobus. | Here comes your bus. *['hiə 'kamz jo: 'bas]* |
| Nie ma już wewnątrz miejsca? | No more room inside? *['nou mo: 'rum yn'sajd]* |
| Jest tylko miejsce na górze. | Room upstairs only. *['rum ap'steəz 'ounly]* |
| Proszę pozwolić pasażerom wysiąść. | Allow the passengers to get off, please. *[ə'lau ðə 'pœsyndżəz tə 'get 'of, 'pli:z]* |
| Proszę za bilety. | Fares, please. *['feəz, pli:z]* |
| Ile kosztuje bilet? | What's the fare, please? *['uots ðə 'feə, 'pli:z]* |
| Ile kosztuje bilet do Turnpike Lane? | What's the fare to Turnpike Lane? *['uots ðə 'feə tu 'tə:npajk 'lejn]* |

| | |
|---|---|
| Dwa do Placu Leicester. | Two to Leicester Square, please. *['tu: tə 'lestə 'skᵘeə, pli:z]* |
| Do Placu Trafalgar. | Trafalgar Square, please. *[trə'fœlgə 'skᵘeə, 'pli:z]* |
| Czy pan dojeżdża do dworca Paddington? | Do you go as far as Paddington Station? *[d ju 'gou əz fa:r əz 'pœdyŋtən 'stejszn]* |
| Chciałbym dojechać do ulicy Hart. | I want to go as far as Hart Street. *[aj 'ᵘont tə 'gou əz fa:r əz 'ha:t stri:t]* |
| Powiem pani, gdzie to jest, gdy tam dojedziemy. | I'll tell you where it is when we get there. *[ajl 'tel ju 'ᵘeər yt 'yz 'ᵘen ᵘi: 'get ðeə]* |
| To nie bardzo daleko autobusem. | It's not a very long bus ride. *[yts 'not ə 'wery 'loŋ 'bas rajd]* |
| Przejedzie pan przez most. | You'll go over the bridge. *[jul 'gou ouwə ðə 'brydż]* |
| Proszę się przesiąść na Placu Picadilly. | Change at Picadilly Circus. *['czejndż ət 'pykədyly sə:kəs]* |
| Proszę zaczekać, panie konduktorze, wysiadam tutaj. | Hold on, conductor, I'm getting off here. *['hould 'on, kən'daktə, ajm getyŋ 'of hiə]* |
| Pojedziemy osiemnastką? | Shall we take number eighteen tram? *[szœl ᵘi·'tejk 'nambər 'ejti:n 'trœm]* |
| Nadchodzi nasz tramwaj. Co za szturm! | Here comes our tram. What a rush! *[hiə 'kamz auə 'trœm. ᵘot ə 'rasz]* |
| Czy dobrze jadę do ...? | Am I right for... ? *[œm aj 'rajt fə...]* |

| | |
|---|---|
| Nie lubię stać w tramwaju i wolę chodzić pieszo. | I hate standing in a tram, so I prefer to walk.<br>*[aj 'hejt 'stœndyŋ yn ə 'trœm, sou aj pry'fə: tə 'uo:k]* |
| Stańmy sobie na zewnątrz, na platformie. | Shall we stand outside on the platform?<br>*[szœl ui 'stœnd aut'sajd on ðə 'plœtfo:m]* |
| Musimy tu wysiąść. | We've got to get off here.<br>*[ui:w got tə 'get 'of 'hiə]* |
| Tylko trolejbus dochodzi do zoo. | Only the trolley-bus gets as far as the zoo.<br>*['ounly ðə 'troly bas 'gets əz fa:r əz ðə zu:]* |
| Gdzie mam wysiąść na stadion, panie konduktorze? | Where am I to get off for the stadium, conductor?<br>*['ueər œm aj tə 'get 'of fə ðə 'stejdiə, kən'daktə]* |
| Obawiam się, że tak daleko żaden tramwaj nie dochodzi. | No tram gets as far as that, I'm afraid.<br>*['nou 'trœm 'gets əz fa:r əz 'ðœt, ajm 'əfrejd]* |
| Pan jedzie w złym kierunku. | You're going in the wrong direction, sir.<br>*[juə 'gouyŋ yn ðə 'roŋ dy'rekszn, sə]* |
| Nie znoszę jazdy metrem. | I hate going by tube.<br>*[aj 'hejt 'gouŋ baj 'tju:b]* |
| Metro jest zbyt hałaśliwe. | The tube is too noisy.<br>*[ðə 'tju:b yz 'tu: 'nojzy]* |
| Ale jakie wygodne jest metro! | But how comfortable the tube is!<br>*[bat 'hau 'kamftəbl ðə 'tju:b 'yz]* |
| Dwa (jednorazowe) do Bond Street. | Two singles to Bond Street, please.<br>*['tu: 'syŋglz tə 'bond stri:t, 'pli:z]* |

| | |
|---|---|
| Czy pan też jedzie metrem? | Are you taking the underground as well? [*a: ju 'tejkyŋ ðy 'andəgraund əz 'uel*] |
| Czy linią Bakerloo dojedzie się do Charing Cross? | Is the Bakerloo Line right for Charing Cross? [*yz ðə 'bejkə·lu: lajn 'rajt fə 'czœryŋ 'kros*] |
| Czy na Russel Square z tego peronu? | Is this the right platform for Russell Square? [*yz ðys ðə 'rajt 'plœtfo:m fə 'rasl skueə*] |
| Do stacji Victoria niech pan jedzie linią Green (zieloną). | Take the Green Line for Victoria. [*'tejk ðə 'gri:n 'lajn fə wyk'to:riə*] |
| Wagon dla palących jest na końcu. | Smoking-car in the rear, please. [*'smoukyŋ ka:r yn ðə 'riə, 'pli:z*] |
| Proszę wysiadać. | All change here. [*'o:l 'czejndż 'hiə*] |
| Niech pani nie wchodzi po schodach; pojedziemy windą. | Don't go up the stairs; we'll take the lift. [*'dount 'gou ap ðə 'steəz; uyl 'tejk ðə 'lyft*] |
| Taksówka! | Taxi! [*'tœksy*] |
| Musimy wziąć taksówkę. | We must get a taxi. [*ui məst 'get ə 'tœksy*] |
| Niech pan zadzwoni po taksówkę. | Telephone for a taxi. [*'telyfoun fər ə 'tœksy*] |
| Proszę przysłać taksówkę Calthorpe Street 8. | Please send a taxi to 8 Calthorpe Street. [*'pli:z 'send ə 'tœksy tu 'ejt 'ko:lθo:p stri:t*] |

| | |
|---|---|
| Akurat przed bankiem jest postój taksówek. | There's a taxi rank just in front of the bank. [*ðeəz ə 'tæksy ræŋk dżast yn 'frant əw ðə 'bænk*] |
| Zaraz przyjadę taksówką. | I'm coming along in a taxi at once. [*ajm 'kamyŋ ə'loŋ yn ə 'tæksy ət 'uans*] |
| Czy mam powiedzieć szoferowi, dokąd jechać? | Shall I tell the driver where to go? [*szœl aj 'tel ðə 'drajwə ueə tə 'gou*] |
| Dzień dobry, pan będzie łaskaw najpierw do Marble Arch. | Good morning, will you please go first to Marble Arch. [*gud 'mo:nyŋ, uyl ju 'pli:z 'gou 'fə:st tə 'ma:bl 'a:cz*] |
| Pan będzie łaskaw zatrzymać się przy banku Lloyda. | Will you please stop at Lloyds Bank? [*uyl ju 'pli:z 'stop ət 'lojdz 'bœŋk*] |
| Teraz chciałam jechać do (magazynu) Harrods. | I want to go to Harrods now, please. [*aj 'uont tə 'gou tə 'hœrədz 'nau, 'pli:z*] |
| Niech pan jedzie przez park. | Take us through the park, please. [*'tejk as θru: ðə 'pa:k, 'pli:z*] |
| Proszę podrzucić panią na dworzec, a potem jechać na ulicę Victoria 12. | Please drop this lady at the station and then go to 12 Victoria Street. [*'pli:z 'drop ðys 'lejdy ət ðə 'stejszn ən 'ðən 'gou tə 'tuelw wyk'to:riə stri:t*] |
| Ma pan co drobnych na taksówkę? | Have you got some small change for your taxi? [*hœw ju got sam 'smo:l 'czejndż fə jo: 'tæksy*] |

| | |
|---|---|
| Ile wskazuje licznik? | What does the meter say? [*ˈuot daz ðə ˈmi:tə ˈsej*] |
| Czy mógłby mnie pan podwieźć? | Could you give me a lift? [*kud ju ˈgyw mi: ə ˈlyft*] |

## 4. Zabytki i osobliwości / 4. Monuments and sights [*ˈmonjumənts ənd ˈsajts*]

| | |
|---|---|
| Co panów interesuje z osobliwości miasta: stare budowle, zabytki czy nowoczesny rozwój miasta? | What sights of the town are you interested in, gentlemen? Old buildings, monuments or the modern development of the city? [*ˈuot ˈsajts əw ðə ˈtaun a: ju ˈyntrystyd ˈyn, ˈdżentlmən. ˈould ˈbyldyŋz, ˈmonjumənts o: ðə ˈmodn dyˈweləpmənt əw ðə ˈsyty*] |

| | |
|---|---|
| Kto zbudował ten pomnik? | Who built this monument? [*ˈhu: ˈbylt ðys ˈmonjumənt*] |
| Zobaczmy, co o nim mówi przewodnik, dobrze? | Let's see what the guide-book says about it, shall we? [*lets ˈsi: ˈuot ðə ˈgajdbuk ˈsez əbaut yt, ˈszœl ui:*] |

Ten pałac wzniesiono w XVII stuleciu. — This palace was erected in the seventeenth century.
*[ðys 'pælys ^uəz y'rektyd yn ðə 'sewnti:nθ 'senczəry]*

Kiedy zbudowano ten pomnik? — When was this monument built?
*['^uen ^uəz ðys 'monjumənt 'bylt]*

W większości miast angielskich jest pomnik ku czci poległych. — In most English towns there's a war memorial.
*[yn 'moust 'yŋglysz 'taunz ðeəz ə '^uo: my'mo:riəl]*

Ta tablica jest ku czci zamordowanych przez hitlerowców. — This plaque is in honour of those murdered by the Nazis.
*[ðys 'pla:k yz yn 'onər əw 'ðouz 'mə:dəd baj ðə 'na:tsyz]*

Kogo przedstawia ten posąg na koniu? — Who does this equestrian statue represent?
*['hu: daz ðys y'k^uestriən 'stætju: repry'zent]*

Co mówi ten napis? — What does this inscription say?
*['^uot daz ðys yn'skrypszn 'sej]*

To bardzo późny gotyk albo bardzo wczesny renesans, albo i to, i to. — It's very late Gothic, or very early Renaissance, or both.
*[yts 'wery 'lejt 'goθyk, o: 'wery 'ə:ly rə'nejsns, o: 'bouθ]*

Fasada jest niczym wobec wnętrza. — The façade is nothing to the interior.
*[ðə fə'sa:d yz 'naθyŋ tə ðy yn'tiəriə]*

Ten słynny poeta umarł tutaj. — The famous poet died here.
*[ðə 'fejməs 'poet 'dajd hiə]*

W budynku mieści się teraz muzeum. — The building now contains a museum.
*[ðə 'byldyŋ 'nau kən'tejnz ə mju:'ziəm]*

| | |
|---|---|
| To jest jeden z najpiękniejszych kościołów naszego miasta. | This is one of the loveliest churches of our city. *['ðys yz 'uan əw ðə 'lawlyyst 'czə:czyz əw auə 'syty]* |
| To jest publiczna galeria obrazów. | This is the public picture gallery. *[ðys yz ðə 'pablyk 'pykczə 'gœləry]* |
| To jest dawna rezydencja naszych królów. | That used to be a residence of our kings. *['ðœt ju:t tə bi: ə 'rezydəns əw auə 'kyŋz]* |
| Czy jest dostępna dla publiczności? | Is it open to the public? *[yz yt 'oupn tə ðə 'pablyk]* |
| Ile kosztuje wstęp? | What is the admission? *['uot yz ðy əd'myszn]* |

| SŁÓWKA | WORDS | [uə:dz] |
|---|---|---|
| **budowla** | building | ['byldyŋ] |
| **cytadela** | citadel | ['sytədl] |
| **dom** | house | [haus] |
| **fundamenty** | foundations | [faun'dejsznz] |
| **giełda** | stock exchange | ['stok yksczejndż] |
| **gmach** | building, edifice | ['byldyŋ, 'edyfys] |
| **izba** | chamber | ['czejmbə] |
| **katedra** | cathedral | [kə'θi:drəl] |
| **kolumna** | column | ['koləm] |
| **konsulat** | consulate | ['konsjulyt] |
| **meczet** | mosque | [mosk] |
| **mury miejskie** | town-walls | ['taun uo:lz] |
| **pałac** | palace | ['pœlys] |
| **ratusz** | town-hall | ['taun ho:l] |
| **ruiny** | ruins | ['ru:ynz] |
| **sąd** | law-court | ['lo:ko:t ] |
| **synagoga** | synagogue | ['synəgog] |
| **trybunał** | tribunal | [try'bju:nl] |
| **wieża** | tower | [tauə] |
| **willa** | villa | ['wylə] |
| **zamek** | castle | [ka:sl] |

Jutro idziemy do British Museum.

Tomorrow we're going to the British Museum.
[*tə'morou* $^{u}$*iə 'gouyŋ tə ðə 'brytysz mju:ziəm*]

To muzeum sztuki starożytnej.

It's a museum of ancient art.
[*yts ə mju:'ziəm əw 'ejnsznt 'a:t*]

Nasze muzeum ma także piękną kolekcję nowoczesnego malarstwa.

Our museum has also a fine collection of modern painting.
[*auə mju:'ziəm hæz 'o:lsou ə 'fajn kə'lekszn əw 'modən 'pejutyŋ*]

Może pani tam zobaczyć kilka ładnych rzeźb marmurowych.

You can see some fine specimens of marble sculpture there.
[*ju kən 'si: səm 'fajn 'spesymynz əw 'ma:bl 'skalpczə ðeə*]

Zabiorę panią jutro do Wallace Collection.

I'll take you to see the Wallace Collection tomorrow.
[*ajl 'tejk ju tə 'si: ðə* '$^{u}$*oləs kə'lekszn tə'morou*]

Katalog można dostać przy wejściu.

You can get a catalogue at the entrance.
[*ju kən 'get ə kœtəlog ət ðy 'entrəns*]

Zwiedziłem wszystkie zbiory broni średniowiecznej.

I've visited all the collections of mediaeval arms.
[*ajw 'wyzytyd 'o:l ðə kə'leksznz əw medy'i:wl 'a:mz*]

Wstęp na wystawę w czwartki jest bezpłatny.

The admission to the exibition is free on Thursday.
[*ðy əd'myszn tə ðy eksy'byszn yz 'fri: on 'θə:zdy*]

| SŁÓWKA | WORDS [ᵘə:dz] | |
|---|---|---|
| akwarela | water-colours | [ᵘo:tə kaləz] |
| barok | baroque | [bə'rouk] |
| ceramika | pottery | ['potəry] |
| drzeworyt | woodcut | ['ᵘudkat] |
| epoka | epoch | ['i:pok] |
| fresk | mural | ['mjuərəl] |
| grafika | graphic art | ['græfyk 'a:t] |
| historyczny | historical | [hys'torykl] |
| kultura | culture | ['kalczə] |
| malarstwo olejne | oil painting | ['ojl pejtyŋ] |
| numizmatyka | numismatics | [nju:myz'mætyks] |
| płótno | canvas | ['kænwəs] |
| przedhistoryczny | prehistoric | ['pri:hys'toryk] |
| rokoko | rococo | [rə'koukou] |
| średniowieczny | mediaeval | [medy'i:wl] |
| współczesny | contemporary | [kən'tempərəry] |

## 5. Ogród Zoologiczny

## 5. Zoological garden [zu'lodżykl 'ga:dn]

Czy pójdziemy dziś do Zoo?

Shall we go to the zoo today? [szœl ᵘi: 'go tə ðə 'zu: tə'dej]

W naszym Zoo jest dużo egzotycznych zwierząt.

There are many exotic animals in our zoo. [ðeər a: meny eg'zotyk 'ænymlz yn auə 'zu:]

Londyńskie Zoo jest bardzo ciekawe.

The London Zoo is very interesting. [ðə 'landən 'zu: yz 'wery 'yntrestyŋ]

Te małpy są bardzo śmieszne.

These monkeys are very funny. [ði:z 'maŋkyz ə 'wery 'fany]

Czy zaczekamy, żeby zobaczyć hipopotama?

Shall we wait and see the hippopotamus? [szœl ᵘi: 'ᵘejt ən 'si: ðə hypə'potəməs]

| | |
|---|---|
| Obejrzymy teraz ptaki. | We'll see the birds now.<br>*[ui:l 'si: ðə 'bə:dz nau]* |
| Dzieci mogą przejechać się na ośle. | The children can have a ride on the donkey.<br>*[ðə 'czyldrən kən 'hœw ə 'rajd on ðə 'doŋky]* |
| Możemy obejrzeć w akwarium niektóre gatunki ryb tropikalnych. | We can see some species of tropical fish in the aquarium.<br>*[ui: kən 'si: sam 'spi:szi:z əw 'tropykl 'fysz yn ðy ə'kueəriəm]* |
| W tej klatce są dwa lwy. | There are two lions in this cage.<br>*[ðeər ə 'tu: 'lajənz yn ðys 'kejdż]* |
| Te białe (polarne) niedźwiedzie są faworytami publiczności. | These polar bears are favourites of the public.<br>*[ði:z 'poulə 'beə:z ə 'fejwryts əw ðə 'pablyk]* |
| Jak te zwierzęta znoszą wasz klimat? | How do these animals stand your climate?<br>*['hau du ði:z 'œnymlz 'stœnd jo: 'klajmyt]* |
| Nie karm zwierząt. | Do not feed the animals.<br>*[du 'not 'fi:d ðy 'œnymlz]* |
| O której godzinie karmi się zwierzęta? | What time are the animals fed?<br>*['uot tajm ə ðy 'œnymlz 'fed]* |
| Wstęp do pawilonu owadów jest wolny. | The admission to the insect pavilion is free.<br>*[ðy əd'myszn tə ðy 'ynsekt pəwyljən yz 'fri:]* |

| SŁÓWKA | WORDS | [ᵘə:dz] |
|---|---|---|
| **Ptaki i zwierzęta** | **Birds and beasts** | *['bə:dz ənd 'bi:sts]* |
| antylopa | antelope | *['æntyloup]* |
| baran | ram | *[ræm]* |
| bocian | stork | *[sto:k]* |
| bóbr | beaver | *['bi:wə]* |
| byk | bull | *[bul]* |
| dzik | boar | *[bo:]* |
| foka | seal | *[si:l]* |
| gęś | goose | *[gu:s]* |
| gołąb | pigeon | *[pydżyn]* |
| hiena | hyena | *[ha'i:nə]* |
| hipopotam | hippopotamus | *[hypə'potəməs]* |
| indyk | turkey | *['tə:ky]* |
| jaguar | jaguar | *['dżægjuə]* |
| jaskółka | swallow | *['sᵘolou]* |
| jaszczurka | lizard | *['lyzəd]* |
| jeleń | stag | *[stæg]* |
| jeż | hedgehog | *['hedżog]* |
| kaczka | duck | *[dak]* |
| kogut | cock | *[kok]* |
| koń | horse | *[ho:s]* |
| kot | cat | *[kæt]* |
| koza | goat | *[gout]* |
| kret | mole | *[moul]* |
| krokodyl | crocodile | *['krokədajl]* |
| krowa | cow | *[kau]* |
| królik | rabbit | *['ræbyt]* |
| kruk | raven | *[rejwn]* |
| kura | hen | *[hen]* |
| lampart | leopard | *['lepəd]* |
| lew | lion | *['lajən]* |
| lis | fox | *[foks]* |
| łabędź | swan | *[sᵘon]* |
| małpa | monkey | *['maŋky]* |
| mewa | sea-gull | *['si:gal]* |
| mors | walrus | *['ᵘo:lrəs]* |

| | | |
|---|---|---|
| **motyl** | butterfly | *['batəflaj]* |
| **mrówka** | ant | *[ænt]* |
| **mysz** | mouse | *[maus]* |
| **niedźwiedź** | bear | *[beə]* |
| **nietoperz** | bat | *[bæt]* |
| **nosorożec** | rhinoceros | *[raj'nosərəs]* |
| **orzeł** | eagle | *[i:gl]* |
| **osa** | wasp | *[uosp]* |
| **osioł** | donkey | *['doŋky]* |
| **owca** | sheep | *[szi:p]* |
| **papuga** | parrot | *['pærət]* |
| **paw** | peacock | *['pi:kok]* |
| **pies** | dog | *[dog]* |
| **rekin** | shark | *[sza:k]* |
| **sarna** | roe-deer | *['rou diə]* |
| **skowronek** | skylark | *['skajla:k]* |
| **słoń** | elephant | *['elyfənt]* |
| **słowik** | nightingale | *['najtyŋgejl]* |
| **sowa** | owl | *[aul]* |
| **struś** | ostrich | *[ostrycz]* |
| **szakal** | jackal | *['dżæko:l]* |
| **szczur** | rat | *[ræt]* |
| **świnia** | swine, pig | *[suajn, pyg]* |
| **tchórz** | polecat | *['poulkæt]* |
| **tygrys** | tiger | *['tajgə]* |
| **wąż** | serpent | *['sə:pnt]* |
| **wielbłąd** | camel | *[kæml]* |
| **wieloryb** | whale | *[uejl]* |
| **wiewiórka** | squirrel | *['skuyrəl]* |
| **wilk** | wolf | *[uulf]* |
| **wrona** | crow | *[krou]* |
| **zając** | hare | *[heə]* |
| **żaba** | frog | *[frog]* |
| **żmija** | snake | *[snejk]* |
| **żółw** | tortoise | *['to:təs]* |
| **żubr** | bison | *[bajsn]* |
| **żyrafa** | giraffe | *[dży'ra:f]* |

## XIV. ROZRYWKI — XIV. ENTERTAINMENT

[*entə'tejnmənt*]

### 1. Życie towarzyskie — 1. Social life

['*souszl 'lajf*]

| | |
|---|---|
| Kapitan Walter, Pani Webb. | Captain Walter, Mrs. Webb. [*kœptyn 'uo:ltə, mysyz 'ueb*] |
| To jest panna Black. | This is Miss Black. ['*ðys yz mys 'blœk*] |
| To mój znajomy, pan Williams. | This is my friend, Mr. Williams. ['*ðys yz maj 'frend, mystə 'uyljəmz*] |
| Panowie pozwolą, pan Smith. | Gentlemen, allow me, Mr. Smith. ['*dżentlmən, ə'lau mi:, mystə 'smyθ*] |
| Chciałbym przedstawić pana Howe. | May I introduce Mr. Howe? ['*mej aj yntro'dju:s mystə 'hau*] |
| Chciałabym państwu przedstawić profesora Lewis. | May I introduce Prof. Lewis to you? ['*mej aj yntro'dju:s profesə 'luys tu 'ju:*] |
| Pani pozwoli, że panią przedstawię pani Green. | Let me introduce you to Mrs. Green. ['*let mi: yntro'dju:s ju tu mysyz 'gri:n*] |
| Pani pozwoli, że pani przedstawię generała Hudson. | Let me introduce Gen. Hudson to you. ['*let mi: yntro'dju:s dżenrəl 'hadsn tu 'ju:*] |
| Cieszę się, że pana poznałam. | I'm pleased to meet you. [*ajm 'pli:zd tə 'mi:t ju*] |
| O, my się już znamy. | Oh, we have met before. ['*ou, 'ui: həw 'met by'fo:*] |

| | |
|---|---|
| Muszę odwiedzić pannę Brown. | I have to go and see Miss Brown.<br>[*aj hœw tə 'gou ən 'si: mys 'braun*] |
| Zaproszono mnie wczoraj wieczorem na przyjęcie. | I was invited to a party yesterday.<br>[*aj* ᵘ*əz yn'wajtyd tu ə 'pa:ty 'jestədej*] |
| Mam nadzieję, że pan ma czas w piątek wieczór. | I hope you're free on Friday evening.<br>[*aj 'houp juə 'fri: on 'frajdy 'i:wnyŋ*] |
| Spodziewam się, że pan przyjdzie dziś do mnie na drugie śniadanie. | I'm expecting you for lunch today.<br>[*ajm yks'pektyŋ ju: fə 'lancz tə'dej*] |
| Przyjemnie nam będzie, jeśli pan przyjdzie do nas pojutrze na podwieczorek. | We'll be delighted to see you for tea the day after tomorrow.<br>[ᵘ*yl bi: dy'lajtyd tə 'si: ju fə 'ti: ðə 'dej a:ftə tə'morou*] |
| Pani Barton wydaje przyjęcie (z wódką) o piątej trzydzieści. | Mrs. Barton is giving a cocktail party at five-thirty.<br>[*mysyz 'ba:tn yz 'gywyŋ ə 'koktejl pa.ty ət 'fajw 'θə:ty*] |
| Prosił mnie, bym przyprowadził do niego znajomych. | He asked me to bring my friends to him.<br>[*hi: 'ast mi: tə 'bryŋ maj 'frendz tə hym*] |
| Kiedy można się pana spodziewać? | When may I expect you?<br>['ᵘ*en mej aj yks'pekt ju:*] |
| Niech pan przyjdzie, kiedy pan chce. | Come any time you like.<br>[*'kam 'eny tajm ju 'lajk*] |
| Może zjemy razem obiad dziś wieczór, skoro nie ma pan nic lepszego do roboty. | Perhaps we can have dinner together tonight if you have nothing better to do.<br>[*pə'hœps* ᵘ*i: kən hœw 'dynə tə'geðə tə'najt yf ju hœw 'naθyŋ 'betə tə du:*] |

Spotkajmy się w hallu o piątej i porozmawiajmy.

Shall we meet in the lobby at five and have a talk.
*[szœl ui: 'mi:t yn ðə 'loby ət 'fajw ən hœw ə 'to:k]*

Czy będą od nas wymagać strojów wieczorowych?

Shall we be expected to wear evening dresses?
*[szœl ui: bi: yks'pektyd tə 'ueər 'iwnyŋ dresyz]*

Spacerowy garnitur wystarczy.

A lounge suit will do.
*[ə 'laundż sju:t uyl 'du:]*

Nie potrzebuje pan kłaść smokinga na przyjęcie.

You need not put on your dinner jacket for the party.
*[ju 'ni:d not 'put 'on jo: 'dynə dżœkyt fə ðə 'pa:ty]*

Nie mam czasu ubrać się na przyjęcie.

I have no time to dress for the party.
*[aj hœw 'nou 'tajm tə 'dres fə ðə 'pa:ty]*

Mam nadzieję, że panu nie przeszkadzam.

I hope I do not inconvenience you.
*[aj 'houp aj du not ynkən'winjəns ju:]*

To bardzo ładnie, że pan mnie odwiedził.

It is very kind of you to see me.
*[yt yz 'wery 'kajnd əw ju tə 'si: mi:]*

Dziękuję za herbatkę.

Thank you for a nice tea.
*['θœŋk ju fər ə 'najs 'ti:]*

Naprawdę muszę już teraz uciekać.

I really ought to go now.
*[aj 'riəly o:t tə 'gou 'nau]*

Muszę iść.

I must go.
*[aj məst 'gou]*

Pana Smitha nie było, więc zostawiłem wizytówkę.

Mr. Smith was out, so I left my card.
*[mystə 'smyθ uəz 'aut, sou aj 'left maj 'ka:d]*

| **SŁÓWKA** | **WORDS** | [ᵘə:dz] |
|---|---|---|
| **gospodarz** | host | [*houst*] |
| **gość** | guest | [*gest*] |
| **kasyno** | casino | [*kə'si:nou*] |
| **klub** | club | [*klab*] |
| **kolega** | colleague | [*'koli:g*] |
| **pogawędka** | talk, chat | [*to:k, czæt*] |
| **przyjaciel** | friend | [*frend*] |
| **przyjęcie** | reception, party | [*ry'sepszn, 'pa:ty*] |
| **tańcówka** | dance | [*da:ns*] |
| **wizyta** | visit | [*'wyzyt*] |
| **zaproszenie** | invitation | [*ynwy'tejszn*] |
| **przyjąć zaproszenie** | accept an invitation | [*ə'ksept ən ynwy'tejszn*] |
| **nie przyjąć zaproszenia** | decline an invitation | [*dy'klajn ən ynwy'tejszn*] |
| **złożyć wizytę** | pay a visit | [*'pej ə 'wyzyt*] |

Zagrajmy w brydża. — Let's have a game of bridge.
[*lets hœw ə 'gejm əw 'brydż*]

Ja nie jestem amatorem brydża. — I'm not a great man for bridge.
[*ajm 'not ə 'grejt 'mœn fə 'brydż*]

Zagrałby pan w brydża? — Would you care for a game of bridge?
[*ᵘud ju 'keə fər ə 'gejm əw 'brydż*]

Czy pan często gra w brydża? — Do you often play bridge?
[*d ju 'o:fn 'plej 'brydż*]

Niestety, nie gram w karty. — I don't play any card-games, I'm afraid.
[*aj 'dount 'plej eny 'ka:dgejmz, ajm ə'frejd*]

Ale na pewno pan gra w domino, prawda? — But you certainly play dominoes, don't you?
[*bat ju 'sə:tynly 'plej 'domynouz, 'dount ju*]

| | |
|---|---|
| Kto umie wróżyć z kart? | Who can tell fortunes by cards? *['hu: kən 'tel 'fo:cznz baj 'ka:dz]* |
| Nie lubię grać na pieniądze. | I don't like to play for money. *[aj 'dount 'lajk tə 'plej fə 'many]* |
| Po ile gracie? | What are you playing for? *['uot ə ju 'plejyŋ fo:]* |
| Możemy grać o bardzo małe stawki albo bez pieniędzy. | We can play for very small stakes or for love. *[ui: kən 'plej fə 'wery 'smo:l 'stejks o: fə 'law]* |
| Nigdy nie rozwiązuję krzyżówek. | I never do crosswords. *[aj 'newə 'du: 'krosuə:dz]* |
| Wygrałem niewielką nagrodę w totku. | I've won a small prize in the football pools. *[ajw 'uan ə 'smo:l prajz yn ðə 'futbo:l pu:lz]* |
| Czy pan lubi grać w totka? | Are you fond of doing the football pools? *[a: ju 'fond əw 'du:yŋ ðə 'futbo:l pu:lz]* |
| On świetnie gra w szachy. | He's an expert chess player. *[hyz ən 'ekspət 'czes plejə]* |
| Czy pani zna jakieś angielskie gry towarzyskie? | Do you know any English parlour games? *[d ju 'nou eny 'yŋglysz 'pa:lə gejmz]* |
| Gra „Dwadzieścia` pytań" przywędrowała do nas z Anglii. | "Twenty Questions" has come to us from Britain. *['tuenty 'kueszcznz həz 'kam tu as frəm 'brytn]* |
| Zagramy, jeśli będzie padać. | We shall have a game if it rains. *[ui szəl hœw ə 'gejm yf yt 'rejnz]* |

| SŁÓWKA | WORDS | [ᵘə:dz] |
|---|---|---|
| as | ace | [ejs] |
| atu | trump | [tramp] |
| bez atu | no trump | ['nou 'tramp] |
| dama | queen | [kᵘi:n] |
| dziadek | dummy | ['damy] |
| dziesiątka | ten | [ten] |
| karo | diamond | ['dajəmənd] |
| kier | heart | [ha:t] |
| król | king | [kyŋ] |
| licytować | bid | [byd] |
| pas | pass, no bid | [pa:s, 'nou 'byd] |
| pik | spade | [spejd] |
| rozdawać karty | deal | [di:l] |
| tasować | shuffle | [szafl] |
| trefl | club | [klab] |
| walet | jack | [dżœk] |
| wychodzić | lead | [li:d] |

## 2. Teatr, koncert, opera, kino, cyrk

## 2. Theatre, concert, opera, cinema, circus

*['θiətə, 'konsət, 'oprə, 'synymə, 'sə:kəs]*

### a. Teatr

### a. Theatre

*['θiətə]*

Chciałabym iść dziś wieczorem do teatru. — I should like to go to the theatre tonight.
*[aj szud lajk tə 'gou tə ðə 'θiətə tə'najt]*

Na co panowie dziś idą? — What are you seeing tonight?
*['ᵘot ə ju 'si:yŋ tə'najt]*

Co grają w teatrze? — What is on at the theatre?
*['ᵘot yz 'on ət ðə 'θiətə]*

W Ateneum jest jakaś komedia. — There's a comedy on at the Atheneum.
*[ðeəz ə 'komydy 'on ət ðy œθy'ni:əm]*

| | |
|---|---|
| O której się zaczyna? | What time does is start? *['uot tajm daz yt 'sta:t]* |
| O której się kończy? | What time does it end? *['uot tajm daz yt 'end]* |
| Niech pan kupi dla nas dwa bilety. | Book two seats for us. *['buk 'tu: 'si:ts fər as]* |
| Proszę trzy bilety na sobotę. | Three seats for Saturday, please. *['θri: 'si:ts fə 'sætədy, pli:z]* |
| Który rząd? | Which row? *['uycz 'rou]* |
| W pierwszym mam trzy miejsca boczne. | I have three side seats in the first row. *[aj hæw 'θri: 'sajd 'si:ts yn ðə 'fə:st 'rou]* |
| Mam jeszcze dwa miejsca w dziesiątym rzędzie. | I have another two seats in the tenth row. *[aj hæw ə'naðə 'tu: 'si:ts yn ðə 'tenθ 'rou]* |
| Będzie widać wszystko z tych miejsc? | Will we see everything from these seats? *[uyl ui: 'si: 'ewryθyŋ frəm ði:z 'si:ts]* |
| Musi pani odebrać bilety przed przedstawieniem. | You must collect the tickets before the performance. *[ju məst kə'lekt ðə 'tykyts byfo: ðə pə'fo:məns]* |
| Te miejsca są daleko od sceny, więc musimy wziąć lornetkę. | These seats are a long way from the stage so we must take opera-glasses. *[ði:z 'si:ts ər ə 'loŋ 'uej frəm ðə 'stejdż sou ui: mas 'tejk 'oprə gla:syz]* |
| Nie lubię przychodzić w ostatniej chwili. | I hate coming at the last moment. *[aj 'hejt 'kamyŋ ət ðə 'la:st 'moumənt]* |

| | |
|---|---|
| Szatnia dla panów po lewej stronie, dla pań po prawej. | Gentlemen's cloakroom on the left, ladies' on the right. *['dżentlmənz 'kloukru:m on ðə 'left, 'lejdyz on ðə 'rajt]* |
| Czy można zostać w płaszczu? | May I keep my cloak? *['mej aj 'ki:p maj 'klouk]* |
| Program, proszę pana? | Programme, sir? *['prougrəm, sə]* |
| Ani jednego wolnego miejsca nie ma. | Not a single seat free. *[not ə 'syŋgl 'si:t 'fri:]* |
| To premiera tej sztuki. | It's the first night of the play. *[yts ðə 'fə:st 'najt əw ðə 'plej]* |
| To wina reżysera. | The producer is to blame for that. *[ðə prə'dju:sər yz tə 'blejm fə 'ðœt]* |
| To jedna z najlepszych naszych aktorek. | She's one of our best actresses. *[szyz '$^{u}$an əw auə 'best 'œktrysyz]* |
| Który akt podobał się pani najbardziej? | Which act did you like most? *['$^{u}$ycz œkt dyd ju 'lajk 'moust]* |
| Może pan zapalić w przerwie. | You may have a smoke at the interval. *[ju mej hœw ə 'smouk ət ðy 'yntəwl]* |
| Weźmiemy kawę czy herbatę? | Shall we take coffee or tea? *[szœl $^{u}$i: 'tejk 'kofy o: 'ti:]* |
| W foyer nie wolno palić, przejdźmy do palarni. | No smoking in the foyer, let's go to the smoking-room. *['nou 'smoukyŋ yn ðə 'fojeə, lets 'gou tə ðə 'smoukyŋ rum]* |

| **SŁÓWKA** | **WORDS** | *[$^{u}$ə:dz]* |
|---|---|---|
| **epilog** | epilogue | *['epylog]* |
| **dekoracje** | décor, scenery | *[dy'ko:, 'si:nəry]* |
| **dramat** | drama | *['dra:mə]* |
| **farsa** | farce | *[fa:s]* |
| **kostiumy** | costumes | *['kostju:mz]* |

| SŁÓWKA | WORDS | [ᵘə:dz] |
|---|---|---|
| **kurtyna** | curtain | *['kə:tyn]* |
| **monolog** | monologue, soliloquy | *['monəlog, sə'lyləkᵘy]* |
| **plakat teatralny** | play-bill | *['plej byl]* |
| **prolog** | prologue | *['proulog]* |
| **przedstawienie galowe** | gala performance | *['ga:lə pə'fo:məns]* |
| **przerwa** | interval | *['yntəwl]* |
| **rekwizyty** | properties | *['propətyz]* |
| **repertuar** | repertoire | *['repətᵘa:]* |
| **rola** | role, part | *[roul, pa:t]* |
| **rola główna** | principal part | *['prynsypl 'pa:t]* |
| **rola tytułowa** | title-role | *['tajtl roul]* |
| **tragedia** | tragedy | *['trœdżydy]* |
| **wystawiać sztukę** | produce a play | *[prə'dju:s ə 'plej]* |

## b. Koncert

## b. Concert
*['konsət]*

| | |
|---|---|
| Chciałbym panią zaprosić na koncert. | I'd like to invite you to a concert. *[ajd 'lajk tu yn'wajt ju tu ə 'konsət]* |
| Jeżeli to jest koncert muzyki kameralnej, to nie pójdę. | If it's a chamber music concert, I won't go. *[yf yts ə 'czejmbə 'mju:zyk 'konsət, aj 'ᵘount 'gou]* |
| Czy ma pan bilety na dzisiejszy recital? | Have you got tickets to tonight's recital? *[hœw ju 'got 'tykyts tə tə'najts ry'sajtl]* |
| Kto występuje dzisiaj jako solista? | Who is the soloist today? *['hu: yz ðə 'souloyst tə'dej]* |
| Technika pianisty jest wspaniała. | The technique of the pianist is superb. *[ðə tek'ni:k əw ðə 'pjœnyst yz sju:'pə:b]* |
| Jest ulubieńcem publiczności. | He's a favourite of the audience. *[hyz ə 'fejwryt əw ðy 'o:djəns]* |

| | |
|---|---|
| Oklaskują dyrygenta. | They're cheering the conductor.<br>*[ðeə 'cziəryŋ ðə kən'daktə]* |
| No, a co pan sądzi o muzyce? | Well, and what do you think of the music?<br>*[ᵘel, ən 'ᵘot d ju 'θyŋk əw ðə 'mju:zyk]* |
| Podoba mi się chór, ale nie podoba mi się akompaniament. | I like the chorus but I don't like the accompaniment.<br>*[aj 'lajk ðə 'ko:rəs bat aj 'dount lajk ðə ə'kampnymənt]* |
| Skrzypek bisował trzy razy. | The violinist gave three encores.<br>*[ðə 'wajəlynyst 'gejw 'θri: oŋ'ko:z]* |
| Brawo! Bis! | Bravo! Encore!<br>*['bra:'wou oŋ'ko:]* |

| **SŁÓWKA** | **WORDS** | *[ᵘə:dz]* |
|---|---|---|
| **dur** | major | *['mejdżə]* |
| **koncert na smyczki** | concerto for strings | *[kən'czə:tou fə 'stryŋz]* |
| **kwartet** | quartet | *[kᵘo:'tet]* |
| **moll** | minor | *['majnə]* |
| **muzyka rozrywkowa** | entertainment music | *[entə'tejnmənt mju:zyk]* |
| **nuta** | note | *[nout]* |
| **oratorium** | oratorio | *[orə'to:rjou]* |
| **orkiestra** | orchestra | *['o:kystrə]* |
| **partytura** | score | *[sko:]* |
| **poemat symfoniczny** | symphonic poem | *[sym'fonyk poem]* |
| **rytm** | rhythm | *[ryðm]* |
| **sonata** | sonata | *[sə'na:tə]* |
| **suita** | suite | *[sᵘi:t]* |
| **symfonia** | symphony | *['symfəny]* |
| **takt** | bar | *[ba:]* |
| **trio** | trio | *[tryou]* |
| **zespół** | ensemble | *[a:n'sa:mbl]* |

| c. Opera | c. Opera<br>[*'oprə*] |
|---|---|
| Jaka jest pana ulubiona opera? | What's your favourite opera?<br>[*'uots jə 'fejwryt 'oprə*] |
| A czy pan lubi muzykę operową? | And are you fond of operatic music?<br>[*ənd a: ju 'fond əw opə'rætyk 'mju:zyk*] |
| Którą operę pani woli, niemiecką czy włoską? | Which opera do you prefer, German or Italian?<br>[*'uycz 'oprə də ju pry'fə:, 'dżə:mən o:r y'tæljən*] |
| Niedługo skończy się sezon operowy. | The opera season will soon be over.<br>[*ðy 'oprə si:zn uyl 'su:n bi: 'ouwə*] |
| Kiedy zaczyna się nowy sezon operowy? | When does the new opera season begin?<br>[*'uen daz ðə 'nju: 'oprə si:zn by'gyn*] |
| Mógłbym godzinami słuchać arii „Księżniczki". | I could listen to the Princess' aria for hours.<br>[*aj kud 'lysn tə ðə pryn'sesyz 'a:rjə fər 'auəz*] |
| Balet nie jest na wysokim poziomie. | The ballet's of no high standard.<br>[*ðə 'bælejz əw 'nou 'haj 'stændəd*] |
| Wolę słuchać opery przez radio. | I prefer to listen to an opera on the radio.<br>[*ej pry'fə: tə 'lysn tu ən 'oprə on ðə 'rejdjou*] |

| **SŁÓWKA** | **WORDS** | [ᵘə:dz] |
|---|---|---|
| **alt** | alto | ['œltou] |
| **baryton** | baritone | ['bœrytoun] |
| **bas** | bass | [bejs] |
| **choreografia** | choreography | [kory'ogrəfy] |
| **duet** | duet | [dju'et] |
| **głos** | voice | [wojs] |
| **intermezzo** | intermezzo | [yntə'medzou] |
| **komedia muzyczna** | musical (comedy) | ['mju:zykl ('komədy)] |
| **libretto** | libretto | [ly'bretou] |
| **operetka** | operetta | [opə'retə] |
| **partia** | party | ['pa:ty] |
| **sopran** | soprano | [sə'pra:nou] |
| **tenor** | tenor | ['tenə] |
| **uwertura** | overture | ['ouwətjuə] |

## d. Kino — d. Cinema ['synymə]

| | |
|---|---|
| Chodźmy do kina. | Let's go to the pictures. *[lets 'gou tə ðə 'pykczəz]* |
| Chodź ze mną do kina. | Come to the cinema with me. *['kam tə ðə 'synymə ᵘyð mi:]* |
| Poszłabym dziś wieczorem do kina. | I feel like going to the cinema tonight. *[aj 'fi:l lajk 'gouyŋ tə ðə 'synymə tə'najt]* |
| Czy był pan ostatnio w kinie? | Have you been to a cinema lately? *[hœw ju byn tu ə 'synymə 'lejtly]* |
| Tak długo nie byłam już w kinie. | I havent't been to a cinema for such a long time. *[aj 'hœwnt byn tu ə 'synymə fə 'sacz ə loŋ 'tajm]* |
| Co grają w „Glorii"? | What's on at the Gloria? *['ᵘots 'on ət ðə 'glo:riə]* |
| W miejscowym kinie jest film o Indiach. | There's a film on India at the local cinema. *[ðeəz ə 'fylm on 'yndiə ət ðə 'loukl 'synymə]* |

| | |
|---|---|
| Chciałbym iść na jakiś film podróżniczy, jeśli to możliwe. | I should like to see a travel film if possible. *[aj szud 'lajk tə 'si: ə 'trœwl 'fylm yf 'posəbl]* |
| To jakiś austriacki film, cały o kolarstwie. | It's an Austrian film, all about cycling. *[yts ən 'o:striən 'fylm, 'o:l əbaut 'sajklyŋ]* |
| Muszę iść na ten film. | I must see this film. *[aj mast 'si: ðys 'fylm]* |
| Poszedłbym na to. | I'd like to go to that. *[ajd 'lajk tə 'gou tə 'ðœt]* |
| Czy to chociaż dobry film? | Is this film any good? *[yz ðys 'fylm eny 'gud]* |
| To powinien być ciekawy film. | It ought to be an interesting picture. *[yt o:t tə bi: ən 'yntrestyŋ 'pykczə]* |
| To film fabularny. | It's a feature film. *[yts ə 'fi:czə 'fylm]* |
| O której się film zaczyna? | What time does the film start? *['uot 'tajm daz ðə 'fylm 'sta:t]* |
| Zaczyna się co trzy godziny. | It starts every three hours. *[yt 'sta:ts 'ewry 'θri: 'auəz]* |
| O której jest pierwszy seans? | What time is the first programme? *['uot 'tajm yz ðə 'fəst 'prougrœm]* |
| O której kończy się ostatni seans? | What time does the last programme finish? *['uot 'tajm daz ðə 'la:st 'prougrœm 'fynysz]* |
| Musimy stanąć w kolejce po bilety. | We have to queue up for tickets. *[ui: hœw tə 'kju: 'ap fə 'tykyts]* |

| | |
|---|---|
| Dostaniemy jeszcze jakieś dobre miejsca? | Will we still get some good seats? *[uyl ui: 'styl 'get sam 'gud 'si:ts]* |
| Proszę dwa miejsca. | Two seats, please. *['tu: 'si:ts, 'pli:z]* |
| Nie za daleko od ekranu. | Not too far from the screen. *[not 'tu: 'fa: frəm ðə 'skri:n]* |
| Te są zbyt blisko ekranu. | These are too near to the screen. *[ði:z a: 'tu: 'niə tə ðə 'skri:n]* |
| Akurat w środku. | Right in the middle. *['rajt yn ðə 'mydl]* |
| Czy obejrzymy kronikę? | Shall we see the newsreel? *[szœl ui: 'si: ðə 'nju:zri:l]* |
| Ten film będzie we francusko-włoskiej wersji językowej. | The film will be spoken in French and Italian. *[ðə 'fylm uyl bi: 'spoukn yn 'frencz ənd y'tœljən]* |
| Czy panu podobał się ten film? | Did you like the film? *[dyd ju 'lajk ðə 'fylm]* |
| Co złego było w tym filmie? | What was wrong with the film? *['uot uəz 'roŋ uyð ðə 'fylm]* |
| Naprawdę podobał nam się ten film. | We've really enjoyed the film. *[ui:w 'riəly yn'dżojd ðə 'fylm]* |
| Akcja nie jest bardzo interesująca. | The plot is not very interesting. *[ðə 'plot yz 'not 'wery 'yntrestyŋ]* |
| To jest wersja filmowa słynnej powieści. | It is a screen version of the famous novel. *[yt yz ə 'skri:n wə:szn əw ðə 'fejməs 'nowl]* |
| To był film o Kolumbie. | It was a film about Columbus. *[yt uez ə 'fylm əbaut kə'lambəs]* |

| | |
|---|---|
| „Henryk V" to bardzo ładny film. | "Henry the Fifth" is a very nice film. [*'henry ðə 'fyfθ yz ə 'wery 'najs 'fylm*] |
| Czy pani była na „Hamlecie"? | Have you seen "Hamlet"? [*hœw ju 'si:n 'hœmlyt*] |
| A jeśli chodzi o aktorów? | And what about the actors? [*ən 'uot əbaut ðy 'œktəz*] |
| Napisy były w języku polskim. | The captions were in Polish. [*ðə 'kœpsznz ueər yn 'poulysz*] |

| **SŁÓWKA** | **WORDS** | [*uə:dz*] |
|---|---|---|
| **atelier filmowe** | film studio | [*'fylm stju:djou*] |
| **bileterka** | usherette | [*aszə'ret*] |
| **dokumentarny** | documentary | [*dokju'mentry*] |
| **dźwięk** | sound | [*saund*] |
| **ekran** | screen | [*skri:n*] |
| **kolorowy** | (in) colour | [*(yn)'kalə*] |
| **miejsca numerowane** | numbered seats | [*'nambəd 'si:ts*] |
| **obsada** | cast | [*ka:st*] |
| **seans** | programme | [*'prougrœm*] |
| **zbliżenie** | close-up | [*'klouz 'ap*] |

### e. Cyrk — e. Circus [*'sə:kəs*]

| | |
|---|---|
| Pójdzie pan do cyrku? | Will you go to the circus? [*uyl ju 'go tə ðə 'sə:kəs*] |
| Mam dwa bilety do cyrku na jutro. | I've got two tickets to the circus for tomorrow. [*ajw 'got 'tu: 'tykyts tə ðə 'sə:kəs fə tə'morou*] |
| Czy to londyński cyrk? | Is it a London circus? [*yz yt ə 'landən 'sə:kəs*] |
| Co jest w programie? | What is on the programme? [*'uot yz on ðə 'prougrœm*] |
| Akrobacje oraz pokaz dzikich zwierząt. | Acrobatics and a show of wild animals. [*œkro'bœtyks ənd ə 'szou əw 'uajld 'œnymlz*] |

| | |
|---|---|
| Podoba się panu jazda konno? | Do you like the horse-riding? [*d ju 'lajk ðə 'ho:s rajdyŋ*] |
| Podobały mi się ćwiczenia na trapezie. | I liked the performance on the trapeze. [*aj 'lajkt ðə pə'fo:məns on ðə trə'pi:z*] |
| Żongler jest bardzo zręczny. | The juggler is very clever. [*ðə 'dżaglər yz 'wery 'klewə*] |
| Zawsze podziwiam żonglerkę talerzami. | I always admire plate-spinnig. [*aj o:luyz əd'majə 'plejt spynyŋ*] |
| Następny numer to „człowiek z gumy". | The next item is the boneless wonder. [*ðə 'nekst 'ajtym yz ðə 'bounlys 'uandə*] |
| Co mówi klown? | What does the clown say? [*'uot daz ðə 'klaun 'sej*] |
| Publiczność dobrze się bawi. | The public have a good time. [*ðə 'pablyk hæw ə 'gud 'tajm*] |
| Chodźmy teraz do menażerii. | Let's go to the menagerie now. [*lets 'gou tə ðə my'nædżəry nau*] |
| W której klatce są małpy? | What cage are the monkeys in? [*'uot 'kejdż a: ðə 'mankyz 'yn*] |

| **SŁÓWKA** | **WORDS** | [*ue:dz*] |
|---|---|---|
| **akrobata** | acrobat | [*'ækrobæt*] |
| **arena** | arena | [*ə'ri:nə*] |
| **cykr wędrowny** | travelling circus | [*'træwlyŋ 'sə:kəs*] |
| **ekwilibrysta** | equilibrist | [*i:'kuylybryst*] |
| **iluzjonista** | illusionist | [*y'lu:żənyst*] |
| **magik** | conjurer | [*'kandżərə*] |
| **namiot cyrkowy** | circus tent | [*'sə:kəs tent*] |
| **pogromca lwów** | lion-tamer | [*'lajən tejmə*] |
| **sztukmistrz** | juggler | [*'dżaglə*] |
| **tancerka na linie** | rope-dancer | [*'roup da:nsə*] |
| **tresura zwierząt** | training of animals | [*'trejnyŋ əw 'ænymlz*] |
| **zaklinacz wężów** | snake-charmer | [*'snejk cza:mə*] |

| 3. **Dansing** | 3. **Dancing**<br>[*'da:nsyŋ*] |
|---|---|
| Zatańczy pani ze mną? | Will you dance with me?<br>[*uyl ju 'da:ns uyð mi:*] |
| Zatańczy pani? | Would you care for a dance?<br>[*uud ju 'keə fər ə 'da:ns*] |

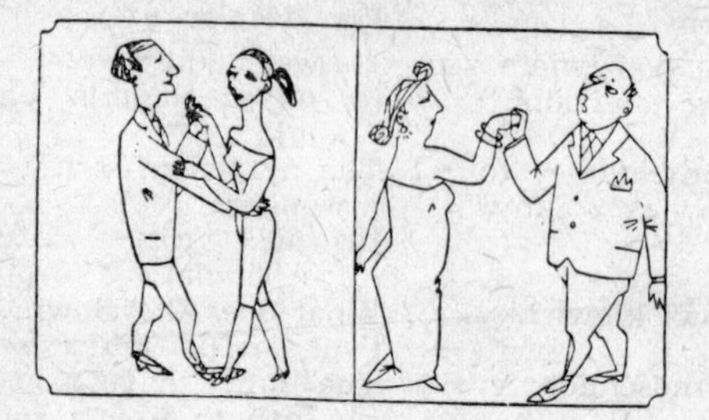

Jakie tańce pani lubi?
What dances do you like?
[*'uot 'da:nsyz du ju 'lajk*]

| | |
|---|---|
| Czy mogę prosić o następny taniec? | May I have the next dance with you?<br>[*mej aj hœw ðə 'nekst 'da:ns uyð ju:*] |
| Nie tańczę bardzo dobrze. | I'm not very good at dancing.<br>[*ajm not 'wery 'gud ət 'da:nsyŋ*] |
| Jestem pewna, że pan bardzo dobrze tańczy. | I'm sure you're a very good dancer.<br>[*ajm 'szo: juər ə 'wery 'gud 'da:nsə*] |
| Większość Amerykanek tańczy bardzo dobrze. | Most American girls dance very well.<br>[*'moust ə'merykən 'gə:lz 'da:ns wery 'uel*] |

| | |
|---|---|
| Pani wspaniale tańczy. | You're a splendid dancer. *[juər ə 'splendyd 'da:nsə]* |
| Wyszedłem trochę z wprawy, bo ostatnio tańczę bardzo rzadko. | I'm a bit out of practice, for I've been dancing very rarely lately. *[ajm ə byt aut əw 'prӕktys, fə ajw byn 'da:nsyŋ wery 'reəly 'lejtly]* |
| Mogłabym tańczyć godzinami. | I could dance for hours. *[aj kud 'da:ns fər 'auəz]* |
| Powinien pan potem poprosić tę dziewczynę do tańca. | You should go and ask the girl for a dance afterwards. *[ju szud 'gou ənd 'a:sk ðə 'gə:l fər ə 'da:ns 'a:ftəuədz]* |
| To jedno z moich ulubionych tang. | It's one of my favourite tangos. *[yts 'uan əw maj 'fejwryt 'tӕŋgouz]* |
| To chyba jest za wolne, chociaż muzyka jest dość przyjemna. | This seems too slow, though the music is nice enough. *[ðys 'si:mz 'tu: 'slou, ðou ðə 'mju:zyk yz 'najs y'naf]* |
| Dla mnie orkiestra gra odrobinę za szybko. | The band is playing a bit too fast for me. *[ðə 'bӕnd yz 'plejyŋ ə byt 'tu: 'fa:st fə mi:]* |

| **SŁÓWKA** | **WORDS** | *[uə:dz]* |
|---|---|---|
| **krok** | pas | *[pa:]* |
| **orkiestra taneczna** | dance orchestra, band | *['da:ns 'o:kystrə, bӕnd]* |
| **partner** | partner | *[pa:tnə]* |
| **tańce ludowe** | folk-dances | *['fouk da:nsyz]* |
| **tańce salonowe** | ball-room dances | *['bo:l rum 'da:nsyz]* |
| **walc** | waltz | *[uo:ls]* |

## 4. Radio i telewizja | 4. Radio and television ['rejdjou ən 'tely'wyżn]

| | |
|---|---|
| Nastawmy radio. | Let's turn on the wireless. [*lets 'tə:n 'on ðə '$^{u}$ajəlys*] |
| Wyłącz radio. | Switch the wireless off, please. [*'s$^{u}$ycz ðə '$^{u}$ajəlys 'of, 'pli:z*] |
| Spróbujemy złapać Warszawę? | Shall we try and get Warsaw? [*szœl $^{u}$i: 'traj ən 'get '$^{u}$o:so:*] |
| Co dziś wieczorem nadają przez radio? | What's on on the wireless tonight? ['$^{u}$*ots 'on on ðə '$^{u}$ajəlys tə'najt*] |
| Wczoraj wieczorem słuchaliśmy ciekawych audycji radiowych. | We had interesting wireless programmes last night. [$^{u}$*i: hœd 'yntrystyŋ '$^{u}$ajəlys prougrœmz 'la:st najt*] |
| Transmitują teraz operę. | There's an opera being broadcast. [*ðeəz ən 'oprə bi:yŋ 'bro:dka:st*] |
| Nastawiliśmy Londyn. | We're tuned to London. [$^{u}$*iə 'tju:nd tə 'landən*] |
| Czy to jest na falach krótkich? | Is it on the short waves? [*yz yt on ðə 'szo:t $^{u}$'ejwz*] |
| Czy słucha pani ostatnio długich fal? | Have you been listening on the long wave lately? [*hœw ju byn 'lysnyŋ on ðə 'loŋ '$^{u}$ejw 'lejtly*] |
| Nie bardzo lubię radio. | I don't care much for wireless. [*aj doun't keə 'macz fə '$^{u}$ajəlys*] |
| To jest pański nowy aparat? | Is it your new wireless set? [*yz yt jo: 'nju: '$^{u}$ajəlys 'set*] |
| Jak on działa? | How does it work? [*'hau daz yt '$^{u}$ə:k*] |
| Jakie stacje pani łapie? | What stations do you get? ['$^{u}$*ot 'stejsznz du ju 'get*] |

| | |
|---|---|
| Odbiór tych audycji jest bardzo dobry. | These broadcasts come in very well. [ði:z 'bro:dka:sts 'kam 'yn 'wery 'uel] |
| Czy on wymaga anteny? | Does it need an aerial? [daz yt 'ni:d ən 'eəriəl] |
| Jego selektywność nie jest zbyt dobra. | Its selectivity is not too good. [yts sylek'tywyty yz not 'tu: 'gud] |
| Rozebrałem swój aparat na części. | I have taken my wireless to pieces. [aj həw 'tejkn maj 'uajəlys tə 'pi:syz] |
| Coś jest nie w porządku z lampami. | Something's wrong with the valves. ['samθyŋz 'roŋ uyð ðə 'wælwz] |
| Trzeba w nim zmienić trzy lampy. | It needs three new valves. [yt 'ni:dz 'θri: 'nju: 'wælwz] |
| To wina głośnika. | The loud-speaker is at fault. [ðə 'laud 'spi:kər yz ət 'fo:lt] |
| To są zaburzenia atmosferyczne. | These are atmospherics. [ði:z ər ætməs'feryks] |
| Teraz nadają sygnał czasu. | There's a time sygnal now. [ðeəz ə 'tajm sygnəl 'nau] |

| SŁÓWKA | WORDS | [uə:dz] |
|---|---|---|
| **dziennik radiowy** | news | [nju:z] |
| **mikrofon** | microphone | ['majkrəfoun] |
| **nadajnik** | transmitter | [træns'mytə] |
| **nagrywać** | record | [ry'ko:d] |
| **przez radio** | by radio | [baj 'rejdjou] |
| **słuchać radia** | listen in | ['lysn 'yn] |
| **słuchowisko** | radio play | ['rejdjou plej] |
| **spiker** | announcer | [ə'naunsə] |
| **stacja radiowa** | radio station | ['rejdjou stejszn] |
| **zagłuszać** | jam | [dżæm] |

| | |
|---|---|
| Czy ma pan telewizor? | Have you got a television set?<br>[*hœw ju got ə 'telywyżn set*] |
| Kupuję sobie telewizor w przyszłym miesiącu. | I'm buying myself a TV set next month.<br>[*ajm 'bajyŋ mə'self ə 'ti:'wi: set 'neks 'manΘ*] |
| To jest kombinowany aparat radiowy z telewizją. | This is a combined radio and TV set.<br>[*ðys yz ə kəm'bajnd 'rejdjou ən 'ti:'wi: set*] |
| Lepszego aparatu pani nie znajdzie. | You can't have any better set.<br>[*ju 'ka:nt hœw eny betə 'set*] |
| Co teraz jest w telewizji? | What's on on the TV now?<br>[*'uots 'on on ðə 'ti:'wi: 'nau*] |
| Nadają teraz jakiś dramat O'Casey'a. | They're broadcasting some drama by O'Casey.<br>[*ðeə 'bro:dka:styŋ səm 'dra:mə baj ou 'kejsy*] |
| Popatrzymy na telewizję? | Are we going to look in?<br>[*a: ui: gouyŋ tə 'luk 'yn*] |
| Niech pan nastawi aparat telewizyjny. | Switch on the TV set, please.<br>[*'suycz 'on ðə 'ti:'wi: set, 'pli:z*] |

Widzę bardzo wyraźnie...

I can see it very plainly...
[*aj kən 'si: yt 'wery 'plejnly*]

| | |
|---|---|
| Jaki defekt może mieć mój aparat? | What can be wrong with my set? ['uot kən bi 'roŋ uyð maj 'set] |
| Do czego jest ta gałka? | What is this control for? ['uot yz 'ðys kən'troul fo:] |
| Niestety, obraz jest często całkiem zamazany. | I'm afraid the picture is often quite blurred. [ajm ə'frejd ðə 'pykczər yz 'o:fn 'kuajt 'blə:d] |

| SŁÓWKA | WORDS | [uə:dz] |
|---|---|---|
| audycja telewizyjna | telecast | ['telyka:st] |
| film telewizyjny | telefilm | ['telyfylm] |
| nadawać przez telewizję | televise | ['telywajz] |
| widz telewizyjny | (tele) viewer | [('tely) wju:ə] |

## 5. Czytelnia, biblioteka — 5. Reading-room, library ['ri:dyŋ rum, 'lajbrəry]

| | |
|---|---|
| Czy można się zapisać do biblioteki? | May I join your library? [mej aj 'dżojn jə 'lajbrəry] |
| Wyrobimy sobie kartę? | Shall we take out a subscription? [szœl ui: 'tejk 'aut ə səb'skrypszn] |
| Ile wynosi opłata? | What is the subscription? ['uot yz ðə səb'skrypszn] |
| Może pani dostać tę książkę z wypożyczalni. | You can get the book from a lending library. [ju kən 'get ðə 'buk frəm ə 'lendyŋ 'lajbrəry] |
| Może pani dostać dwie książki na raz. | You may have two books at a time. [ju mej hœw 'tu: 'buks ət ə 'tajm] |

| | |
|---|---|
| Czy można wypożyczyć książkę podróżniczą? | Can I borrow a book of travel?<br>[*kœn aj 'borou ə 'buk əw 'trœwl*] |
| Czy można dostać powieść kryminalną? | Can I have a detective novel?<br>[*kœn aj hœw ə dy'tektyw 'nowl*] |
| Czy można zajrzeć do słownika? | May I consult a dictionary?<br>[*mej aj kən'salt ə 'dyksznry*] |
| Woźna przyniesie panu ten tom. | The attendant will bring you the volume.<br>[*ðy ə'tendənt ᵘyl 'bryŋ ju ðə 'wolju:m*] |
| Czy macie tutaj egzemplarz angielsko-polskiego słownika medycznego? | Have you got a copy of the Polish-English medical dictionary?<br>[*hœw ju 'got ə 'kopy əw ðə 'poulysz 'yŋglysz 'medykl 'dyksznry*] |
| Niestety, jest teraz w czytaniu. | Sorry, it is in use at present.<br>[*'sory, yt yz yn 'ju:s ət 'preznt*] |
| Obawiam się, że samemu nie można wybierać książek. | I'm afraid you cannot pick out books by yourself.<br>[*ajm ə'frejd ju 'kœnot 'pyk 'aut 'buks baj jə'self*] |
| Proszę wypisać tytuł książki na tej kartce. | Put the title of the book on this slip, please.<br>[*'put ðə 'tajtl əw ðə 'buk on ðys 'slyp 'pli:z*] |
| Który tom i które wydanie, proszę pani? | Which volume and which edition, madam?<br>[*'ᵘycz 'wolju:m ən 'ᵘycz y'dyszn, məm*] |
| Kto napisał tę książkę? | Who is that book by?<br>[*'hu: yz ðœt 'buk baj*] |
| Nie znam, zdaje się, tego autora. | I don't think I know the author.<br>[*aj 'dount 'θyŋk aj 'nou ðy 'o:θə*] |

| | |
|---|---|
| To jest jego pierwsza książka, jego debiut. | It's his first book, his début. [*yts hyz 'fə:st 'buk, hyz 'dej-bu:*] |
| O czym jest ta książka? | What is this book about? [*'uot yz ðys 'buk ə'baut*] |
| Czy pani podobała się ta książka? | Did you like the book? [*dyd ju 'lajk ðə 'buk*] |
| Ten zbiór wierszy podobał mi się ogromnie. | I have enjoyed this collection of poems immensely. [*aj həw yn'dżojd ðys kə'lekszn əw 'poemz y'mensly*] |
| Akcja powieści rozgrywa się w Afryce. | The scene of the novel is laid in Africa. [*ðə 'si:n əw ðə 'nowl yz 'lejd yn 'æfrykə*] |
| Czy mógłby mi pan pożyczyć tę książkę? | Do you think you could lend me this book? [*d ju 'θyŋk ju kud 'lend mi: ðys 'buk*] |
| Bardzo dawno już nie czytałem powieści. | I haven't read a novel for ages. [*aj 'hæwnt 'red ə 'nowl fər 'ejdżyz*] |
| Jestem za leniwy, żeby teraz co czytać. | I'm too lazy to read anything now. [*ajm 'tu: 'lejzy tə 'ri:d 'enyθyŋ 'nau*] |
| Nie mogę czytać tej książki bez słownika. | I can't read this book without a dictionary. [*aj 'ka:nt 'ri:d ðys 'buk uyðaut ə 'dyksznry*] |
| Dużo straciła w tłumaczeniu. | It's lost a lot in translation. [*yts 'lost ə 'lot yn tra:ns'lejszn*] |
| Chciałem przeczytać książkę z zakresu entomologii. | I want to read a book on entomology. [*aj 'uont tə 'ri:d ə 'bu:k on entə'molədżу*] |

| SŁÓWKA | WORDS | [$^{u}$e:dz] |
|---|---|---|
| beletrystyka | fiction | [fykszn] |
| bibliotekarka | librarian | [laj'breərian] |
| bohater | hero | ['hiərou] |
| czytelnia czasopism | news-room | ['nju:z rum] |
| czytelnik | reader | ['ri:də] |
| dzieła wybrane | selected works | [sə'lektyd '$^{u}$ə:ks] |
| dzieła zbiorowe | complete works | [kəm'pli:t '$^{u}$ə:ks] |
| encyklopedia | encyclopaedia | [ensajklo'pi:djə] |
| katalog | catalogue | ['kætəlog] |
| księga trzecia | Book Three | ['buk 'θri:] |
| lektura | reading | ['ri:dyŋ] |
| literatura | literature | ['lytryczə] |
| nowela | short story | ['szo:t 'sto:ry] |
| opowiadanie | tale, story | [tejl, 'sto:ry] |
| poezja | poetry | ['poetry] |
| postać | character | ['kæryktə] |
| półka | shelf | [szelf] |
| proza | prose | [prouz] |
| rozdział | chapter | ['czæptə] |
| spis rzeczy | table of contents | ['tejbl əw 'kontents] |
| strona | page | [pejdż] |

## 6. Wycieczka. Pogoda. Orientacja w terenie. Aprowizacja na wsi

## 6. Excursion. Weather. Finding one's way about. Getting provisions in the country

[yks'kə:szn. '$^{u}$əðə. 'fajndyŋ $^{u}$anz '$^{u}$ej əbaut. 'getyŋ prə'wyżnz yn ðə 'kantry]

### a. Wycieczka

### a. Excursion

[yks'kə:szn]

Jadę jutro na wycieczkę.

I'm going on a trip tomorrow.
[ajm 'gouyŋ on ə 'tryp tə'morou]

Wyruszamy jutro o godzinie ósmej.

We start tomorrow at eight o'clock.
[$^{u}$i: 'sta:t tə'morou ət 'ejt ə'klok]

| | |
|---|---|
| Jedźmy na wieś na świeże powietrze. | Let's go into the country for fresh air.<br>[*lets 'gou yntə ðə 'kantry fə 'fresz 'eə*] |
| Pojedziemy moim Hudsonem na wycieczkę. | We'll go for a trip in my Hudson.<br>[*$^{u}$yl 'gou fər ə 'tryp yn maj 'hadsn*] |
| Pojedziemy na wycieczkę krajoznawczą? | Shall we go on a sight-seeing trip?<br>[*szœl $^{u}$i: 'gou on ə 'sajt si:yŋ 'tryp*] |
| Pojedziemy nad morze i będziemy zażywać kąpieli. | We'll go down to the seaside and have some bathing.<br>[*$^{u}$yl 'gou 'daun tə ðə 'si:'sajd ən hœw səm 'bejðyŋ*] |
| Pójdziemy na plażę? | Shall we go to the beach?<br>[*szœl $^{u}$i: 'gou tə ðə 'bi:cz*] |
| Weźmiemy wszystko do kąpieli? | Shall we take the bathing things?<br>[*szœl $^{u}$i: 'tejk ðə 'bejðyŋ θyŋz*] |
| Zapakowałaś swój kostium kąpielowy? | Have you packed your bathing costume?<br>[*hœw ju 'pœkt jo: 'bejðyŋ kostju:m*] |
| Mogę go włożyć do mojego plecaka. | I can put it in my ruck-sack.<br>[*aj kən 'put yt yn maj 'ruksœk*] |
| Jestem do niczego, jeśli chodzi o dłuższe marsze. | I'm no good at long walks.<br>[*ajm 'nou 'gud ət 'loŋ '$^{u}$o:ks*] |
| Pojedziemy porannym pociągiem wycieczkowym? | Shall we take the morning excursion train.<br>[*szœl $^{u}$i: 'tejk ðə 'mo:nyŋ yks'kə:szn trejn*] |
| Są specjalne jednodniowe wycieczki do Stratfordu co piątek. | There are day excursions to Stratford every Friday.<br>[*ðeər ə 'dej yks'kə:sznz tə 'strœtfəd 'ewry 'frajdy*] |

| | |
|---|---|
| My zawsze jeździmy na wieś pod koniec tygodnia. | We always take runs in the country at week-ends.<br>*[$^{u}$i: 'o:l$^{u}$yz 'tejk 'ranz yn ðə 'kantry ət '$^{u}$i:k 'endz]* |
| Wszelkie wydatki na hotel i podróż mam pokryte. | All my hotel and travelling expenses are paid.<br>*['o:l maj hou'tel ən 'trœwlyŋ yks'pensyz ə 'pejd]* |
| To bardzo przyjemnie zwiedzać tak okolicę. | This is a very pleasant way of seeing the countryside.<br>*[ðys yz ə 'wery 'pleznt $^{u}$ej əw 'si:yŋ ðə 'kantrysajd]* |
| Objedźmy wybrzeże. | Let's go round the coast.<br>*[lets 'gou raund ðə 'koust]* |
| Wszyscy już mieliśmy dość morza. | We had all had enough of the sea.<br>*[$^{u}$i: həd 'o:l hœd y'naf əw ðə 'si:]* |
| Jakiż piękny widok! | What a wonderful view this is!<br>*[$^{u}$ot ə '$^{u}$andəfl 'wju: ðys 'yz]* |
| Te góry w głębi rzeczywiście są cudowne. | The mountains in the background are really marvellous.<br>*[ðə 'mauntynz yn ðə 'bœkgraund ə 'riəly 'ma:wyləs]* |
| Ta wycieczka była wielką przygodą dla mnie. | The trip was a great adventure for me.<br>*[ðə 'tryp $^{u}$əz ə 'grejt əd'wenczə fə mi:]* |

| SŁÓWKA | WORDS | [$^{u}$ə:dz] |
|---|---|---|
| **ekwipunek** | outfit, equipment | *['autfyt, y'k$^{u}$ypmənt]* |
| **latarka** | torch | *[to:cz]* |
| **manierka** | flask | *[fla:sk]* |
| **menażka** | canteen | *[kœn'ti:n]* |
| **namiot** | tent | *[tent]* |
| **odpoczynek** | rest | *[rest]* |
| **ognisko** | fire | *['fajə]* |
| **pieszo** | on foot | *[on 'fut]* |

| | | |
|---|---|---|
| **piknik** | picnic | [*'pyknyk*] |
| **plecak** | rucksack, knapsack | [*'ruksæk, 'næpsæk*] |
| **schronisko** | hospice | [*'hospys*] |
| **śpiwór** | sleeping-bag | [*'sli:pyŋ bæg*] |
| **termos** | thermos-flask | [*'θə.mos fla:sk*] |
| **torba** | bag | [*bæg*] |

| **b. Pogoda** | **b. Weather** [*'ueðə*] |
|---|---|
| Jaka jest pogoda? | What's the weather like? [*'uots ðə 'ueðə lajk*] |
| Jak jest dzisiaj na dworze? | What's it like out today? [*'uots yt 'lajk 'aut tə'dej*] |
| Jest bardzo zimno. | It's very cold. [*yts 'wery 'kould*] |
| Pada. | It's raining. [*yts 'rejnyŋ*] |
| Leje. | It's raining cats and dogs. [*yts 'rejnyŋ 'kæts ən 'dogz*] |
| Przejaśnia się. | It's clearing up. [*yts 'kliəryŋ 'ap*] |
| Pada śnieg. | It's snowing. [*yts s'nouyŋ*] |
| Czy jest ciepło? | Is it warm? [*yz yt 'uo:m*] |
| Znowu jest diabelnie zimno. | It's beastly cold again. [*yts 'bi:stly 'kould əgejn*] |
| Zanosi się na deszcz. | It looks like raining. [*yt 'luks lajk 'rejnyŋ*] |
| Jest mgła. | There's fog. [*ðeəz 'fog*] |
| Kiedy ten deszcz przestanie padać? | When is that rain going to stop? [*'uen yz ðət 'rejn 'gouyŋ tə 'stop*] |
| Jaki ładny dzień! | What a lovely day! [*uot ə 'lawly 'dej*] |
| Jaka brzydka pogoda! | What wretched weather! [*uot 'reczyd 'ueðə*] |

| | |
|---|---|
| Pokazuje się słońce. | The sun is coming out.<br>*[ðə 'san yz 'kamyŋ 'aut]* |
| Jest bardzo duszno na dworze. | It's very sultry outside.<br>*[yts 'wery 'saltry 'aut'sajd]* |
| Mam nadzieję, że nie będzie padać. | I hope it won't rain.<br>*[aj 'houp yt '$^{u}$ount 'rejn]* |
| Spodziewam się, że dalej będzie tak ładnie. | I hope it'll keep fine like this.<br>*[aj 'houp ytl 'ki:p 'fajn lajk ðys]* |
| To najzimniejszy dzień, jaki mieliśmy w tym roku. | This is the coldest day we have had this winter.<br>*[ðys yz ðə 'kouldyst 'dej $^{u}$i: həw hæd ðys '$^{u}$yntə]* |
| Jest nawet szron na drzewach i dachach. | There's even frost on the trees and roofs.<br>*[ðeəz i:wn 'frost on ðə 'tri:z ən 'ru:fs]* |
| W tym tygodniu nie mieliśmy dużo słońca. | We haven't had much sunshine this week.<br>*[$^{u}$i: hæwnt hæd macz 'sanszajn ðys '$^{u}$i:k]* |
| Jaką pogodę pani miała podczas urlopu? | What sort of weather did you have during your holidays?<br>*['$^{u}$ot so:t əw '$^{u}$eðə dyd ju hæw djuəryŋ jo: 'holydejz]* |
| Pogoda była bardzo mroźna. | The weather has been very frosty indeed.<br>*[ðə '$^{u}$eðə həz byn 'wery 'frosty yn'di:d]* |
| Jaki dzisiaj (rano) jest komunikat o pogodzie? | What's the weather forecast this morning?<br>*['$^{u}$ots ðə '$^{u}$eðə fo:ka:st ðys 'mo:nyŋ]* |
| Niech pan lepiej weźmie parasol. | You'd better take your umbrella.<br>*[jud betə 'tejk jər am'brelə]* |

| SŁÓWKA | WORDS | [ᵘə:dz] |
|---|---|---|
| **błyskawica** | lightning | [ˈlajtnyŋ] |
| **burza** | storm | [sto:m] |
| **deszcz ze śniegiem** | sleet | [sli:t] |
| **grad** | hail | [hejl] |
| **mróz** | frost | [frost] |
| **opad** | rainfall | [ˈrejnfo:l] |
| **piorun** | thunder | [ˈθandə] |
| **wiatr** | wind | [ᵘynd] |
| **zamieć** | bizzard | [ˈblyzəd] |

## c. Orientacja w terenie — c. Finding one's way about
*[ˈfajndyŋ ᵘanz ˈᵘej əbaut]*

| | |
|---|---|
| Zanim pojedziemy, spójrzmy na mapę. | Before we go, let's have a look at the map. *[byˈfo: ᵘi: ˈgou, lets hæw ə ˈluk ət ðə ˈmæp]* |
| Ile mil do ...? | How many miles is it to ...? *[ˈhau meny ˈmajlz yz yt tə...]* |
| Idźcie na wschód. | Go east. *[ˈgou ˈi:st]* |
| Idźcie tą drogą. | Go along this road. *[ˈgou əloŋ ðys ˈroud]* |
| Którędy do ...? | Which way to ....? *[ˈᵘycz ˈᵘej tə...]* |
| Jedźcie prosto przed siebie. | Go straight on. *[ˈgou ˈstrejt ˈon]* |
| Dojedziemy aż do rozstaju dróg. | We shall go as far as the cross-roads. *[ᵘi: szəl ˈgou əz ˈfa:r əz ðə ˈkrosroudz]* |
| Musi pan skręcić za mostem na prawo. | You must turn to the right behind the bridge. *[ju mas ˈtə:n tə ðə ˈrajt byhajnd ðə ˈbrydż]* |
| Tam jest drogowskaz. | There is a sign-post there. *[ðeər yz ə ˈsajn poust ðeə]* |
| Samochodem tam się nie dojedzie. | You can't get there by car. *[ju ˈka:nt ˈget ðeə baj ˈka:]* |

| | |
|---|---|
| Czy nie będziemy przejeżdżać koło Margate? | Won't we pass near Margate? *['$^u$ount $^u$i: 'pa:s niə 'ma:gyt]* |
| Zamek zostawimy po lewej stronie. | We'll leave the castle on the left. *[$^u$yl 'li:w ðə 'ka:sl on ðə 'left]* |

| **SŁÓWKA** | **WORDS** | *[$^u$e:dz]* |
|---|---|---|
| **bagno** | marsh, bog | *[ma:sz, bog]* |
| **dolina** | valley | *['wœly]* |
| **góra** | mountain | *['mauntyn]* |
| **jezioro** | lake | *[lejk]* |
| **marszruta** | route | *[ru:t]* |
| **okolica** | countryside | *['kantrysajd]* |
| **południe** | south | *[sauθ]* |
| **północ** | north | *[no:θ]* |
| **rzeka** | river | *['rywə]* |
| **skała** | rock | *[rok]* |
| **strumyk** | brook | *[bruk]* |
| **szczyt** | peak | *[pi:k]* |
| **ścieżka** | path | *[pa:θ]* |
| **wodospad** | waterfall | *['$^u$o:təfo:l]* |
| **wschód** | east | *[i:st]* |
| **zachód** | west | *[$^u$est]* |
| **znak terenowy** | landmark | *['lændma:k]* |

## d. Aprowizacja na wsi / d. Getting provisions in the country

*['getyŋ prə'wyżnz yn ðə 'kantry]*

| | |
|---|---|
| Musimy dostać coś do zjedzenia. | We must get something to eat. *[$^u$i: mas 'get 'samθyŋ tu 'i:t]* |
| Może dostaniemy obiad. | We may get dinner. *[$^u$i: mej 'get 'dynə]* |
| Poprośmy tego gospodarza. | Let's ask the farmer. *[lets 'a:sk ðə 'fa:mə]* |
| Co może nam pan dać do zjedzenia? | What can you give us to eat? *['$^u$ot kœn ju 'gyw as tu 'i:t]* |
| Mam tylko masło, mleko, ser, owoce, piwo. | I have nothing but butter, milk, cheese, fruit and beer. *[aj hœw 'naθyŋ bat 'batə, 'mylk, 'czi:z, 'fru:t ən 'biə]* |

| | |
|---|---|
| A śmietanę pani ma? | And have you got cream?<br>[*ən hœw ju 'got 'kri:m*] |
| Może nam pani ugotować kurę? | Can you cook a hen for us?<br>[*kœn ju 'kuk ə 'hen fər as*] |
| Obiad podam w altanie. | Dinner will be served in the summer-house.<br>[*'dynə ᵘyl bi: sə:wd yn ðə 'samə haus*] |
| Czy nie weźmiemy nic ze sobą? | Won't we take anything along?<br>[*ᵘont ᵘy 'tejk 'enyθyŋ əloŋ*] |
| Idźcie lepiej do gospody. | You'd better go to the inn.<br>[*jud betə 'gou tə ðy 'yn*] |

## 7. Sport

## 7. Sport
[*spo:t*]

| | |
|---|---|
| Czy interesuje się pan sportem? | Are you interested in sport?<br>[*a: ju 'yntrəstyd yn spo:t*] |
| Interesuję się żużlem. | I'm interested in speed-way racing.<br>[*ajm 'yntrəstyd yn 'spi:d ᵘej rejsyŋ*] |

| | |
|---|---|
| Nie gram w koszykówkę bardzo dobrze. | I'm not very good at basketball.<br>*[ajm 'not 'wery 'gud ət 'ba:skyt bo:l]* |
| On zawsze wygrywa ze mną w tenisa. | He always beats me at tennis.<br>*[hi: 'o:luyz 'bi:ts mi: ət 'tenys]* |
| Mój brat bardzo dobrze pływa. | My brother's very good at swimming.<br>*[maj 'braðəz 'wery 'gud ət 'suymyŋ]* |
| Chętnie popływałbym co wieczór. | I'd like to have a swim every evening.<br>*[ajd 'lajk tə hæw ə 'suym 'ewry 'i:wnyŋ]* |
| Czy jest w tej miejscowości kryty basen? | Is there an indoor swimming-pool in this place?<br>*[yz ðeər ən 'yndo: 'suymyŋ pu:l yn ðys 'plejs]* |
| Uprawiałem wioślarstwo, kiedy byłem młody. | I went in for rowing when I was young.<br>*[aj 'uent 'yn fə 'rouyŋ 'uen aj uəz 'jaŋ]* |
| Czy pan gra w piłkę nożną? | Do you play football?<br>*[d ju 'plej 'futbo:l]* |

Piłka nożna — to sport numer jeden w Polsce.

Football is number one sport in Poland.
*['futbo:l yz 'nambə 'uan 'spo:t yn 'pouland]*

| | |
|---|---|
| Chodzę często na mecze piłki nożnej. | I often go to see football matches. *[aj 'o:fn 'gou tə 'si: 'futbo:l mœczyz]* |
| Boks też jest bardzo popularny. | Boxing, too, is very popular. *['boksyŋ, 'tu:, yz 'wery 'popjulə]* |
| Lubi pan wędkarstwo? | Are you fond of angling? *[a: ju 'fond əw 'œŋglyŋ]* |
| Szaleje (on) na punkcie hokeja. | He's crazy about hockey. *[hyz 'krejzy əbaut 'hoky]* |
| Ze wszystkich sportów zimowych najbardziej lubię łyżwy. | I like skating most of all winter sports. *[aj 'lajk 'skejtyŋ 'moust əw 'o:l 'ᵘyntə spo:ts]* |
| Gimnastykuje się pani co rano? | Do you do gymnastics every morning? *[d ju 'du: dżym'nœstyks 'ewry 'mo:nyŋ]* |
| Pojedziemy na zawody lekkoatletyczne. | We'll go to see an athletic match. *[ᵘyl 'gou tə 'si: ən œθ'letyk 'mœcz]* |
| Wygraliśmy kilka konkurencji, prawda? | We won a few events, didn't we? *[ᵘi: 'ᵘan ə 'fju: y'wents, 'dydnt ᵘi:]* |
| Jest rekordzistką świata. | She's a world record holder. *[szyz ə 'ᵘə:ld 'reko:d 'houldə]* |

| SŁÓWKA | WORDS | *[ᵘe:dz]* |
|---|---|---|
| **amatorski** | amateur | *['œmətə:]* |
| **bieżnia** | track | *[trœk]* |
| **ćwierćfinał** | quarter-final | *['kᵘo:tə 'fajnl]* |
| **drużyna** | team, side | *[ti:m, sajd]* |
| **finał** | final | *[fajnl]* |
| **jeździectwo** | riding | *['rajdyŋ]* |
| **kapitan** | captain | *['kœptyn]* |

| WORDS | SŁÓWKA | [ᵘe:dz] |
| --- | --- | --- |
| **lekka atletyka** | athletics | *[æθ'letyks]* |
| **liga** | league | *[li:g]* |
| **mecz** | match | *[mæcz]* |
| **medal** | medal | *[medl]* |
| **mistrz** | champion | *['czæmpiən]* |
| **olimpiada** | Olympic Games | *[o'lympyk 'gejmz]* |
| **półfinał** | semi-final | *['semy 'fajnl]* |
| **przedbieg** | heat | *[hi:t]* |
| **przegrać** | be defeated, lose | *[by dy'fi:tyd, lu:z]* |
| **puchar** | cup | *[kap]* |
| **remis** | tie, draw | *[taj, dro:]* |
| **sędzia** | referee | *[refə'ri:]* |
| **skok** | jump | *[dżamp]* |
| **szermierka** | fencing | *['fensyŋ]* |
| **wynik** | result, score | *[ry'zalt, sko:]* |
| **wyścig(i)** | race(s) | *['rejs(yz)]* |
| **zapasy** | wrestling | *['reslyŋ]* |
| **zawodowy** | professional | *[prə'fesznəl]* |
| **zawody** | games, contest | *[gejmz, 'kontest]* |

## XV. ZAGADNIENIA SPOŁECZNO-POLITYCZNE

## XV. SOCIAL AND POLITICAL PROBLEMS
['souszl ən po'lytykl 'probləmz]

### 1. Sprawy bytowe, zarobki, ceny

### 1. Living conditions, wages, prices
['lywyŋ kəndyszn̦z, 'ᵘejdżyz, 'prajsyz]

| | |
|---|---|
| Czy pan pracuje? | Do you work? [du ju 'ᵘə:k] |
| Pracuję jako robotnik wykwalifikowany. | I work as a skilled worker. [aj 'ᵘə:k əz ə 'skyld 'ᵘə:kə] |
| Czy żona pańska pracuje? | Has your wife got a job? [hœz jo: 'ᵘajf 'got ə 'dżob] |
| Żona nie potrzebuje pracować. | My wife needn't work. [maj 'ᵘajf 'ni:dnt 'ᵘə:k] |
| Łatwo dostać pracę? | Is it easy to get a job? [ys yt 'i:zy tə 'get ə 'dżob] |
| Tak, brak rąk do pracy. | Yes, there's a shortage of manpower. [yes, ðeəz ə 'szo:tydż əw 'mœn pauə] |
| Czy dużo ludzi jest bez pracy? | Are there many people out of a job? [a: ðeə 'meny 'pi:pl 'aut əw ə 'dżob] |
| Czy pani dobrze zarabia? | Are your wages (is your salary) good? [a: jo: 'ᵘejdżyz (yz jo: 'sœləry) 'gud] |
| Zarabiamy wszyscy nieźle. | We all have tolerably good wages (salaries). [ᵘi: 'o:l hœw 'tolyrəbly 'gud 'ᵘejdżyz (sœləryz)] |
| Czy ma pan ładne mieszkanie? | Have you got fine lodgings? [hœw ju 'got 'fajn 'lodżyŋz] |

| | |
|---|---|
| U nas trudno dostać mieszkanie. | It's difficult to get a flat in my country.<br>[*yts 'dyfyklt tə 'get ə 'flœt yn maj 'kantry*] |
| Mam własny domek. | I've got a little house of my own.<br>[*ajw 'got ə 'lytl 'haus əw maj 'oun*] |
| Budowałem go pięć lat. | It took me five years to build it.<br>[*yt 'tuk mi: 'fajw 'jə:z tə 'byld yt*] |
| Dostał pan pożyczkę na dom? | Did you get a loan for the house?<br>[*dyd ju 'get ə 'loun fə ðə 'haus*] |
| Oczywiście, ale już ją spłaciłem. | Of course, but I have already paid it off.<br>[*əw 'ko:s, bat aj həw o:lredy 'pejd yt 'of*] |
| Czy czynsz jest wysoki? | Is the rent high?<br>[*yz ðə 'rent 'haj*] |
| Jaki to procent pana pensji? | What percentage of your salary is it?<br>[*'uot pə'sentydż əw jə 'sœləry yz yt*] |
| Czynsz to połowa moich zaróbków tygodniowych. | The rent is a half of my weekly wages.<br>[*ðə 'rent yz ə 'ha:f əw maj 'ui:kly 'uejdżyz*] |
| Ile dni w tygodniu pan pracuje? | How many days a week do you work?<br>[*'hau meny 'dejz ə 'ui:k du ju 'uə:k*] |
| Ile godzin dziennie pani pracuje? | How many hours a day do you work?<br>[*'hau meny 'auəz ə 'dej du ju 'uə:k*] |

| | |
|---|---|
| W sobotę pracujemy tylko pięć godzin. | We work only for five hours on Saturday. [ui: 'uə:k ounly fə 'fajw 'auəz on 'sætədy] |
| Każdą niedzielę mam wolną. | All my Sundays are free. ['o:l maj 'sandyz ə 'fri:] |
| Czy często robicie nadgodziny? | Do you often work overtime? [du ju 'o:fn 'uə:k 'ouwətajm] |
| Ile dni urlopu ma pan rocznie? | How many days' holiday do you get every year? ['hau meny 'dejz 'holydej du ju 'get 'ewry 'jə:] |
| Czy ma pan płatny urlop? | Do you get a holiday with pay? [du ju 'get ə 'holydej uyð 'pej] |
| Dokąd pani wyjeżdża na urlop? | Where do you go for your holiday? [ueə d ju 'gou fə jo: 'holydej] |
| Bardzo często wyjeżdżamy za granicę. | We go abroad very often indeed. [ui: 'gou ə'bro:d 'wery 'o:fn yn'di:d] |
| Czy ceny stale idą w górę. | Do prices go up steadily? [du 'prajsyz 'gou 'ap 'stedyly] |
| Wszystko drożeje. | Everything's getting dearer. ['ewryθyŋz 'getyŋ 'diərə] |
| Ceny rosną szybciej niż płace. | Prices rise ahead of pay. ['prajsyz 'rajz ə'hed əw 'pej] |
| Trudno porównywać ceny. | It's difficult to compare prices. [yts 'dyfyklt tə kəm'peə 'prajsyz] |
| Odzież jest droższa, ale żywność tańsza. | Clothes are dearer but food is cheaper. ['klouz ə 'diərə bat 'fu:d yz 'czi:pə] |
| Czy na przykład samochody osobowe są tutaj tanie? | Are, say, cars cheap here? ['a:, 'sej, 'ka:z 'czi:p hiə] |

| | |
|---|---|
| Mam swój własny samochód. | I have a car of my own.<br>[*aj 'hœw ə 'ka:r əw maj 'oun*] |
| Kupiłem go na raty. | I bought my car and paid for it by instalments.<br>[*aj 'bo:t maj 'ka:r ən 'pejd fər yt baj yn'sto:lmənts*] |
| Co można kupić na raty? | What can you buy by instalments?<br>[*'uot kən ju baj baj yn'sto:lmənts*] |
| Wszystko: odkurzacz elektryczny, pralkę elektryczną, radio, telewizor, samochód, lodówkę, meble itd. | Everything, a vacuum cleaner, a washer, a wireless, a television set, a car, a fridge, furniture, and so on, and so forth.<br>[*'ewryθyŋ, ə 'wœkjuəm kli:nə, ə 'uoszə, ə 'uajəlys, ə 'telywyżn set, ə 'ka:, ə 'frydż, 'fə:nyczə, ən 'sou 'on, ən 'sou 'fo:θ*] |

| SŁÓWKA | WORDS | [*'ue:dz*] |
|---|---|---|
| **bezrobocie** | unemployment | [*anym'plojmənt*] |
| **dobra konsumcyjne** | consumer goods | [*kən'sju:mə 'gudz*] |
| **dobrobyt** | well-being, prosperity | [*'uel 'bi:yŋ, pros'peryty*] |
| **drożyzna** | dearth | [*də:θ*] |
| **inflacja** | inflation | [*yn'flejszn*] |
| **nędza** | misery | [*'myzəry*] |
| **oszczędności** | savings | [*'sejwyŋz*] |
| **oszczędzać** | save | [*sejw*] |
| **środki produkcji** | production means | [*prə'dakszn mi:nz*] |
| **utrzymanie** | support | [*sə'po:t*] |
| **utrzymywać** | support | [*sə'po:t*] |
| **warunki pracy** | conditions of work | [*kən'dysznz əw 'uə:k*] |
| **warunki życia** | conditions of life | [*kən'dysznz əw 'lajf*] |
| **wydajność pracy** | productivity | [*prodak'tywyty*] |
| **zajęcie** | business, occupation | [*'byznys, okju'pejszn*] |

## 2. Organizacje polityczne i młodzieżowe — 2. Political and youth organizations

*[pə'lytykl ənd 'ju:θ o:gnaj'zejsznz]*

Jakie są u was partie polityczne? — What are your political parties?
*['uot a: jo: pə'lytykl 'pa:tyz]*

Która partia jest obecnie u władzy? — Which party is in power at present?
*['uycz 'pa:ty yz yn 'pauər ət 'preznt]*

Co ta partia reprezentuje? — What does this party represent?
*['uot dəz ðys 'pa:ty repry'zent]*

Czyich interesów broni partia konserwatywna? — Whose interests does the conservative party defend?
*['hu:z 'yntrysts daz ðə kən'sə:wətyw 'pa:ty dy'fend)*

Jaka jest polityka zagraniczna pańskiej partii? — What is the foreign policy of your party ?
*['uot yz ðə 'foryn 'polysy əw jə 'pa:ty]*

Jakie są partie opozycyjne? — What are the opposition parties?
*['uot ə ðy opə'zyszn 'pa:tyz]*

Jakie są u was organizacje społeczne? — What are the social organizations in your country?
*['uot ə ča 'souszl o:gnaj'zejsznz yn jo: 'kantry]*

Które z nich są najbardziej popularne? — Which of them are the most popular?
*['uycz əw ðəm ə ðə 'moust 'popjulə]*

Czy pracujecie tylko na prowincji? — Do you work in the country only?
*[d ju 'uə:k yn ðə 'kantry 'ounly]*

| | |
|---|---|
| Czym się zajmuje wasza organizacja? | What is your organization concerned with?<br>*['uot yz jo:r o:gnaj'zejszn kan-'sə:nd uyð]* |
| Czy to jest organizacja religijna? | Is this a religious organization?<br>*[yz ðys ə ry'lydżəs o:gnaj-'zejszn]* |
| Czy pani jest członkiem Towarzystwa ...? | Are you a member of the Society...?<br>*['a: ju ə 'membər əw ðə sə'sajəty]* |
| Czy pańska organizacja ma dużo członków? | Has your organization a large membership?<br>*[hœz jo:r o:gnaj'zejszn ə 'la:dż 'membəszyp]* |
| Nie otrzymujemy żadnej pomocy od rządu. | We don't get any help from the government.<br>*[ui: 'dount get 'eny 'help frəm ðə 'gawnmənt]* |
| Wymieniamy doświadczenia z innymi zagranicznymi stowarzyszeniami. | We exchange experiences with other associations abroad.<br>*[ui: yks'czejndż yks'piəriənsyz uyð 'aðər əsousj'ejsznz ə'bro:d]* |
| Jakie są wasze miesięczne składki członkowskie? | What are your monthly dues?<br>*['uot ə jə 'manθly 'dju:z]* |
| To wielki działacz społeczny. | He's a great social worker.<br>*[hyz ə 'grejt 'souszl 'uə:kə]* |
| To jest nasz prezes, pan Grant. | This is our president, Mr. Grant.<br>*[ðys yz auə 'prezydnt, mystə 'gra:nt]* |
| Czy pan należy do związku zawodowego? | Are you in the union?<br>*['a: ju: yn ðə 'ju:niən]* |
| Do jakiego związku zawodowego należycie? | What's your union?<br>*['uots jo: 'ju:niən]* |
| Czy to aktywista związkowy? | Is he a union official?<br>*['yz hi: ə 'ju:niən o'fyszl]* |

| | |
|---|---|
| Czy pan jest mężem zaufania? | Are you a shop-steward?<br>*['a: ju: ə 'szop stjuəd]* |
| Jaki jest odsetek kobiet wśród waszych członków? | What's the proportion of women in your membership?<br>*['uots ðə prə'po:szn əw 'uymyn yn jo: 'membə:szyp]* |
| Jaką rolę odgrywają kobiety w ruchu związkowym u was? | What part do women play in your movement?<br>*['uot 'pa:t du 'uymyn 'plej yn jo: 'mu:wmənt]* |
| Podpisaliście umowę zbiorową? | Have you signed a collective agreement?<br>*[hœw ju 'sajnd ə kə'lektyw ə'gri:mənt]* |
| Czy wasza organizacja poparła ostatni strajk? | Did your organization support the last strike?<br>*[dyd jo:r o:gnaj'zejszn sə'po:t ðə 'la:st 'strajk]* |
| Specjalne zebranie związkowe zwołano na przyszły poniedziałek. | A special union meeting has been called for Monday next.<br>*[ə 'speszl 'ju:niən 'mi:tyŋ həz byn 'ko:ld fə 'mandy 'nekst]* |
| Przywódca związkowy mówił o krzywdach robotników. | The union leader spoke about the grievances of the workmen.<br>*[ðə 'ju:niən li:də 'spouk əbaut ðə 'gri:wnsyz əw ðə 'uə:kmən]* |
| Jakie macie organizacje młodzieżowe? | What youth organizations have you got?<br>*['uot 'ju:θ o:gnaj'zejsznz həw ju 'got]* |
| Która z waszych organizacji młodzieżowych jest największa? | Which is the largest of your youth organizations?<br>*['uycz yz ðə 'la:dżyst əw jo: 'ju:θ o:gnaj'zejsznz]* |
| Czy istnieje jakaś granica wieku? | Is there an age limit?<br>*[yz ðeər ən 'ejdż lymyt]* |

Czy dostajecie równą płacę za równą pracę?

Do you get equal pay for equal work?
[*d ju 'get 'i:kuəl 'pej fər 'i:kuəl 'uə:k*]

Czy macie pisma młodzieżowe?

Have you got youth magazines?
[*hœw ju 'got 'ju:θ mœgə'zi:nz*]

Czy pomagacie młodym małżeństwom w uzyskaniu mieszkań?

Do you help young couples get flats?
[*d ju 'help 'jaŋ 'kaplz 'get 'flœts*]

Czy jesteś harcerzem?

Are you a scout?
[*'a: ju: ə 'skaut*]

To jest mundur naszej organizacji młodzieżowej.

This is the uniform of our youth organization.
[*'ðys yz ðə 'ju:nyfo:m əw auə 'ju:θ o:gnaj'zejszn*]

Jutro złożymy wizytę w wiejskim klubie młodzieżowym.

Tomorrow we shall pay a visit to the village youth club.
[*tə'morou ui: szəl 'pej ə 'wyzyt tə ðə 'wylydż 'ju:θ 'klab*]

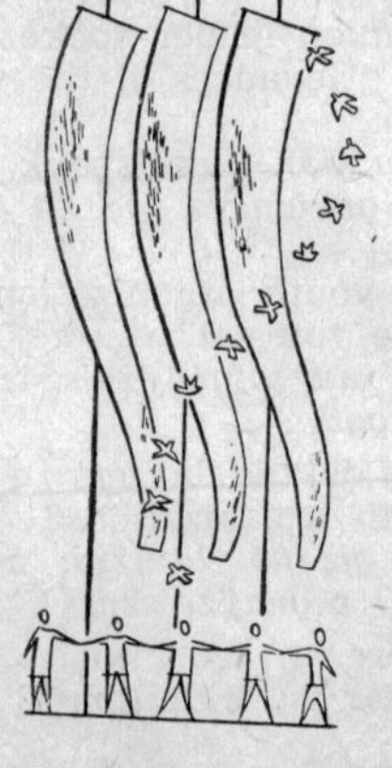

Nasza grupa była na festiwalu młodzieży.

Our group attended the youth festival.
[*auə 'gru:p ə'tendyd ðə 'ju:θ 'festywl*]

| SŁÓWKA | WORDS | [ᵘe:dz] |
|---|---|---|
| demokracja | democracy | [dy'mokrəsy] |
| demokratyczny | democratic | [demo'krætyk] |
| egzekutywa | executive committee | [yg'zekjutyw kə'myty] |
| kampania | campaign | [kæm'pejn] |
| komitet | committee | [kə'myty] |
| lewica, -owy | left-wing | ['left'ᵘyŋ] |
| ludowy | people's | [pi:plz] |
| manifestacja | manifestation | [mænyfes'tejszn] |
| pokój | peace | [pi:s] |
| postęp | progress | ['prougres] |
| prawica, -owy | right-wing | ['rajt'ᵘyŋ] |
| rada | council | [kaunsl] |
| rewolucja | revolution | [rewə'lu:szn] |
| sekretarz | secretary | ['sekrətəry] |
| strajk | strike | [strajk] |
| walczyć o | struggle for | ['stragl fo:] |
| walczyć przeciw | struggle against | ['stragl əgejnst] |
| współistnienie | co-existence | [kouyg'zystəns] |
| związki zawodowe | trade unions | ['trejd ju:niənz] |
| żądanie | demand | [dy'ma:nd] |

## 3. Opieka społeczna

## 3. Social welfare
*['souszl 'ᵘelfeə]*

Jaki jest wasz system ubezpieczeń społecznych?

What is your system of social insurances?
*['ᵘot yz jo: 'systəm əw 'souszl yn'szuərənsyz]*

Kto płaci za ubezpieczenia społeczne?

Who pays for the social insurances?
*['hu: 'pejz fə ðə 'souszl yn'szuərənsyz]*

Co robi państwo dla bezrobotnych?

What does the state do for the unemployed?
*['ᵘot dəz ðə 'stejt 'du: fə ðy anym'plojd]*

Macie dużo inwalidów?

Have you got many invalids?
*[hæw ju 'got 'meny 'ynwəlydz]*

| | |
|---|---|
| Jakie renty otrzymują inwalidzi? | What pensions do invalids receive?<br>[*'uot 'pensznz du 'ynwəlydz ry'si:w*] |
| Jak wasze państwo pomaga sierotom? | How does your state help orphans?<br>[*'hau daz jə 'stejt 'help 'o:fnz*] |
| Czy walczycie o podwyżkę emerytur? | Do you fight for higher old age pensions?<br>[*d ju 'fajt fə 'hajər 'ould 'ejdż 'pensznz*] |
| Czy wszyscy macie płatne urlopy? | Do you all get holidays with pay?<br>[*d ju 'o:l 'get 'holydejz uyð 'pej*] |
| Czy pan otrzymuje zasiłek chorobowy? | Do you get a sickness benefit?<br>[*d ju 'get ə 'syknys 'benyfyt*] |
| Niech mi pan coś opowie o waszym systemie rent i emerytur. | Tell me something about your system of pensions.<br>[*'tel my 'samθyŋ əbaut jo: 'systym əw 'pensznz*] |
| Co się dzieje, jeżeli ktoś już nie może pracować? | What happens if somebody is unable to work any longer?<br>[*'uot 'hœpnz yf 'sambədy yz an'ejbl tə 'uə:k eny loŋgə*] |
| Jakie zasiłki przysługują matkom? | What benefits do mothers enjoy?<br>[*'uot 'benyfyts du: 'maðəz yn'dżoj*] |
| Słyszałem dużo o osiągnięciach waszej służby zdrowia. | I've heard a lot about the successes of your health service.<br>[*ajw 'hə:d ə lot əbaut ðə sək'sesyz əw jo: 'helθ sə:wys*] |
| Czy leczenie w waszym kraju jest bezpłatne? | Is medical treatment free in your country?<br>[*yz 'medykl 'tri:tmənt 'fri: yn jo: 'kantry*] |

| | |
|---|---|
| Czy płacicie coś za lekarstwa? | Do you pay anything for medicines? *[d ju 'pej enyθyŋ fə 'medsynz]* |
| Czy można wybrać dowolnego lekarza? | Can you choose any doctor you like? *['kœn ju 'czu:z 'eny 'doktə ju 'lajk]* |
| Czy wszystkimi szpitalami zarządza państwo? | Are all hospitals run by the State? *[a:r 'o:l 'hospytlz 'ran baj ðə 'stejt]* |
| Jest bardzo dużo prywatnych klinik. | There are many private clinics. *[ðeər ə 'meny 'prajwyt 'klynyks]* |
| Niełatwo dostać się do sanatorium. | It isn't easy to be admitted to a sanatorium. *[yt 'yznt 'i:zy tə bi: əd'mytyd tu ə sœnə'to:riəm]* |

| SŁÓWKA | WORDS | [$^{u}$e:dz] |
|---|---|---|
| **bezpieczeństwo i higiena pracy** | safety and hygiene of work | *['sejfty ənd haj'dżi:n əw '$^{u}$ə:k]* |
| **choroby zawodowe** | occupational diseases | *[okju'pejsznl dyz'i:zyz]* |
| **dodatek** | allowance | *['əlauəns]* |
| **opieka nad matką i dzieckiem** | mother and child care | *['maðər ən 'czajld 'keə]* |
| **przymusowe szczepienie** | obligatory vaccination | *[o'blygətry wœksy'nejszn]* |
| **rehabilitacja** | rehabilitation | *[ri:œbyly'tejszn]* |
| **sierociniec** | orphanage | *['o:fnydż]* |
| **ubezpieczyć** | insure | *[yn'szuə]* |
| **wypadek przy pracy** | accident at work | *['œksydənt ət '$^{u}$ə:k]* |
| **zasiłek** | benefit | *['benyfyt]* |
| **zwalczanie epidemii** | suppression of epidemics | *[sə'preszn əw epy'demyks]* |
| **żłobek** | crèche | *[krejsz]* |

| 4. Ustrój państwa | 4. Political system [pə'lytykl 'systəm] |
|---|---|
| Mój kraj jest republiką. | My country is a republic. *[maj 'kantry yz ə ry'pablyk]* |
| Kiedy pański kraj otrzymał status dominium? | When did your country receive the dominion status? *['uen dyd jo: 'kantry ry'si:w ðə də'mynjən 'stejtəs]* |
| Kto jest teraz u was na czele rządu? | Who is the present head of your government? *['hu: yz ðə 'preznt 'hed əw jo: 'gawnmənt]* |
| Jak się w waszym kraju ustanawia prawa? | How are laws made in your country? *['hau ə 'lo:z 'mejd yn jo: 'kantry]* |
| Kto zasiada w izbie wyższej? | Who sits in the upper chamber? *['hu: 'syts yn ðy 'apə 'czejmbə]* |
| Kiedy się u was opracowuje budżet? | When is your budget made? *['uen yz jo: 'badżyt 'mejd]* |
| Jaki jest podział administracyjny pańskiego kraju? | What is the administrative division of your country? *['uot yz ðy əd'mynystrətyw dy'wyżn əw jo: 'kantry]* |
| Jak wygląda wymiar sprawiedliwości na najniższym szczeblu? | How about the administration of justice at the lowest level? *['hau əbaut ðy ədmynys'trejszn əw 'dżastys ət ðə 'louyst 'lewl]* |
| Służba wojskowa była ochotnicza, teraz jest obowiązkowa. | National service used to be voluntary, nowadays it's obligatory. *['næsznl 'sə:wys justə bi: 'woləntry, 'nauədejz yts o'blygətry]* |

| | |
|---|---|
| Jestem za uspołecznieniem ciężkiego przemysłu. | I'm for the nationalization of the heavy industry. [*ajm fo: ðə 'næsznlaj'zejszn əw ðə 'hewy 'yndastry*] |
| Życie religijne jest zupełnie swobodne w naszym kraju. | Religious life is quite free in my country. [*ry'lydżəs 'lajf yz 'kuajt 'fri: yn maj 'kantry*] |
| Czy kraj pański przystąpił do tej konwencji? | Has your country been a party to the convention? [*hæz jo: 'kantry byn ə 'pa:ty tə ðə kən'wenszn*] |
| Kiedy odbędą się wybory powszechne? | When will the general election be held? [*'uen uyl ðə 'dżenrəl y'lekszn bi: 'held*] |

| **SŁÓWKA** | **WORDS** | [*ue:dz*] |
|---|---|---|
| **demokracja** | democracy | [*dy'mokrəsy*] |
| **faszyzm** | fascism | [*'fæszyzm*] |
| **feodalizm** | feudalism | [*'fju:dəlyzm*] |
| **gospodarczy** | economic | [*ekə'nomyk*] |
| **gospodarka** | economy | [*y'konəmy*] |
| **kapitalizm** | capitalism | [*'kæpytəlyzm*] |
| **komunizm** | communism | [*'komjunyzm*] |
| **minister** | minister | [*'mynystə*] |
| **ministerstwo** | ministry | [*'mynystry*] |
| **napięcie międzynarodowe** | international tension | [*yntə'næsznl 'tenszn*] |
| **obóz koncentracyjny** | concentration camp | [*konsen'trejszn kæmp*] |
| **podżegacz wojenny** | war-monger | [*'uo: maŋgə*] |
| **pokojowy** | peaceful | [*pi:sfl*] |
| **pokój** | peace | [*pi:s*] |
| **premier** | premier, prime minister | [*'premjə, 'prajm mynystə*] |
| **socjalizm** | socialism | [*'sousz lyzm*] |
| **współistnienie** | co-existence | [*'kouyg'zystns*] |
| **zimna wojna** | cold war | [*'kould 'uo:*] |

## 5. Wychowanie, nauka | 5. Education [*edju:'kejszn*]

|  |  |
|---|---|
| Czy nauka jest u was bezpłatna? | Is education free in your country? [*yz edju:kejszn 'fri: yn jo: 'kantry*] |
| Do jakiego wieku nauczanie jest obowiązkowe? | Up to what age is education compulsory? [*'ap tə 'uot 'ejdż yz edju:'kejszn kəm'palsry*] |
| Na ogół szkołę średnią kończy się w wieku lat osiemnastu. | You leave the secondary school at 18 on the average. [*ju 'li:w ðə 'sekndry 'sku:l ət ej'ti:n on ðy 'æwrydż*] |
| Macie specjalne szkoły dla dzieci upośledzonych? | Have you got special schools for handicapped children? [*'hæw ju got 'speszl 'sku:lz fə 'hændykæpt 'czyldryn*] |
| Czy religii uczy się we wszystkich waszych szkołach? | Is religion taught at all your schools? [*yz ry'lydżn 'to:t ət 'o:l jo: 'sku:lz*] |
| Ile macie uniwersytetów? | How many universities have you got? [*'hau meny ju:ny'wœsytyz həw ju 'got*] |
| Ilu absolwentów macie co roku? | How many graduates do you produce every year? [*'hau meny 'grædjuyts du ju prə'dju:s 'ewry 'jə:*] |
| Wiele kobiet studiuje również w uczelniach technicznych. | Lots of women study in technical colleges as well. [*'lots əw 'uymyn 'stady yn 'teknykl 'kolydżyz əz uel*] |
| Ja interesuję się oświatą wśród dorosłych. | I'm interested in adult education. [*ajm 'yntrəstyd yn 'ædalt edju:'kejszn*] |

| | |
|---|---|
| Czego uczy się w tych wieczorowych szkołach? | What's taught in those evening schools? ['uots 'to:t yn ðouz 'i:wnyŋ 'sku:lz] |
| Jak jest u was zorganizowane szkolenie zawodowe? | How's vocational training organized in your country? ['hauz wou'kejsznl 'trejnyŋ 'o:gnajzd yn jo: 'kantry] |
| Opłaty w niektórych szkołach są bardzo wysokie. | School fees are very high in some schools. ['sku:l fi:z ə 'wery 'haj yn sam 'sku:lz] |
| Jaki jest język wykładowy w tych szkołach? | What's the medium of instruction in those schools? ['uots ðə 'mi:djəm əw yn'strakszn yn ðouz 'sku:lz] |

| SŁÓWKA | WORDS | ['ue:dz] |
|---|---|---|
| **dyplom** | diploma | [dy'ploumə] |
| **instytut naukowy** | research institute | [ry'sə:cz instytjut] |
| **kurs** | course | [ko:s] |
| **pomoce szkolne** | instruction aids | [yn'strakszn ejdz] |
| **program nauczania** | syllabus | ['syləbəs] |
| **przedszkole** | nursery | ['nə:səry] |
| **szkoła niższa** | primary school | ['prajməry 'sku:l] |
| **uczeń** | schoolboy | ['sku:lboj] |
| **uczennica** | schoolgirl | ['sku:lgə:l] |
| **wydział (uczelni)** | faculty | ['fækltу] |

## 6. Na zebraniu — 6. At a meeting [ət ə 'mi:tyŋ]

| | |
|---|---|
| Zebranie wyznaczono na godzinę 18. | The meeting was arranged for 6 p. m. [ðə 'mi:tyŋ uəz ə'rejndżd fə 'syks 'pi: 'em] |
| Zebranie nasze przedyskutuje dwie ważne sprawy. | Our meeting will discuss two important matters. [auə 'mi:tyŋ uyl dys'kas 'tu: ym'po:tənt 'mætəz] |

| | |
|---|---|
| Czy rozpatrzymy również tę sprawę? | Shall we look into this matter as well?<br>*[szœl $^{u}$i: 'luk yntə ðys 'mœtər əz '$^{u}$el]* |
| Porządek dzienny jest następujący. | The agenda is as follows.<br>*[ðy ə'dżendə yz əz 'folouz]* |
| Ogłaszam zebranie za otwarte. | I declare the meeting open.<br>*[aj dy'kleə ðə 'mi:tyŋ 'oupn]* |
| Proszony pan jest o przewodniczenie zebraniu. | You're requested to take the chair.<br>*[juə ry'k$^{u}$estyd tə 'tejk ðə 'czeə]* |
| Głos zabierze tow. Seymour. | Comrade Seymour will take the floor.<br>*['komryd 'si:mo: $^{u}$yl 'tejk ðə 'flo:]* |
| Polski delegat wygłosi przemówienie na sesji. | The Polish delegate will address the session.<br>*[ðə 'poulysz 'delygyt $^{u}$yl ə'dres ðə 'seszn]* |
| Czy pani nie będzie przemawiać na konferencji? | Won't you address the conference?<br>*['$^{u}$ount ju: ə'dres ðə 'konfrəns]* |
| Konferencja podzieli się teraz na trzy komisje. | The conference will now split into three committees.<br>*[ðə 'konfrəns $^{u}$yl 'nau 'splyt yntə 'θri: kə'mytyz]* |
| Panie Przewodniczący, Panie i Panowie. | Mr. Chairman, Ladies and Gentlemen.<br>*['mystə 'czeəmən, 'lejdyz ən 'dżentlmən]* |
| W imieniu naszej delegacji... | On behalf of my delegation...<br>*[on bə'ha:f əw maj dely'gejszn]* |
| Mam zaszczyt być przedstawicielem... | I have the honour to represent...<br>*[aj hœw ðy 'onə tə repry'zent]* |
| Niech żyje!... | Long live...<br>*['loŋ 'lyw]* |

| | |
|---|---|
| Dobrze mówi. | Hear, hear. ['hiə, hiə] |
| Głosujemy przez podniesienie rąk. | We shall vote by show of hands. [ui: szəl 'wout baj 'szou əw 'hœndz] |
| Kto jest za wnioskiem, proszę podnieść rękę. | Those for the motion please raise their hands. [ðouz 'fo: ðə 'mouszn 'pli:z 'rejz ðeə 'hœndz] |
| Nikt się nie wstrzymał od głosowania. | There are no abstentions. [ðeər ə 'nou əbs'tensznz] |
| Dziękuję za wybór. | I thank you for the election. [aj 'θœŋk ju fə ðy y'lekszn] |
| Posiedzenie jest odroczone. | The session is adjourned. [ðə 'seszn yz ə'dżə:nd] |
| Na zebraniu było dwóch obserwatorów. | The meeting was attended by two observers. [ðə 'mi:tyŋ uez ə'tendyd baj 'tu: əb'zə:vəz] |
| Dlaczego pani nie było na zebraniu? | Why were you absent from the meeting? ['uaj ueə ju 'œbsnt frəm ðə 'mi:tyŋ] |

| SŁÓWKA | WORDS | [ue:dz] |
|---|---|---|
| **jednomyślnie** | unanimously | [ju:'nœnyməsly] |
| **posiedzenie** | sitting | ['sytyŋ] |
| **protokół** | minutes | ['mynyts] |
| **stenogram** | verbatim report | [wə:'bejtym ry'po:t] |
| **uchwała** | resolution | [rezə'lu:szn] |
| **większość głosów** | majority of votes | [mə'dżoryty əw 'wouts] |
| **zebranie** | meeting | ['mi:tyŋ] |
| **być na zebraniu** | attend a meeting | [ə'tend ə' mityŋ] |
| **opuścić zebranie** | walk out | ['uok 'aut] |

| | |
|---|---|
| **Niech żyje Polska!** | Long live Poland!<br>*['loŋ 'lyw 'poulənd!]* |
| **Niech żyje W. Brytania!** | Long live Great Britain!<br>*['loŋ 'lyw 'grejt 'brytn!]* |
| **Niech żyje pokój!** | Long live peace!<br>*['loŋ 'lyw 'pi:s!]* |
| **Niech żyje przyjaźń między narodami!** | Long live friendship among peoples!<br>*['loŋ 'lyw 'frenszyp 'əmaŋ 'pi:plz!]* |
| **Niech żyje przyjaźń angielsko-polska!** | Long live British-Polish friendship!<br>*['loŋ 'lyw 'brytysz-'poulysz 'frenszyp!]* |

## KRÓTKI ZARYS GRAMATYKI JĘZYKA ANGIELSKIEGO

### 1. RZECZOWNIK

Rodzaj gramatyczny odpowiada na ogół logicznemu. Rzeczowniki oznaczające osoby płci męskiej są rodzaju męskiego, rzeczowniki oznaczające osoby płci żeńskiej są rodzaju żeńskiego, a pozostałe rzeczowniki są rodzaju nijakiego. Rodzaj logiczny na ogół nie wynika z formy rzeczownika, np. **friend** [*frend*] znaczy i przyjaciel, i przyjaciółka.

**Liczbę mnogą** rzeczowników tworzy się dodając w pisowni końcówkę **-s** lub **-es** wymawianą jak:

[-*s*] po spółgłoskach bezdźwięcznych, z wyjątkiem [-*s*, -*sz*, -*cz*],

[-*z*] po spółgłoskach dźwięcznych, z wyjątkiem [-*z*, -*ż*, -*dż*], po samogłoskach i dwugłoskach,

[-*yz*] po spółgłoskach [-*s*, -*z*, -*sz*, -*ż*, -*cz*, -*dż*], np.:

| liczba pojedyncza: | | liczba mnoga: |
|---|---|---|
| przystanek | — stop [*stop*] | stops [*stops*] |
| dok | — dock [*dok*] | docks [*doks*] |
| torebka | — bag [*bœg*] | bags [*bœgz*] |
| pióro | — pen [*pen*] | pens [*penz*] |
| pani | — lady [*'lejdy*] | ladies [*'lejdyz*] |

| liczba pojedyncza | | liczba mnoga |
|---|---|---|
| sztuka | — play [*plej*] | plays [*plejz*] |
| szklanka | — glass [*gla:s*] | glasses [*'gla:syz*] |
| róża | — rose [*rouz*] | roses [*'rouzyz*] |
| krzak | — bush [*busz*] | bushes [*'buszyz*] |
| garaż | — garage [*'gœra:ż*] | garages [*'gœra:żyz*] |
| kościół | — church [*czə:cz*] | churches [*'czə:czyz*] |
| most | — bridge [*brydż*] | bridges [*'brydżyz*] |

DO WYJĄTKÓW NALEŻĄ:

| liczba pojedyncza | | liczba mnoga |
|---|---|---|
| mężczyzna, człowiek | — man [*mœn*] | men [*men*] |
| kobieta | — woman [*'umən*] | women [*'uymyn*] |
| dziecko | — child [*czajld*] | children [*'czyldrən*] |
| ząb | — tooth [*tu:θ*] | teeth [*ti:θ*] |
| pens | — penny [*'peny*] | pence [*pens*] |
| owca | — sheep [*szi:p*] | sheep [*szi:p*] oraz: |
| pan | — gentleman [*'dżentlmən*] | gentlemen [*'dżentlmən*] |
| Anglik | — Englishman [*'yŋglyszmən*] | Englishmen [*'yŋglyszmən*] |
| marynarz | — seaman [*'si:mən*] | seamen [*'si:mən*] |

i inne złożenia z **-man** [*mən*].

**Uwaga**: rzeczownik **German** [*'dżə:mən*] — Niemiec, Niemka nie jest takim złożeniem.

Pewnych rzeczowników nie używa się w liczbie mnogiej, np.:

| | |
|---|---|
| business [*'byznys*] | interes, sprawa, zajęcie, |
| news [*nju:z*] | wiadomość, |
| information [*ynfə'mejszn*] | informacja, |
| advice [*əd'wajs*] | rada, porada. |

W obu liczbach są **cztery przypadki**. Forma **pierwszego** — to forma zasadnicza, taka — jaką znajdujemy w słownikach.

**Drugi przypadek** tworzy się:

1) umieszczając **of** [*ow*] przed pierwszym (nie każde jednak **of** [*ow*] przed pierwszym przypadkiem tworzy drugi przypadek) lub

2) dodając do pierwszego apostrof (') i końcówkę **-s**, wymawianą jak końcówka liczby mnogiej (zob. str. 278).

Do liczby mnogiej zakończonej na **-s** końcówki tej nie dodaje się; w pisowni dodaje się wtedy apostrof, a w wymowie drugi przypadek liczby mnogiej jest identyczny z pierwszym.

**Trzeci przypadek** tworzy się umieszczając **to** [*tu*] przed pierwszym. Jest to forma mocna, a w formie słabej trzeci przypadek równa się pierwszemu. Nie każde jednak **to** [*tu*] przed pierwszym przypadkiem tworzy trzeci przypadek, np. w zdaniu:

I'm going to my friend.
[*ajm gouyŋ tu maj frend*]
Idę do przyjaciela.

**Czwarty przypadek** jest identyczny z pierwszym (i z trzecim w formie słabej).

PRZYKŁADY:

| | Liczba pojedyncza | | Liczba mnoga | |
|---|---|---|---|---|
| 1. | the book [*ðə 'buk*] | — książka | the books [*ðə 'buks*] | — książki |
| 2. | **of** the book [*ow ðə 'buk*] | — książki | **of** the books [*ow ðə 'buks*] | — książek |
| 3. | **to** the book [*tu ðə 'buk*] | — książce | **to** the books [*tu ðə 'buks*] | — książkom |
| 4. | the book [*ðə 'buk*] | — książkę | the books [*ðə 'buks*] | — książki |

| | | | | |
|---|---|---|---|---|
| 1. | a girl [*ə 'gə:l*] | — dziewczyna | girls [*gə:lz*] | — dziewczyny |
| 2. | **of** a girl [*ow ə 'gə:l*] | **lub** | **of** girls [*ow 'gə:lz*] | **lub** |
| | a girl's [*ə gə:lz*] | — dziewczyny | girls' [*gə:lz*] | — dziewczyn |
| 3. | **to** a girl [*tu ə ' gə:l*] | **lub** | **to** girls [*tu 'gə:lz*] | **lub** |
| | a girl [*ə 'gə:l*] | — dziewczynie | girls [*gə:lz*] | — dziewczynom |
| 4. | a girl [*ə 'gə:l*] | — dziewczynę | girls [*gə:lz*] | — dziewczyny |

1. love — miłość
   [*law*]
2. **of** love — miłości
   [*ow 'law*]
3. **to** love **lub**
   [*tu 'law*]
   love — miłości
   [*law*]
4. love — miłość
   [*law*]

Na ogół na pytania kto? co? odpowiada przypadek pierwszy,
na pytania kogo? czego? — przypadek drugi lub czwarty,
na pytania komu? czemu? — przypadek trzeci,
na pytania kogo? co? — przypadek czwarty,
na pytania kim? czym? — przypadek czwarty poprzedzony przyimkiem **with** lub innym.

Wszystkie przyimki rządzą czwartym przypadkiem (w odróżnieniu od polskiego), np.:

Słyszałem o **twoim sukcesie** (siódmy przypadek).
I have heard **about your** success (czwarty przypadek).
[*aj hœw 'hə:d əbaut jo: sək'ses*]

Wracając z **kina...** (drugi przypadek).
Coming back **from the cinema** (czwarty przypadek).
[*'kamyŋ 'bœk frəm ðə 'synymə*]

## 2. RODZAJNIK

Rzeczownik występuje:

1) z rodzajnikiem nieokreślonym:

**a** [ə], jeżeli po nim następuje słowo rozpoczynające się od spółgłosek, np.:

a printer [ə *'pryntə*] — drukarz,
a car [ə *'ka:*] — samochód osobowy,
a university [ə *ju:ny'wə:syty*] — uniwersytet,

**an** [ə*n*], jeżeli po nim następuje słowo rozpoczynające się od samogłoski, np.:

an operator [ə*n 'opərejtə*] — telefonistka,
an umbrella [ə*n am'brelə*] — parasol,
an hour [ə*n 'auə*] — godzina,

2) z rodzajnikiem określonym:

**the** [*ðə*], jeżeli po nim następuje słowo rozpoczynające się od spółgłoski, np.:

| | | |
|---|---|---|
| the plane | [*ðə 'plejn*] | — samolot, |
| the stamp | [*ðə 'stœmp*] | — znaczek, |
| the union | [*ðə 'ju:niən*] | — związek, |

**the** [*ðy*], jeżeli po nim następuje słowo rozpoczynające się od samogłoski, np.:

| | | |
|---|---|---|
| the orphan | [*ðy 'o:fn*] | — sierota, |
| the idea | [*ðy aj'diə*] | — pomysł, |
| the honour | [*ðy 'onə*] | — zaszczyt; |

3) bez rodzajnika, np.:

| | | |
|---|---|---|
| I study history [*aj 'stady 'hystry*] | I'm having dinner. [*ajm hœwyn 'dynə*] | Do you know English? [*du ju 'nou 'yŋglysz*] |
| Studiuję historię. | Jem obiad. | Zna pani język angielski? |

Stosowanie i niestosowanie rodzajników podlega bardzo zawiłym regułom, z których podajemy najważniejsze:

a table [*ə 'tejbl*] znaczy: jedna z tych rzeczy, które nazywamy stołami,
pewien (dowolny) stół,
jakiś (nieznany) stół,
jeden z wielu stołów,
jeden stół itd.;

the table [*ðə 'tejbl*] znaczy: ten stół, określony stół, np. ten stół, który znamy, który jest w tym pokoju, przy którym siedzimy itd.

**Rodzajnika nieokreślonego** używa się mówiąc o danej rzeczy czy osobie po raz pierwszy; gdy wspominamy o niej ponownie, poprzedzamy ją rodzajnikiem określonym, np.:

I see a man; the man is looking at me.
*[aj 'si: ə 'mæn; ðə 'mæn yz 'lukyŋ ət mi:]*
Widzę (jakiegoś) człowieka; (ten) człowiek patrzy na mnie.

**Rodzajnika określonego** używa się dla rzeczy lub osób jedynych (lub względnie jedynych), np.:

The sun is shining in the sky.
*[ðə 'san yz 'szajnyŋ yn ðə 'skaj]*
Słońce świeci na niebie.

**Bez rodzajnika** używa się:

1) rzeczowników abstrakcyjnych, np.:
Love does wonders.
*['law daz 'uandəz]*
Miłość czyni cuda.
He studies history.
*[hi: 'stadyz 'hystry]*
Studiuje historię;

ale rzeczowników abstrakcyjnych, odnoszących się do rzeczowników konkretnych, używamy z rodzajnikiem określonym, np.:

The love of money is not a noble sentiment.
*[ðə 'law əw 'many yz not ə 'noubl 'sentimənt]*
Umiłowanie pieniędzy nie jest uczuciem szlachetnym.
He studies the history of our town.
*[hy 'stadyz ðə 'hystry əw 'auə taun]*
Studiuje historię naszego miasta;

2) imion własnych, np.:
Warsaw, Pakistan, Henry, Charlotte, Cyprus;
*['uo:so: pa:ky'sta:n 'henry 'sza:lət 'sajprəs]*

z wyjątkiem nazw łańcuchów górskich i rzek, np.:
the Thames, the Himalayas
*[ðə temz ðə hymə'lejəz]*

oraz nazw niektórych krajów, np.:
the United States, the Soviet Union, the Netherlands.
[*ðə ju:'najtyd 'stejts, ðə 'souwjet 'ju:njən, ðə 'neðələndz*]

Rodzajnik nieokreślony nie ma liczby mnogiej. Rodzajników nie akcentuje się.

### 3. PRZYMIOTNIK

Przymiotnik nie zmienia się:

ani w przypadku, np.:

Martin is a clever boy,
[*'ma:tyn yz ə 'klewə 'boj*]
Marcin to zdolny chłopiec,

I know a clever boy,
[*aj 'nou ə 'klewə 'boj*]
znam zdolnego chłopca;

ani w liczbie, np.:

the local train,
[*ðə 'loukl 'trejn*]
miejscowy pociąg,

the local trains,
[*ðə loukl 'trejnz*]
miejscowe pociągi;

ani w rodzaju, np.:

a strong man
[*ə 'stroŋ 'mæn*]
silny mężczyzna,

a strong woman
[*ə 'stroŋ 'uumən*]
silna kobieta,

a strong feeling
[*ə 'stroŋ 'fi:lyŋ*]
silne uczucie.

Przymiotnik użyty w formie przydawki poprzedza rzeczownik, który określa.

Są dwa sposoby **stopniowania przymiotników.** Pierwszy stosuje się do stopniowania przymiotników jednosylabowych i części dwusylabowych, drugi do stopniowania przymiotników wielosylabowych. W olbrzymiej większości przypadków stopień wyższy tworzy się przez dodanie końcówki **-er,** wymawianej [-*ə*], do stopnia równego, zaś stopień najwyższy przez dodanie końcówki **-est**, wymawianej [-*yst*], do stopnia równego, np.:

short [*szo:t*] — krótki
shorter [*'szo:tə*] — krótszy
shortest [*'szo:tyst*] — najkrótszy

Jeżeli ostatnią literą stopnia równego jest **y**, a przedostatnią — litera spółgłoskowa, to owo **y** zamienia się na **i**.

Stopień wyższy przymiotników wielosylabowych tworzy się przez dodanie słowa **more** [*mo:*], będącego odpowiednikiem polskiego **bardziej**, przed przymiotnikiem, a stopień najwyższy tych przymiotników — przez dodanie słowa **most** [*moust*], będącego odpowiednikiem polskiego **najbardziej**, przed przymiotnikiem, np.:

elegant [*'elygənt*] — elegancki
**more** elegant [*mo:r 'elygənt*] — bardziej elegancki
**most** elegant [*moust 'elygənt*] — najbardziej elegancki.

Stopień najwyższy jest z zasady poprzedzony rodzajnikiem określonym, np.:

He is the youngest of the boys.
[*hi: yz ðə 'jaŋgyst ow ðə 'bojz*]
On jest najmłodszy z chłopców.

Stopniowanie przymiotników nieregularnych:

good [*gud*] — dobry
better [*'betə*] — lepszy
best [*best*] — najlepszy

well [*uel*] — zdrowy
better [*'betə*] — zdrowszy
best [*best*] — najzdrowszy

bad [*bœd*] — zły
worse [*uə:s*] — gorszy
worst [*uə:st*] — najgorszy

ill [*yl*] — chory
worse [*uə:s*] — bardziej chory
worst [*uə:st*] — najbardziej chory

far [*fa:*] — daleki
farther [*fa:ðə*] **lub** further [*'fə:ðə*] — dalszy
farthest [*'fa:ðyst*] **lub** furthest [*'fə:ðyst*] — najdalszy

many [*'meny*] — wiele, wielu, dużo
more [*mo:*] — więcej
most [*moust*] — najwięcej

few [*fju:*] — niewiele, niewielu, mało
fewer [*'fju:ə*] — mniej
feweśt [*'fju:yst*] — najmniej.

**Niż**, **jak**, **od** tłumaczy się przez **than**, np.:

London is bigger than Warsaw.
[*'landən yz 'bygə ðən 'uo:so:*]
Londyn jest większy niż Warszawa.

Naj ... z ... = the ... est of ..., np.:

the best of them,
[*ðə 'best əw ðəm*]
najlepsi (-sze) z nich,

the cheapest of all ties,
[*ðə 'czi:pyst əw 'o:l 'tajz*]
najtańszy ze wszystkich krawatów.

## 4. ZAIMEK

**Zaimki osobowe**

Pierwszy przypadek:

| | | |
|---|---|---|
| I | [*aj*] | — ja |
| you | [*ju:*] | — ty |
| he | [*hi:*] | — on |
| she | [*szi:*] | — ona |
| it | [*yt*] | — ono |
| we | [*ui:*] | — my |
| you | [*ju:*] | — wy |
| they | [*ðej*] | — oni, one |

Czwarty przypadek:

| | | |
|---|---|---|
| me | [*mi:*] | — mnie |
| you | [*ju:*] | — ciebie |
| him | [*hym*] | — jego |
| her | [*hə:*] | — ją |
| it | [*yt*] | — je |
| us | [*as*] | — nas |
| you | [*ju:*] | — was |
| them | [*ðem*] | — ich |

Drugi przypadek tworzy się umieszczając **of** [*ow*] przed czwartym.

Trzeci przypadek jest identyczny w formie z czwartym; wzmacnia się go umieszczając przed nim **to** [*tu*].

**Zaimki dzierżawcze:**

| | | |
|---|---|---|
| my | [*maj*] | — mój |
| your | [*jo:*] | — twój |
| his | [*hyz*] | — jego |
| her | [*hə:*] | — jej |
| its | [*yts*] | — jego |
| our | [*auə*] | — nasz |
| your | [*jo:*] | — wasz. |
| their | [*ðeə*] | — ich |

mają charakter przymiotników, a mianowicie:

1) są nieodmienne,
2) występują z rzeczownikami, np.:

| my hat | her sister | your pipe |
|---|---|---|
| [*maj 'hæt*] | [*hə: 'systə*] | [*jo: 'pajp*] |
| mój kapelusz | jej siostra | twoja, wasza, pańska fajka, |

mogą jednak występować samodzielnie w formach:

| | | |
|---|---|---|
| mine | [*majn*] | — mój |
| yours | [*jo:z*] | — twój |
| his | [*hyz*] | — jego |
| hers | [*hə:z*] | — jej |
| its | [*yts*] | — jego |
| ours | [*auəz*] | — nasz |
| yours | [*jo:z*] | — wasz |
| theirs | [*ðeəz*] | — ich |

This train is mine.
[*ðys 'trejn yz 'majn*]
Ten pociąg jest mój.

These are my glasses and those are yours.
[*'ði:z ə maj 'gla:syz ən 'ðouz ə 'jo:z*]
To są moje okulary, a tamte są twoje (wasze).

**Zaimek zwrotny** (odpowiednik polskiego **się**) jest dla każdej osoby inny.

Liczba pojedyncza

| | |
|---|---|
| I enjoy myself<br>[*aj yn'dżoj maj'self*] | bawię się |
| you enjoy yourself<br>[*ju yn'dżoj jo:'self*] | bawisz się |
| he enjoys himself<br>[*hi: yn'dżojz hym'self*] | on bawi się |
| she enjoys herself<br>[*szi: yn'dżojz hə:'self*] | ona bawi się |
| it enjoys itself<br>[*yt yn'dżojz yt'self*] | ono bawi się |

we enjoy ourselves — bawimy się
[*$^{u}$i: yn'dżoj auə'selwz*]

you enjoy yourselves — bawicie się
[*ju yn'dżoj jo:'selwz*]

they enjoy themselves — bawią się
[*ðej yn'dżoj ðəm'selwz*]

Nie każdemu jednak zwrotnemu czasownikowi polskiemu odpowiada zwrotny czasownik angielski, np.:

Spotkałem się z nim w Szkocji. — I met him in Scotland. [*aj 'met hym yn 'skotlənd*]

Widziała się z narzeczonym. — She saw her fiancé. [*shi: 'so: hə fy'a:nsej*]

Zaimek zwrotny służy także do zaakcentowania zaimka osobowego lub rzeczownika, np.:

I heard it myself.
[*aj 'hə:d yt maj'self*]
Sam to słyszałem.

The queen herself has agreed.
[*ðə 'k$^{u}$i:n hə'self həz ə'gri:d*]
Nawet królowa zgodziła się.

Wyrażenia: jeden drugiego, jedna drugiej, nawzajem itd. tłumaczy się w sposób następujący:

Pomagają sobie nawzajem. — They help each other.
[*ðəj 'help i:cz aðə*] **albo**:
They help one another.
[*ðej 'help $^{u}$an ənaðə*]

Patrzą jeden na drugiego. — They are looking at each other.
[*ðəj ə 'lukyŋ ət i:cz aðə*] **albo**:
They are looking at one another.
[*ðej ə 'lukyŋ ət $^{u}$an ənaðə*]

Zgadzają się ze sobą. — They agree with each other.
[*ðej ə'gri: $^{u}$yð i:cz aðə*] **albo**:
They agree with one another.
[*ðej ə'gri: $^{u}$yð $^{u}$an ənaðə*]

**Zaimki względne** (odpowiedniki polskich: który, któ-ra, które) mają jednakową formę w liczbie mnogiej i pojedynczej:

| | | | |
|---|---|---|---|
| 1. przyp. | who [*hu:*] | which [$^u$*ycz*] | that [*ðœt*] |
| 2. przyp. | whose [*hu:z*]<br>**lub** of whom [*ow 'hu:m*] | of which [*ow '*$^u$*ycz*] | — |
| 3. przyp. | to whom [*tu 'hu:m*]<br>**lub** whom [*hu:m*] | to which [*tu '*$^u$*ycz*] | — |
| 4. przyp. | whom [*hu:m*] | which [$^u$*ycz*] | that [*ðœt*] |

Zaimek względny **who** [*hu:*] odnosi się do osób, **which** [$^u$*ycz*] do rzeczy i zwierząt, **that** [*ðœt*] do osób, rzeczy i zwierząt.

Zaimki względne stojące w trzecim lub czwartym przypadku można opuścić w mowie potocznej, np. zamiast:

This is the room which I occupy.
[*ðys yz ðə 'rum* $^u$*ycz aj 'okjupaj*]
To jest pokój, który zajmuję.
The persons whom I know.
[*ðə 'pə:snz hu:m aj'nou*]
Osoby, które znam,

można powiedzieć:

This is the room I occupy.
[*ðys yz ðə 'rum aj 'okjupaj*]

The persons I know.
[*ðə 'pə:snz aj 'nou*]

Przyimek stojący przed zaimkiem względnym moż-na postawić na końcu zdania lub wyrażenia w mowie potocznej, np. zamiast:

The fellow with whom I disagree.
[*ðə 'felou* $^u$*yð hu:m aj dyzə'gri:*]
„Facet", z którym się nie zgadzam,

można powiedzieć:

The fellow I disagree with.
[*ðə 'felou aj dyzə'gri:* $^u$*yð*]

**Zaimki pytające** (odpowiedniki polskich: który? która? które?) mają jednakową formę w liczbie mnogiej i pojedynczej:

| | | | |
|---|---|---|---|
| 1. przyp.: | who [*hu:*]? | what [*uot*]? | which [*uycz*]? |
| 2. przyp.: | whose [*hu:z*]? | of what [*ow 'uot*]? | of which [*ow 'uycz*]? |
| **lub** | of whom [*ow 'hu:m*]? | | |
| 3. przyp.: | to whom [*tu 'hu:m*]? | to what [*tu 'uot*]? | to which [*tu 'uycz*]? |
| **lub** | whom [*hu:m*]? | | |
| 4. przyp.: | who [*hu:*]? | what [*uot*]? | which [*uycz*]? |

**Zaimki wskazujące** mają jednakowe formy we wszystkich przypadkach i dla wszystkich rodzajów, a różne dla liczby pojedynczej i mnogiej:

liczba pojedyncza:
**this** (*ðys*) ten, ta, to **that** (*ðœt*) tamten, tamta, tamto

liczba mnoga:
**these** (*ði:z*) ci, te **those** (*ðouz*) tamci, tamte.

Ponadto **ten, ta, to** tłumaczy się często przez **the one** [*ðə 'uan*], a **ci, te** przez **those** [*ðouz*], np.:

the one on the table [*ðə 'uan on ðə 'tejbl*] ten na stole,

those at the seaside [*'ðouz ət ðə 'si:sajd*] te nad morzem,

the one in the pink dress [*ðə 'uan yn ðə 'pyŋk 'dres*] ta w różowej sukni,

those walking in the street [*'ðouz 'uo:kyŋ yn ðə 'stri:t*] ci spacerujący po ulicy.

**Zaimki nieokreślone:**

a) **one** [*uan*] używamy:

1) do tworzenia konstrukcji bezosobowej, np.:

one can [*'uan kœn*] można, one never knows [*uan 'newə 'nouz*] nigdy nie wiadomo, one must [*'uan mast*] trzeba;

2) zamiast rzeczownika, by uniknąć powtarzania, np.:
There is an early train and a late one.
[*ðeər yz ən 'ə:ly 'trejn ənd ə 'lejt uan*]
Jest wczesny pociąg i późny.

I've three white shirts and two blue ones.
[*ajw 'θri: 'uajt 'szə:ts ən 'tu: 'blu: uanz*]
Mam trzy białe koszule i dwie niebieskie.

b) **another** [*ə'naðə*] znaczy: jeszcze jeden, inny, dalszy, np.:
Will you have another cup of tea?
[*uyl ju hœw ə'naðə 'kap əw 'ti:*]
Wypijesz jeszcze jedną filiżankę herbaty?

Another speaker mentioned that question.
[*ə'naðə 'spi:kə 'menszənd 'ðœt 'kueszczn*]
Inny mówca wspomniał o tym zagadnieniu.

c) **the other** [*ðy 'aðə*] znaczy: drugi, -a, -ie, pozostali, -łe, reszta, np.:
It's at the other end of the park.
[*yts ət ðy 'aðər 'end əw ðə 'pa:k*]
To jest na drugim końcu parku.

The other guests didn't drink any wine.
[*ðy aðə 'gests 'dydnt 'dryŋk eny 'uajn*]
Reszta gości (pozostali goście) nie piła wcale wina.

d) **the others** [*ðy 'aðəz*] znaczy: reszta, pozostali, -łe, np.:
Some boys went on foot, the others took bus number ten.
[*'sam 'bojz 'uent on 'fut, ðy 'aðəz 'tuk 'bas nambə 'ten*]
Część chłopców poszła pieszo, reszta pojechała autobusem nr dziesięć.

e) **some** [*sam*] znaczy: trochę, kilka, -ku, parę, -ru, część, np.:
You have some money and I have some.
[*'ju: hœw 'sam 'many ənd 'aj hœw 'sam*]
Ty masz trochę pieniędzy i ja mam trochę.

f) **no** [*nou*] **none** [*nan*] **not... any** [*not... eny*] znaczy: żaden, żadna, żadne, żadni, np.:

You have no money and I have none.
['*ju: hœw 'nou 'many ənd 'aj hœw 'nan*]
Ty nie masz (żadnych) pieniędzy i ja nie mam (żadnych).

You haven't any money and I haven't any.
['*ju: 'hœwnt 'eny 'many ənd 'aj 'hœwnt 'eny*]
Ty nie masz (żadnych) pieniędzy i ja nie mam (żadnych).

**someone** ['*sam*ᵘ*an*] — ktoś
**somebody** ['*sambədy*] — ktoś
**no one** ['*nou* 'ᵘ*an*] — nikt
**nobody** ['*noubədy*] — nikt
**not... anyone** [*not...* '*eny*ᵘ*an*] — nikt
**not... anybody** [*not...* '*enybədy*] — nikt
**anyone** ['*eny*ᵘ*an*] — ktokolwiek
**anybody** ['*enybədy*] — ktokolwiek
**everyone** ['*ewry*ᵘ*an*] — każdy (człowiek)
**everybody** ['*ewrybədy*] — każdy (człowiek)
**something** ['*samθyŋ*] — coś
**nothing** ['*naθyŋ*] — nic
**not... anything** [*not...* '*enyθyŋ*] — nic
**anything** ['*enyθyŋ*] — cokolwiek
**everything** ['*ewryθyŋ*] — wszystko

**either** ('*ajðə*) znaczy: każdy (którykolwiek) z dwóch; np.:
You may go by either road.
[*ju mej 'gou baj 'ajðə 'roud*]
Może pani jechać którąkolwiek drogą.

Which half do you want? — Either.
['ᵘ*ycz 'ha:f du ju* 'ᵘ*ont*] ['*ajðə*]
Którą chcesz połowę? — Którąkolwiek.

g) **neither** (*najðə*) znaczy: żaden z dwóch; ani ten, ani ten, np.:

Which half do you want? — Neither.
['*uycz* '*ha:f du ju* '*uont*] ['*najðə*]
Którą chcesz połowę? — Żadnej.

Neither half was big enough.
['*najðə* '*ha:f* *uoz* '*byg y'naf*]
Ani ta, ani ta połowa nie była dość duża.

## 5. LICZEBNIK

(zob. str. 69)

## 6. CZASOWNIK

Wzory odmiany

### 1.

### Forma prosta — Strona czynna

**Tryb oznajmujący — Czas teraźniejszy**

| | |
|---|---|
| I examine<br>[*aj yg'zœmyn*] | badam |
| you examine<br>[*ju: yg'zœmyn*] | badasz (pan, pani bada) |
| he examines<br>[*hi: yg'zœmynz*] | (on) bada |
| she examines<br>[*szi: yg'zœmynz*] | (ona) bada |
| it examines<br>[*yt yg'zœmynz*] | (ono) bada |
| we examine<br>[*ui: yg'zœmyn*] | badamy |
| you examine<br>[*ju: yg'zœmyn*] | badacie |
| they examine<br>[*ðej yg'zœmyn*] | badają |

### 2.

**Czas przeszły**

I (you, he, she, it,
we, they) examin**ed**
[*aj (ju:, hi:, szi:, yt,
ui:, ðej) yg'zœmynd*]

zbadałem, badałem
zbadałeś, -łaś,
badałeś, -łaś itd.

### 3.

**Czas teraźniejszy dokonany**

I (you, we, they) **have** examined
[*aj (ju:, ui:, ðej) hœw
yg'zœmynd*]
he (she, it) **has** examined
[*hi: (szi:, yt) hœz yg'zœmynd*]

jak wyżej

### 4.

**Czas zaprzeszły**

I (you, he, she, it,
we, they) had examined
[*aj (ju:, hi:, szi:, yt,
ui:, ðej) hœd yg'zœmynd*]

jak wyżej

### 5.

**Czas przyszły**

I (we) **shall** examine
[*aj (ui:) szœl yg'zœmyn*]
you (he, she, it, they) **will**
examine
[*ju: (hi:, szi:, yt, ðej) uyl
yg'zœmyn*]

będę badać, zbadam itd.

### 6.

**Tryb warunkowy pierwszy**

**I** (we) **should** examine
[*aj (ui:) szud yg'zœmyn*]
you (he, she, it, they)
**would** examine
[*ju: (hi:, szi:, yt, ðej)
uud yg'zœmyn*]

(z)badałbym -łabym
itd.

**7.**

**Tryb warunkowy drugi**

I (we) should have examined
*[aj (ui:) szud hœw yg'zœmynd]*
you (he, she, it, they) would have examined
*[ju: (hi:, szi:, yt, ðej) uud hœw yg'zœmynd]*

byłbym (z)badał itd.

**8.**

**Forma prosta — Strona bierna**

**Tryb oznajmujący — Czas teraźniejszy**

I **am** examined
*[aj œm yg'zœmynd]*
you (we, they) **are** examined
*[ju: (ui:, ðej) a:r yg'zœmynd]*
he (she, it) **is** examined
*[hi: (szi:, yt) yz yg'zœmynd]*

jestem badany, -a itd.

**9.**

**Czas przeszły**

I (he, she, it) **was** examined
*[aj (hi:, szi:, yt) uoz yg'zœmynd]*
you (we, they) **were** examined
*[ju: (ui:, ðej) ueə yg'zemynd]*

byłem (z)badany itd.

**10.**

**Czas teraźniejszy dokonany**

I (you, we, they) have been examined
*[aj (ju:, ui:, ðej) hœw bi:n yg'zœmynd]*
he (she, it) has been examined
*[hi: (szi:, yt) hœz bi:n yg'zœmynd]*

jak wyżej

**11.**

**Czas zaprzeszły**

I (you, he, she, it, we, they) had been examined
*[aj (ju:, hi:, szi:, yt, ui:, ðej) hœd bi:n yg'zœmynd]*

jak wyżej

## 12.

### Czas przyszły

| | |
|---|---|
| I (we) shall be examined<br>*[aj (ui:) szœl bi: yg'zœmynd]*<br>you (he, she, it, they) will be examined<br>*[ju: (hi:, szi:, yt, ðej) uyl bi: yg'zœmynd]* | będę (z)badany itd. |

## 13.

### Tryb warunkowy pierwszy

| | |
|---|---|
| I (we) should be examined<br>*[aj (ui:) szud bi: yg'zœmynd]*<br>you (he, she, it, they) would be examined<br>*[ju: (hi:, szi:, yt, ðej) uud bi: yg'zœmynd]* | byłbym (z)badany itd. |

## 14.

### Tryb warunkowy drugi

| | |
|---|---|
| I (we) should have been examined<br>*[aj (ui:) szud hœw bi:n yg'zœmynd]*<br>you (he, she, it, they) would have been examined<br>*[ju: (hi:, szi:, yt, ðej) uud hœw] bi:n yg'zœmynd]* | byłbym był (z)badany itd. |

## 15.

### Forma ciągła — Strona czynna

#### Tryb oznajmujący — Czas teraźniejszy

| | |
|---|---|
| I am examining<br>*[aj œm yg'zœmynyŋ]*<br>you (we, they) are examining<br>*[ju: (ui:, ðej) a:r yg'zœmynyŋ]*<br>he (she, it) is examining<br>*[hi: (szi:, yt) yz yg'zœmynyŋ]* | badam, badasz itd. |

## 16.

**Czas przeszły**

| | |
|---|---|
| I (he, she, it) was examining<br>[*aj (hi:, szi:, yt)* $^{u}$*oz yg'zœmynyŋ*]<br>we (you, they) were examining<br>[$^{u}$*i: (ju:, ðej)* $^{u}$*eə yg'zœmynyŋ*] | badałem,<br>badałam itd. |

## 17.

**Czas teraźniejszy dokonany**

| | |
|---|---|
| I (you, we, they) have been examining<br>[*aj (ju:,* $^{u}$*i:, ðej) hœw bi:n yg'zœmynyŋ*]<br>he (she, it) has been examining<br>[*hi: (szi:, yt) hœz bi:n yg'zœmynyŋ*] | jak wyżej |

## 18.

**Czas zaprzeszły**

| | |
|---|---|
| I (you, he, she, it, we, they) had been examining<br>[*aj (ju:, hi:, szi:, yt,* $^{u}$*i:, ðej) hœd bi:n yg'zœmynyŋ*] | jak wyżej |

## 19.

**Czas przyszły**

| | |
|---|---|
| I (we) shall be examining<br>[*aj (*$^{u}$*i:) szœl bi: yg'zœmynyŋ*]<br>you (he, she, it, they) will be examining<br>[*ju: (hi:, szi:, yt, ðej)* $^{u}$*yl bi: yg'zœmynyŋ*] | będę<br>badać itd. |

## 20.

**Tryb warunkowy pierwszy**

| | |
|---|---|
| I (we) should be examining<br>[*aj (*$^{u}$*i:) szud bi: yg'zœmynyŋ*]<br>you (he, she, it, they) would be examining<br>[*ju: (hi:, szi:, yt, ðej)* $^{u}$*ud bi: yg'zœmynyŋ*] | badał(a)bym itd. |

## 21.

**Tryb warunkowy drugi**

I (we) should have been examining
[*aj* (*ui*:) *szud hœw bi:n yg'zœmynyŋ*]
you (he, she, it, they) would have been examining
[*ju*: (*hi*:, *szi*:, *yt*, *ðej*) *uud hœw bi:n yg'zœmynyŋ*]

byłbym badał, byłabym badała itd.

## 22.

**Forma ciągła — Strona bierna**

**Tryb oznajmujący — Czas teraźniejszy**

I am being examined
[*aj œm bi:yŋ yg'zœmynd*]
you (we, they) are being examined
[*ju*: (*ui*:, *ðej*) *a*: *bi:yŋ yg'zœmynd*]
he (she, it) is being examined
[*hi*: (*szi*:, *yt*) *yz bi:yŋ yg'zœmynd*]

jestem badany, -a itd.

## 23.

**Tryb oznajmujący — Czas przeszły**

I (he, she, it) was being examined
[*aj* (*hi*:, *szi*:, *yt*) *uoz bi:yŋ yg'zœmynd*]
you (we, they) were being examined
[*ju:* (*ui*:, *ðej*) *ueə by:yŋ yg'zœmynd*]

byłem badany (-aś badana) itd.

## 24. Tryb rozkazujący

Examine [*yg'zœmyn*]! badaj! (-cie!) zbadaj (cie!)

## 25. Bezokolicznik

to examine (*tu*: *yg'zœmyn*] badać

26.

**Imiesłów czynny**

examining [*yg'zœmynyŋ*] badając (-cy, -ca, -e)

**Imiesłów bierny**

examined [*yg'zœmynd*] badany (-a, -e, -i, -e)

Uwagi o budowie form czasu

1. Z wyjątkiem trybu rozkazującego czasownik występuje z zaimkiem osobowym jako podmiotem. W trzeciej osobie liczby poj. i mnogiej występuje często z innym podmiotem, np.:

He smokes.
[*hi: 'smouks*]
On pali.

Mr. Miller smokes.
[*mystə 'mylə 'smouks*]
Pan Miller pali.

**Umiem** znaczy po angielsku **I know** [*aj 'nou*], a nie tylko **know** [*nou*].

2. Forma prosta str. czynnej trybu ozn. *czasu teraźn.* jest w pierwszej i drugiej osobie liczby poj. oraz we wszystkich osobach liczby mnogiej taka sama, równa bezokolicznikowi odmienianego czasownika. Jedynie w trzeciej osobie liczby poj. do formy bezokolicznika dodajemy w pisowni końcówkę **-s** lub **-es**, wymawianą jak identyczna z nią końcówka liczby mnogiej rzeczownika (zob. str. 278). Jeżeli ostatnią literą bezokolicznika jest **-y**, a przedostatnią — litera spółgłoskowa, to owo **-y** zamienia się na **-i.**

3. Dla czasowników regularnych formę prostą str. czynnej trybu ozn. *czasu przeszłego* tworzy się dodając w pisowni do bezokolicznika końcówkę **-ed** (a gdy ostatnią literą bezokolicznika jest **-e**, to tylko końcówkę **-d**), wymawianą jak:

[*-t*] jeżeli bezokolicznik kończy się na spółgłoskę bezdźwięczną, ale nie na spółgłoskę **-t**, np.:

| | | | |
|---|---|---|---|
| bezokolicznik: | park | [*pa:k*] | — parkować |
| czas przeszły: | park**ed** | [*pa:kt*] | — parkował |

[-*d*] jeżeli bezokolicznik kończy się na spółgłoskę dźwięczną, ale nie na spółgłoskę **-d**, np.:

| | | | |
|---|---|---|---|
| bezokolicznik: | turn | [*tə:n*] | — kręcić |
| czas przeszły: | turn**ed** | [*tə:nd*] | — kręcił |

lub jeżeli bezokolicznik kończy się na samogłoskę, np.:

| | | | |
|---|---|---|---|
| bezokolicznik: | cover | ['*kawə*] | — przykryć |
| czas przeszły: | cover**ed** | ['*kawəd*] | — przykrył |

[-*yd*] jeżeli bezokolicznik kończy się na spółgłoskę **-t** lub -d, np.:

| | | | |
|---|---|---|---|
| bezokolicznik: | depart | [*dy'pa:t*] | — odjeżdżać |
| czas przeszły: | depart**ed** | [*dy'pa:tyd*] | — odjeżdżał |
| bezokolicznik: | divide | [*dy'wajd*] | — dzielić |
| czas przeszły: | divide**d** | [*dy'wajdyd*] | — dzielił |

Jeżeli ostatnią literą bezokolicznika jest **-y**, a przedostatnią — litera spółgłoskowa, to owo **-y** zamienia się na **-i**.

4. Dla czasowników nieregularnych forma prosta str. czynnej trybu oznajmującego czasu przeszłego jest rozmaita (zob. listę czasowników nieregularnych, str. 304).

5. Imiesłów bierny czasowników regularnych jest równy formie prostej str. czynnej trybu ozn. czasu przeszłego (bez zaimka osobowego).

6. Imiesłów bierny czasowników nieregularnych przybiera rozmaite formy (zob. listę czasowników nieregularnych, str. 304).

7. Imiesłów czynny czasownika tworzy się dodając końcówkę **-ing** [*yŋ*] do bezokolicznika, przy czym jeżeli ostatnią literą bezokolicznika jest **-e**, to ją opuszczamy, np.:

| | | | |
|---|---|---|---|
| bezokolicznik: | buy | [*baj*] | — kupować, |
| | use | [*ju:z*] | — używać, |
| imiesłów czynny: | buy**ing** | ['*bajyŋ*] | — kupując, |
| | us**ing** | ['*ju:zyŋ*] | — używając. |

### Osobliwości użycia czasów

1. Najważniejsza różnica między formą prostą a ciągłą str. czynnej trybu ozn. czasu teraźn. polega na tym, że forma prosta wyraża czynność powtarzającą się, stanowiącą nawyk lub zwyczaj, zaś forma ciągła wyraża czynność dokonywaną **właśnie teraz**, np.:

You are reading these remarks now.
*[ju: ə 'ri:dyŋ ði:z ry'ma:ks 'nau]*
Czytacie teraz niniejsze uwagi.

How many papers do you read every day?
*['hau meny pejpəz du: ju 'ri:d 'ewry 'dej]*
Ile gazet czyta pan codziennie?

2. Zarówno forma prosta, jak i ciągła str. czynnej trybu ozn. czasu teraźn. mogą wyrażać czynność przyszłą, zwłaszcza planowaną, np.:

He starts for Chester to-night.
*[hy 'sta:ts fə 'czestə tə'najt]*
Wyjeżdża do Chester dziś wieczór.

He's starting for Chester to-night.
*[hyz 'sta:tyŋ fə 'czestə tə'najt]*
Wyjeżdża do Chester dziś wieczór.

3. Zarówno forma prosta, jak i ciągła str. czynnej trybu ozn. czasu teraźn. użyte po spójnikach czasowych wyrażają czynność przyszłą, np.:

If you are making a journey at this time of the year it is best to book your tickets.
*[yf ju ə 'mejkyŋ ə 'dżə:ny ət 'ðys 'tajm əw ðə 'jə: yt yz 'best tə 'buk jo: 'tykyts]*
Jeśli wyruszasz w podróż o tej porze roku, najlepiej kupić bilety w przedsprzedaży.

Before you leave sign the visitors' book.
*[by'fo: ju 'li:w 'sajn ðə 'wyzytəz buk]*
Zanim pan odjedzie, proszę podpisać się w książce hotelowej.

4. Forma prosta str. czynnej trybu ozn. czasu przeszłego wyraża czynność przeszłą. Często występuje z takimi wyrażeniami, jak yesterday [*'jestədej*] — wczoraj, a week ago [*ə 'ui:k ə'gou*] — tydzień temu, last night [*'la:st 'najt*] — wczoraj wieczorem, last week [*'la:st 'ui:k*] — w zeszłym tygodniu, last year [*'la:st 'jə:*] — w zeszłym roku, np.:

The London Conference was held last year.
[*ðə 'landən 'konfrəns uəz 'held 'la:st 'jə:*]
Konferencja Londyńska odbyła się w zeszłym roku.

5. Forma ciągła str. czynnej trybu ozn. czasu przeszłego wyraża czynność dokonywaną w pewnym momencie w przeszłości, np.:

At that time we were living in the country.
[*ət ðæt 'tajm ui: uə: 'lywyŋ yn ðə 'kantry*]
Wtedy mieszkaliśmy na wsi.

When I came up, they were getting into a taxi.
[*uen aj 'kejm 'ap, ðəj uə: 'getyŋ intu ə 'tæksy*]
Kiedy nadszedłem, wsiadali do taksówki.

6. Forma prosta str. czynnej trybu ozn. czasu teraźn. dok. kojarzy czynność rozpoczętą w przeszłości z teraźniejszością w ten sposób, że:

a) sama czynność trwa jeszcze teraz,

b) wynik czynności trwa teraz, np.:

I have lived here for three years.
[*aj həw 'lywd hiə fə 'θri: 'jə:z*]
Mieszkam tutaj od trzech lat.

You have started to read this paragraph.
[*ju həw 'sta:tyd tə 'ri:d ðys 'pærəgra:f*]
Zaczęliście czytać niniejszy ustęp.

At last you have come; I have waited for you for about an hour.
[*ət 'la:st ju həw 'kam; aj həw 'uejtyd fə ju: fər ə'baut ən 'auə*]
Nareszcie przyszłaś; czekałem na ciebie blisko godzinę.

W pierwszym przypadku można też użyć formy ciągłej str. czynnej trybu ozn. czasu teraźn. dok.

7. Forma prosta str. czynnej trybu ozn. czasu zaprzeszłego wyraża zazwyczaj czynność wcześniejszą niż jakakolwiek inna czynność, wyrażona w formie prostej str. czynnej trybu ozn. czasu przeszłego:

When I came home, everybody had gone to the concert.
[*uen aj 'kejm 'houm, 'ewrybədy həd 'gon tə ðə 'konsət*]
Kiedy przyszedłem do domu, już wszyscy poszli na koncert.

8. Strony biernej używa się o wiele częściej niż w polskim. Jest ona często odpowiednikiem formy bezosobowej, np.:

Bouquets of red roses were exchanged.
['*bukejs əw 'red 'rouzyz uər yks'czejndżd*]
Wymieniono bukiety czerwonych róż.

9. Tryb warunkowy pierwszy odnosi się do teraźniejszości i przyszłości, zaś tryb warunkowy drugi do przeszłości, np.:

If I caught the train tomorrow I should meet you.
[*yf aj 'ko:t ðə 'trejn tə'morou aj szud 'mi:t ju*]
Gdybym zdążył na pociąg jutro, spotkałbym się z tobą.

If I had caught the train yesterday I should have met you.
[*yf aj həd 'ko:t ðə 'trejn 'jestədej aj szud həw 'met ju*]
Gdybym zdążył na pociąg wczoraj, spotkałbym się z tobą.

Wzór odmiany czasownika **be** (być) — patrz str. 294.

Wzór odmiany czasownika **have** (mieć) — patrz str. 293.

3. osoba l. poj. czasownika **do** = **does** [*daz*]

Czasowniki **shall** [*szœl*], **will** [*uyl*], **can** [*kœn*], **may** [*mej*], **must** [*mast*], **ought** [*o:t*] nie przyjmują końcówki **-s** w trzeciej osobie liczby pojedynczej.

Czasowniki **shall** [*szœl*], **will** [*uyl*], **can** [*kœn*], **may** [*mej*] występują tylko w formie prostej str. czynnej trybu ozn. czasu teraźn. i przeszłego.

Czasowniki **must** [*mast*] i **ought** [*o:t*] występują tylko w formie prostej str. czynnej trybu ozn. czasu teraźn.

Czasowniki **shall** [*szœl*], **will** [*uyl*], **can** [*kœn*], **may** [*mej*], **must** [*mast*] łączą się z bezokolicznikiem bez **to** [*tu*].

Czasowniki **shall** [*szœl*] i **will** [*uyl*] jako czasowniki posiłkowe nie mają samodzielnego znaczenia.

Czasownik **can** [*kœn*] wyraża zdolność fizyczną lub duchową oraz możność wynikającą z okoliczności, np.:

The convalescent can already walk.
[*ðə konwə'lesnt kœn o:l'redy 'uo:k*]
Rekonwalescent może już chodzić.

You can do what you like.
[*ju kən 'du: uot ju 'lajk*]
Możecie robić, co wam się podoba.

Czasownik **may** [*mej*] wyraża możliwość lub niewyraźnie zaznaczoną przyszłość, pozwolenie lub prawdopodobieństwo, np.:

It may rain tomorrow.
[*yt mej 'rejn tə'morou*]
Być może, że będzie padać jutro.

You may take my ticket.
[*ju mej 'tejk maj 'tykyt*]
Może pan wziąć mój bilet.

Czasownik **must** [*mast*] wyraża przymus oraz przypuszczenie graniczące z pewnością, np.:

He must do as he is told.
[*hy mast ˈdu: əz hi: yz ˈtould*]
Musi robić tak, jak mu każą.

They must be ill.
[*ðej mast bi: ˈyl*]
One muszą być chore.

Czasownik **ought** [*o:t*] wyraża konieczność, powinność, obowiązek, np.:

Ought he **to** go? Yes, he ought.
[*o:t hi: tə ˈgou*] [*jes, hi: ˈo:t*]
Czy powinien pojechać? Tak, powinien.

## Czasowniki nieregularne

| **Bezokolicznik** | **Czas przeszły** | **Imiesłów bierny** | |
|---|---|---|---|
| be [*bi:*] | was [*uoz*] / were [*uə:*] | been [*bi:n*] | **być** |
| beat [*bi:t*] | beat [*bi:t*] | beaten [*bi:tn*] | bić |
| break [*brejk*] | broke [*brouk*] | broken [*broukn*] | łamać, przerywać |
| bring [*bryŋ*] | brought [*bro:t*] | brought [*bro:t*] | przynosić, przywozić |
| build [*byld*] | built [*bylt*] | built [*bylt*] | budować |
| buy [*baj*] | bought [*bo:t*] | bought [*bo:t*] | kupować |
| can [*kœn*] | could [*kud*] | — | móc |
| catch [*kœcz*] | caught [*ko:t*] | caught [*ko:t*] | łapać, chwytać |

| Bezokolicznik | Czas przeszły | Imiesłów bierny | |
|---|---|---|---|
| choose [*czu:z*] | chose [*czouz*] | chosen [*czouzn*] | wybierać |
| come [*kam*] | came [*kejm*] | come [*kam*] | przyjść, przyjechać |
| cost [*kost*] | cost [*kost*] | cost [*kost*] | kosztować |
| cut [*kat*] | cut [*kat*] | cut [*kat*] | ciąć, kroić |
| do [*du:*] | did [*dyd*] | done [*dan*] | czynić, robić |
| draw [*dro:*] | drew [*dru:*] | drawn [*dro:n*] | ciągnąć, rysować |
| drink [*dryŋk*] | drank [*drœŋk*] | drunk [*draŋk*] | pić |
| drive [*drajw*] | drove [*drouw*] | driven [*drywn*] | jechać, wieźć (samochodem) |
| eat [*i:t*] | ate [*ejt*] | eaten [*i:tn*] | jeść |
| fall [*fo:l*] | fell [*fel*] | fallen [*fo:ln*] | padać, spadać |
| feel [*fi:l*] | felt [*felt*] | felt [*felt*] | czuć (się) |
| fight [*fajt*] | fought [*fo:t*] | fought [*fo:t*] | walczyć |
| find [*fajnd*] | found [*faund*] | found [*faund*] | znaleźć |
| fly [*flaj*] | flew [*flu:*] | flown [*floun*] | lecieć, wieźć (samolotem), fruwać |
| forget [*fə'get*] | forgot [*fə'got*] | forgotten [*fə'gotn*] | zapomnieć |
| get [*get*] | got [*got*] | got [*got*] | (do)stać (się) |
| give [*gyw*] | gave [*gejw*] | given [*gywn*] | dawać |
| go [*gou*] | went [*uent*] | gone [*gon*] | iść, chodzić, jechać, jeździć |

| Bezokolicznik | Czas przeszły | Imiesłów bierny | |
|---|---|---|---|
| grow [*grou*] | grew [*gru:*] | grown [*groun*] | rosnąć, sadzić |
| have [*hœw*] | had [*hœd*] | had [hæd] | mieć |
| hear [*hiə*] | heard [*hə:d*] | heard [*hə:d*] | słyszeć |
| hold [*hould*] | held [*held*] | held [*held*] | trzymać |
| hurt [*hə:t*] | hurt [*hə:t*] | hurt [*hə:t*] | kaleczyć, ranić, urazić |
| keep [*ki:p*] | kept [*kept*] | kept [*kept*] | trzymać |
| know [*nou*] | knew [*nju:*] | known [*noun*] | znać, wiedzieć, umieć |
| lead [*li:d*] | led [*led*] | led [*led*] | prowadzić, kierować |
| leave [*li:w*] | left [*left*] | left [*left*] | opuszczać, zostawiać, wyjeżdżać |
| lend [*lend*] | lent [*lent*] | lent [*lent*] | (wy)pożyczać |
| let [*let*] | let [*let*] | let [*let*] | pozwalać |
| lie [*laj*] | lay [*lej*] | lain [*lejn*] | leżeć |
| lose [*lu:z*] | lost [*lost*] | lost [*lost*] | tracić, gubić |
| make [*mejk*] | made [*mejd*] | made [*mejd*] | robić |
| may [*mej*] | might [*majt*] | — | móc |
| mean [*mi:n*] | meant [*ment*] | meant [*ment*] | znaczyć, zamierzać |
| meet [*mi:t*] | met [*met*] | met [*met*] | spotykać (się) |

| Bezokolicznik | Czas przeszły | Imiesłów bierny | |
|---|---|---|---|
| must [*mast*] | — | — | musieć |
| ought [*o:t*] | — | — | powinien |
| put [*put*] | put [*put*] | put [*put*] | kłaść, stawiać, umieszczać |
| read [*ri:d*] | read [*red*] | read [*red*] | czytać |
| rise [*rajz*] | rose [*rouz*] | risen [*ryzn*] | (po)wstawać |
| run [*ran*] | ran [*ræn*] | run [*ran*] | biec |
| say [*sej*] | said [*sed*] | said [*sed*] | powiadać |
| see [*si:*] | saw [*so:*] | seen [*si:n*] | widzieć |
| sell [*sel*] | sold [*sould*] | sold [*sould*] | sprzedawać |
| send [*send*] | sent [*sent*] | sent [*sent*] | słać, posyłać |
| set [*set*] | set [*set*] | set [*set*] | kłaść, stawiać, umieszczać |
| shall [*szæl*] | should [*szud*] | — | powinien |
| shine [*szajn*] | shone [*szon*] | shone [*szon*] | świecić |
| shoot [*shu:t*] | shot [*szot*] | shot [*szot*] | strzelać |
| show [*szou*] | showed [*szoud*] | shown [*szoun*] | pokazywać |
| shut [*szat*] | shut [*szat*] | shut [*szat*] | zamykać |
| sing [*syŋ*] | sang [*sæŋ*] | sung [*saŋ*] | śpiewać |

| Bezokolicznik | Czas przeszły | Imiesłów bierny | |
|---|---|---|---|
| sit<br>[*syt*] | sat<br>[*sœt*] | sat<br>[*sœt*] | siedzieć |
| sleep<br>[*sli:p*] | slept<br>[*slept*] | slept<br>[*slept*] | spać |
| speak<br>[*spi:k*] | spoke<br>[*spouk*] | spoken<br>[*spoukn*] | mówić |
| spend<br>[*spend*] | spent<br>[*spent*] | spent<br>[*spent*] | spędzać, wydawać |
| spread<br>[*spred*] | spread<br>[*spred*] | spread<br>[*spred*] | rozszerzać się, rozpowszechniać (się) |
| stand<br>[*stœnd*] | stood<br>[*stud*] | stood<br>[*stud*] | stać, stawać |
| steal<br>[*sti:l*] | stole<br>[*stoul*] | stolen<br>[*stouln*] | kraść |
| strike<br>[*strajk*] | struck<br>[*strak*] | struck<br>[*strak*] | uderzać, strajkować |
| swim<br>[*s$^u$ym*] | swam<br>[*s$^u$œm*] | swum<br>[*s$^u$am*] | pływać |
| take<br>[*tejk*] | took<br>[*tuk*] | taken<br>[*tejkn*] | brać |
| teach<br>[*ti:cz*] | taught<br>[*to:t*] | taught<br>[*to:t*] | uczyć |
| tear<br>[*teə*] | tore<br>[*to:*] | torn<br>[*to:n*] | rwać, targać |
| tell<br>[*tel*] | told<br>[*tould*] | told<br>[*tould*] | (o)powiadać |
| think<br>[*θyŋk*] | thought<br>[*θo:t*] | thought<br>[*θo:t*] | myśleć |
| threw<br>[*θru:*] | throw<br>[*θrou*] | thrown<br>[*θroun*] | rzucać |
| wake<br>[*$^u$ejk*] | woke<br>[*$^u$ouk*] | woken<br>[*$^u$oukn*] | budzić |
| wear<br>[*$^u$eə*] | wore<br>[*$^u$o:*] | worn<br>[*$^u$o:n*] | nosić, mieć na sobie |

| Bezokolicznik | Czas przeszły | Imiesłów bierny | |
|---|---|---|---|
| will | would | — | zechcieć |
| [*uyl*] | [*uud*] | | |
| win | won | won | zdobywać, zyskać |
| [*uyn*] | [*uan*] | [*uan*] | |
| write | wrote | written | pisać |
| [*rajt*] | [*rout*] | [*rytn*] | |

**Uwaga.** Najczęściej spotykany szyk twierdzącego zdania angielskiego jest następujący: PODMIOT — ORZECZENIE — DOPEŁNIENIE. Tę kolejność zaleca się jako niewzruszoną regułę, zwłaszcza dla początkujących. Jeżeli przestawilibyśmy ten szyk, np. w zdaniu: Tom writes a letter [*'tom 'rajts ə 'letə*] — Tomek pisze list, to otrzymalibyśmy niedorzeczne zdanie: A letter writes Tom [*e 'letə 'rajts 'tom*] — List pisze Tomka, w języku angielskim bowiem nie końcówka, ale miejsce w zdaniu określa przypadek rzeczownika.

## Tworzenie formy pytającej

1. Jeżeli w orzeczeniu jest jeden z czasowników **be** [*bi:*], **have** [*hœw*], **shall** [*szœl*], **will** [*uyl*], **can** [*kœn*], **may** [*mej*], **must** [*mast*], **ought** [*o:t*], to ten czasownik poprzedza podmiot, np.:

| Forma twierdząca: | Forma pytająca: |
|---|---|
| I have.<br>[*aj 'hœw*]<br>Mam. | Have I?<br>[*'hœw aj*]<br>Czy ja mam? |
| You have come.<br>[*ju həw 'kam*]<br>Pani przyjechała. | Have you come?<br>[*hœw ju 'kam*]<br>Pani przyjechała? |
| Mary can go.<br>[*meəry kən 'gou*]<br>Maria może jechać. | Can Mary go?<br>[*kœn 'meəry 'gou*]<br>Może Maria jechać? |
| The workers were striking.<br>[*ðə 'uə:kəz ueə 'strajkyŋ*]<br>Robotnicy strajkowali. | Were the workers striking?<br>[*ueə ðə 'uə:kəz 'strajkyŋ*]<br>Czy robotnicy strajkowali? |

2. Jeżeli w orzeczeniu jest inny czasownik, to podmiot poprzedzamy jedną z trzech form czasownika **do**: **do** [*du:*], **does** [*daz*], **did** [*dyd*] (**does** — jeśli orzeczenie jest w trzeciej osobie licz. poj. formy prostej strony czynnej trybu ozn. czasu teraźn., **do** — jeśli orzeczenie jest w innej osobie formy prostej str. czynnej trybu ozn. czasu teraźn., **did** — jeśli orzeczenie jest w formie prostej str. czynnej trybu ozn. czasu przeszłego), zaś odmieniany czasownik występuje po podmiocie w formie bezokolicznika, np.:

| **Forma twierdząca:** | **Forma pytająca:** |
| --- | --- |
| I go. He goes.<br>[*aj 'gou*] [*hi: 'gouz*]<br>Jadę. Jedzie. | Do I go? Does he go?<br>[*du: aj 'gou*] [*daz hi: 'gou*]<br>Czy jadę? Czy jedzie? |
| You found my glove.<br>[*ju 'faund maj 'glaw*]<br>Znaleźliście moją rękawiczkę. | Did you find my glove?<br>[*dyd ju 'fajnd maj 'glaw*]<br>Znaleźliście moją rękawiczkę? |
| Henry said no.<br>[*'henry 'sed 'nou*]<br>Henryk powiedział: nie. | Did Henry say no?<br>[*dyd 'henry 'sej 'nou*]<br>Czy Henryk powiedział: nie? |

Uwagi te nie stosują się do zdań, w których w podmiocie występują zaimki pytające: **who** [*hu:*]? **what** [$^{u}$*ot*]? **which** [$^{u}$*ycz*]? lub **how many**? [*'hau meny*]? **how much** [*'hau macz*]? np.:

| **Forma twierdząca:** | **Forma pytająca:** |
| --- | --- |
| Everybody is tired.<br>[*'ewrybədy yz 'tajəd*]<br>Każdy jest zmęczony. | Who is tired?<br>[*'hu: yz 'tajəd*]<br>Kto jest zmęczony? |
| Apple-trees grow in that orchard.<br>[*'æpltri:z 'grou yn ðæt 'o:czəd*]<br>Jabłonie rosną w tamtym sadzie. | What trees grow in that orchard?<br>[*'*$^{u}$*ot 'tri:z 'grou yn ðæt 'o:czəd*]<br>Jakie drzewa rosną w tamtym sadzie? |

| **Forma twierdząca:** | **Forma pytająca:** |
| --- | --- |
| Seven people died. | How many people died? |
| [*'sewn 'pi:pl 'dajd*] | [*'hau meny 'pi:pl 'dajd*] |
| Siedmioro ludzi zmarło. | Ilu ludzi zmarło? |

### Tworzenie formy przeczącej

1. Jeżeli w orzeczeniu jest jeden z czasowników **be** [*bi:*], **have** [*hœw*], **shall** [*szœl*], **will** [*ᵘyl*], **can** [*kœn*], **may** [*mej*], **must** [*mast*], **ought** [*o:t*], to po tym czasowniku stawiamy przeczenie **not** [*not*], np.:

| **Forma twierdząca:** | **Forma przecząca:** |
| --- | --- |
| The hair-dresser is cutting my hair. | The hair-dresser is not cutting my hair. |
| [*ðə 'heədresər yz 'katyŋ maj 'heə*] | [*ðə 'heədresər yz 'not 'katyŋ maj 'heə*] |
| Fryzjer strzyże mi włosy. | Fryzjer nie strzyże mi włosów. |
| It may happen. | It may not happen. |
| [*yt 'mej 'hœpn*] | [*yt 'mej 'not 'hœpn*] |
| To może się zdarzyć. | To nie może się zdarzyć. |

Uwaga: **must not** [*mast not*] znaczy: nie wolno, np.:

| | |
| --- | --- |
| You must not cry. | Children must not smoke. |
| [*ju 'mast 'not 'kraj*] | [*'czyldrən 'mast 'not 'smouk*] |
| Nie wolno ci płakać. | Dzieciom nie wolno palić papierosów. |

**Nie potrzebować** znaczy po angielsku **need not** [*ni:d not*], np.:

| | |
| --- | --- |
| You need not pay at once. | You need not come yourself. |
| [*ju 'ni:d 'not 'pej ət 'ᵘans*] | [*ju 'ni:d 'not 'kam jo:'self*] |
| Nie potrzebuje pani płacić od razu. | Nie potrzebuje pan przychodzić sam. |

2. Jeżeli w orzeczeniu jest inny czasownik, to stawiamy go w bezokoliczniku, a przed nim jedną z trzech form czasownika **do** [*du:*] i przeczenie **not** [*not*], np.:

| **Forma twierdząca:** | **Forma przecząca:** |
|---|---|
| He works hard.<br>[*hi: 'uə:ks 'ha:d*]<br>Pracuje ciężko. | He does not work hard.<br>[*hy daz 'not 'uə:k 'ha:d*]<br>Nie pracuje ciężko. |
| The veteran fought in two wars.<br>[*ðə 'wetrən 'fo:t yn 'tu: 'uo:z*]<br>Weteran walczył w dwóch wojnach. | The veteran did not fight in two wars.<br>[*ðə 'wetrən dyd 'not 'fajt yn 'tu: 'uo:z*]<br>Weteran nie walczył w dwóch wojnach. |
| Those waitresses speak Russian.<br>[*'ðouz 'uejtrysyz 'spi:k 'raszn*]<br>Tamte kelnerki mówią po rosyjsku. | Those waitresses do not speak Russian.<br>[*'ðouz 'uejtrysyz du: 'not 'spi:k 'raszn*]<br>Tamte kelnerki nie mówią po rosyjsku. |

Uwagi te nie stosują się do zdań, w których przeczenie odnosi się nie do orzeczenia, lecz do innej części zdania, np.:

| | |
|---|---|
| You never know.<br>[*ju 'newə 'nou*]<br>Nigdy nie wiadomo. | I can find him nowhere.<br>[*aj kən 'fajnd hym 'nouueə*]<br>Nie mogę go nigdzie znaleźć. |

Neither of the boys works with me.
[*najðər əw ðə 'bojz 'uə:ks uyð mi*]
Ani ten, ani ten chłopiec nie pracuje ze mną.

Należy pamiętać, że w zdaniu angielskim może być tylko jedno przeczenie.

Najczęściej używane **formy ściągnięte**, tj. skróty używane w mowie potocznej:

| | | | |
|---|---|---|---|
| aren't [*a:nt*] | are not | I've [*ajw*] | I have |
| can't [*ka:nt*] | cannot | isn't [*yznt*] | is not |
| couldn't [*kudnt*] | could not | it's [*yts*] | it is / it has |
| didn't [*dydnt*] | did not | let's [*lets*] | let us |
| doesn't [*daznt*] | does not | mustn't [*masnt*] | must not |
| don't [*dount*] | do not | shan't [*sza:nt*] | shall not |
| hadn't [*hœdnt*] | had not | that's [*ðœts*] | that is / that has |
| hasn't [*hœznt*] | has not | there's [*ðeəz*] | there is / there has |
| haven't [*hœwnt*] | have not | they'd [*ðejd*] | they had / they would |
| he'd [*hi:d*] | he had / he would | they'll [*ðejl*] | they will |
| he'll [*hi:l*] | he will | they're [*ðeə*] | they are |
| he's [*hi:z*] | he is / he has | they've [*ðejw*] | they have |
| here's [*hiəz*] | here is | wasn't [*uoznt*] | was not |
| how'd [*haud*] | how had / how would | we'd [*uyd*] | we had / we would |
| how's [*hauz*] | how is / how has | we'll [*uil*] | we will |
| I'd [*ajd*] | I had / I would | we're [*uiə*] | we are |
| I'll [*ajl*] | I will | we've [*uyw*] | we have |
| I'm [*ajm*] | I am | what'll [*uotl*] | what will |

| | | | |
|---|---|---|---|
| who'll [*hu:l*] | who will | you'll [*ju:l*] | you will |
| won't [*uount*] | will not | you're [*juə*] | you are |
| would't [*uudnt*] | would not | you've [*ju:w*] | you have |
| you'd [*ju:d*] | you had / you would | | |

**Uwaga:** W mowie potocznej używa się prawie wyłącznie form ściągniętych. Są one cechą mowy szybkiej. Dla ułatwienia każdą z nich można zastępować odpowiednią formą pełną według zestawienia.

### Mowa zależna

Jeżeli w zdaniu nadrzędnym jest czas przeszły, zaprzeszły lub tryb warunkowy, to w zdaniu podrzędnym następuje, prócz ewentualnej zmiany osób i okoliczników miejsca i czasu, także zmiana form czasu:

czas teraźniejszy zmienia się na czas przeszły,
czas przeszły „ „ „ czas zaprzeszły,
czas teraźn. dokonany „ „ „ czas zaprzeszły,

czas zaprzeszły nie podlega zmianie,
czas przyszły zmienia się na tryb warunkowy pierwszy.

Na przykład:

| **Mowa niezależna** | **Mowa zależna** |
|---|---|
| He said, "I'm leaving next week". | He said that he was leaving the following week. |
| [*hi: 'sed, ajm 'li:wyŋ 'nekst 'ui:k*] | [*hi: 'sed ðət hi: uəz 'li:wyŋ ðə 'folouyŋ 'ui:k*] |
| Powiedział: „Wyjeżdżam w przyszłym tygodniu". | Powiedział, że wyjeżdża w przyszłym tygodniu. |
| They'd declare, "You have made a mistake". | They'd declare that you had made a mistake. |
| [*ðejd dy'kleə ju hæw 'mejd ə mys'tejk*] | [*ðejd dy'kleə ðət ju həd mejd ə mys'tejk*] |
| Oświadczyłyby: „Popełniliście błąd". | Oświadczyłyby, że popełniliście błąd. |

Spójnik that [*ðət*] — „że“ można w mowie zależnej opuścić, np.:

| | |
|---|---|
| You said: “My boss will know this”. | You said your boss would know that. |
| [*ju 'sed, maj 'bos $^{u}$yl 'nou ðys*] | [*ju 'sed jo: 'bos $^{u}$ud 'nou ðæt*] |
| Pan powiedział: „Mój szef będzie wiedział o tym”. | Pan powiedział, że pański szef będzie wiedział o tym. |

W pytaniach czasowniki posiłkowe nie poprzedzają podmiotu, np.:

| | |
|---|---|
| He enquired, “Is this the right train?” | He enquired if that was the right train. |
| [*hi: yn'k$^{u}$ajəd, yz 'ðys ðə 'rajt 'trejn*] | [*hi: yn'k$^{u}$ajəd yf 'ðæt $^{u}$oz ðə 'rajt 'trejn*] |
| Zapytał: „Czy to jest dobry pociąg?” | Zapytał, czy to jest dobry pociąg. |

## 7. PRZYSŁÓWEK

Niektóre przysłówki tworzy się od przymiotników przez dodanie końcówki [-*ly*] lub [-*y*], pisanej **-ly (-y)**, np.:

| | | | |
|---|---|---|---|
| final [*fajnəl*] | ostateczny | fina**lly** [*'fajnəly*] | ostatecznie |
| real [*riəl*] | rzeczywisty | rea**lly** [*'riəly*] | rzeczywiście |
| possible [*'posəbl*] | możliwy | possib**ly** [*'posəbly*] | możliwie |
| wild [*$^{u}$ajld*] | dziki | wild**ly** [*'$^{u}$ajldly*] | dziko |
| simple [*sympl*] | prosty | simp**ly** [*'symply*] | po prostu |
| full [*ful*] | pełny | fu**lly** [*'fuly*] | w pełni |
| true [*tru:*] | prawdziwy | tru**ly** [*'tru:ly*] | prawdziwie. |

Niektóre przysłówki są identyczne w formie z przymiotnikami:

| late | far | fast | early | near |
|---|---|---|---|---|
| [*lejt*] | [*fa:*] | [*fa:st*] | [*'ə:ly*] | [*niə*] |
| późny, | daleki, | szybki, | wczesny, | bliski, |
| późno, | daleko, | szybko, | wcześnie, | blisko. |

Są **dwa sposoby stopniowania przysłówków** podobnie jak przymiotników, np.:

1) gaily [*'gejly*] — wesoło
 **more** gaily [*mo: 'gejly*] — weselej
 **most** gaily [*moust 'gejly*] — najweselej
 often [*o:fn*] — często
 **more** often [*mo:r 'o:fn*] — częściej
 **most** often [*moust 'o:fn*] — najczęściej

2) late [*lejt*] — późno
 late**r** [*'lejtə*] — później
 late**st** [*lejtyst*] — najpóźniej
 near [*niə*] — blisko
 near**er** [*'niərə*] — bliżej
 near**est** [*niəryst*] — najbliżej

**Nieregularny sposób stopniowania przysłówków:**

well [*uel*] — dobrze
 better [*'betə*] — lepiej
 best [*best*] — najlepiej

badly [*'bœdly*] — źle
 worse [*uə:s*] — gorzej
 worst [*uə:st*] — najgorzej

much [*macz*] — dużo
 more [*mo:*] — więcej
 most [*moust*] — najwięcej

little [*lytl*] — mało
 less [*les*] — mniej
 least [*li:st*] — najmniej

far [*fa:*] — daleko
 farther [*'fa:ðə*] **albo** further [*'fə:ðə*] — dalej
 farthest [*'fa:ðyst*] **albo** furthest [*'fə:ðyst*] — najdalej

## 8. PRZYIMEK

Każdy niemal przyimek angielski odpowiada wielu różnym przyimkom polskim i każdy niemal przyimek polski odpowiada wielu różnym przyimkom angielskim w zależności od powiązania. Dlatego zaleca sę ostrożność w tłumaczeniu.

| | |
|---|---|
| Come and sit **by** me.<br>*['kam ən 'syt baj mi:]* | Chodź, usiądź **przy** mnie. |
| He walked **by** us without speaking.<br>*[hi: 'uo:kt baj as uy'ðaut 'spi:kyŋ]* | Szedł **obok** nas nic nie mówiąc. |
| I go **by** this house every day.<br>*[aj 'gou baj ðys 'haus 'ewry 'dej]* | Przechodzę **koło** tego domu codziennie. |
| We spent a day **by** the sea.<br>*[ui: 'spent ə 'dej baj ðə 'si:]* | Spędziliśmy dzień **nad** morzem. |
| Can you finish the work **by** tomorrow?<br>*[kæn ju 'fynysz ðə 'uə:k baj tə'morou]* | Czy możesz skończyć tę pracę **do** jutra? |
| Step **by** step.<br>*['step baj 'step]* | Krok **za** krokiem. |
| He was deceived **by** his friend.<br>*[hi: uəz dy'si:wd baj hyz 'frend]* | Oszukany został **przez** przyjaciela. |
| Don't judge **by** appearances.<br>*['dount 'dżadż baj ə'piərənsyz]* | Nie sądźcie **po** pozorach. |
| Sugar is sold **by** the pound.<br>*['szugər yz 'sould baj ðə 'paund]* | Cukier sprzedaje się **na** funty. |

| | |
|---|---|
| Talerze są **na** stole. | The plates are **on** the table. [*ðə 'plejts ər on ðə 'tejbl*] |
| Ani jednej chmury nie ma **na** niebie. | There is not a cloud **in** the sky. [*ðeər yz 'not ə 'klaud yn ðə skaj*] |
| Kupiła to **na** raty. | She's bought it **by** instalments. [*szi:z 'bo:t yt baj yns'to:lmənts*] |
| Butelka **na** mleko. | A bottle **for** milk. [*ə'botl fə 'mylk*] |
| Upadł **na** podłogę. | He fell **to** the floor. [*hi: 'fel tə ðə 'flo:*] |
| Wszyscy byli **na** zebraniu | All were **at** the meeting. [*'o:l ᵘər ət ðə 'mi:tyŋ*] |

---

**Uwaga.** Krótki zarys gramatyki ma na widoku jedynie bardzo ograniczone cele praktyczne, uwarunkowane charakterem *Rozmówek*. Naukowe opracowanie gramatyki współczesnego języka angielskiego znajdzie czytelnik w podręczniku prof. dra Tadeusza Grzebieniowskiego pt. *Gramatyka opisowa języka angielskiego*, wydanym przez Państwowe Wydawnictwo Naukowe w Warszawie w 1954 r.

---

Wydawnictwo prosi o nadsyłanie uwag, które nasunęły się Czytelnikowi przy posługiwaniu się niniejszymi *Rozmówkami.*

Korespondencję prosimy kierować pod adresem: Państwowe Wydawnictwo „Wiedza Powszechna", Redakcja Samouczków, Warszawa, ul. Jasna 26.

Ukazały się następujące wydawnictwa:

**a) Rozmówki**

| | |
|---|---|
| E. Mroczko | — Rozmówki węgierskie wyd. II. |
| A. Platkow | — Rozmówki francuskie wyd. III. |
| I. Borysiuk | — Rozmówki niemieckie |
| A. Boderski | — Rozmówki rosyjskie |
| Z. Smejkal | — Rozmówki czeskie |
| H. Ochęduszko | — Rozmówki włoskie |
| A. Andrejew | — Rozmówki bułgarskie |
| K. Zawanowski | — Rozmówki hiszpańskie |
| M. Krukowska<br>J. Rachmister | — Rozmówki serbochorwackie |
| M. Jaworowski | — Rozmówki rumuńskie |
| A. i I. Dratwer | — Rozmówki polsko-esperanckie wyd. II |

**b) Seria „Poliglota" z płytami do nauki języków**

| | |
|---|---|
| B. i R. Retman<br>A. Platkow | — Do you Speak English? |
| M. Jaworowski | — Parlez-vous français? |
| M. E. Szarota | — Sprechen Sie deutsch? |
| Igor Wu-Jot | — Wy goworitie po russki? |

**c) Samouczki**

| | |
|---|---|
| I. Dobrzycka | — Język angielski dla samouków |
| A. Nikiel | — Język niemiecki dla samouków |
| E. Mroczko | — Język węgierski dla samouków |

# ERRATA

(najważniejsze omyłki dostrzeżone w druku)

| Str. | szpalta | wiersz | jest: | powinno być: |
|---|---|---|---|---|
| 19 | kol. 6 | 7 od dołu | $^{u}$*e* | $^{u}$*ə* |
| 26 | II | 4 od dołu | gentelmen | gentlemen |
| 55 | III | 12 od góry | *ri:pœ'tryejszn* | *'ri:pœtry'ejszn* |
| 63 | II | 5 od dołu | *'ryn* | *'ryŋ* |
| 70 | II | 15 od dołu | *'$^{u}$na* | *'$^{u}$an̩* |
| 75 | II | 7 od góry | me | SKREŚLIĆ |
|  | II | 8 od góry | *mi:* | SKREŚLIĆ |
| 81 | II | 1 od dołu | *'dże:ny* | *'dżə:ny* |
| 83 | II | 13 od góry | AM. | A. M. |
|  | II | 17 od góry | PM. | P. M. |
| 94 | II | 9 od dołu | et | *ət* |
| 95 | II | 3 od góry | *təð* | *tə ðə* |
| 96 | II | 12 od góry | *'ha:ft* | *'ha:f* |
| 101 | II | 16 od góry | *ðə* | *ðət* |
| 104 | II | 6 od dołu | *'kəlekt* | *kə'lekt* |
| 109 | II | 8 od dołu | *'syŋl* | *'syŋgl* |
| 119 | II | 5 od dołu | *'letœ:z* | *'letəz* |
| 120 | II | 12 od dołu | for | to |
|  | II | 11 od dołu | *fə* | *tə* |
| 128 | II | 4 od dołu | make me | makes me |
| 164 | I | 9 od dołu | na | SKREŚLIĆ |
| 165 | — | 10 od góry | brand | brands |
| 169 | II | 15 od góry | *ət hœw* | *tə hœw* |
| 170 | II | 4 od dołu | folscap | foolscap |
| 176 | III | 3 od góry | *'specymyn* | *'spesymyn* |
| 177 | II | 10 od dołu | They'e | They're |
| 181 | II | 14 od dołu | woolen | woollen |
| 182 | II | 2 od góry | me | SKREŚLIĆ |
|  | II | 4 od góry | *mi:* | SKREŚLIĆ |
| 189 | III | 4 od dołu | some | *a* |
|  | III | 2 od dołu | *sam* | *ə* |
| 191 | II | 6 od góry | some | an |
|  | II | 8 od góry | *səm* | *ən* |
| 192 | II | 4 od dołu | in | to |
|  | II | 1 od dołu | *yn* | *tə* |
| 195 | II | 7 od góry | *'kal-* | *'ka-* |
| 207 | II | 9 od dołu | *'tənyŋ* | *'tə:nyŋ* |
| 211 | II | 18 od góry | *'stejdiə,* | *'stejdiəm,* |
| 217 | II | 9 od góry | painting. | paintings. |
|  | II | 12 od góry | *'pejntyŋ* | *'pejntyŋz* |
| 218 | III | 11 od góry | *pejtyŋ* | *pejntyŋ* |
| 228 | II | 1 od góry | is | it |
| 232 | II | 2 od dołu | *ej* | *aj* |
| 233 | II | 10 od dołu | havent't | haven't |
| 287 | II | 10 od góry | *shi: 'so:* | *szi: 'so:* |